Dor

Die Geschichte d
Schwaben

Dornfeld, J.

Die Geschichte des Weinbaues in Schwaben

Inktank publishing, 2018

www.inktank-publishing.com

ISBN/EAN: 9783747703632

Die Geschichte des Weinbaues in Schwaben.

Eine geschichtliche Darstellung des Weinbaues und des damit in Verbindung stehenden Weinverkehrs in Schwaben von der ältesten bis auf die neueste Zeit.

Von

J. Dornfeld,

Kameralverwalter, Finanzrath in Weinsberg, Ritter des Friedrichsordens, Mitglied der württembergischen Weinverbesserungsgesellschaft, sowie mehrerer landwirthschaftlichen Gesellschaften und Vereine.

Stuttgart.

Verlag von Cohen und Risch.

1868.

Druck von J. Kreuzer in Stuttgart.

Vorrede.

Der Wein, offenbar das edelste Gewächs der Erde, stand schon in den ältesten Zeiten bei allen Völkern, die mit ihm bekannt waren, in hohem Ansehen, und von den angesehensten Männern wurde er als ein hoher Genuß gerühmt und gepriesen; auch verdient er mit Recht eine solche Werthschätzung, denn überall, wo die Rebe gepflanzt und Wein erzeugt wird, da wird nicht nur eine höhere Kultur des Bodens verbreitet, sondern auch bei den Bewohnern selbst reinere Sitten und edlere Gefühle geweckt und ausgebildet. Außerdem lehrt uns die Geschichte, daß die thatenreichsten Völker da sind, wo der edle Saft der Reben gewonnen wird, und nicht zu viel wird es behauptet sein, daß der Charakter eines an den Genuß des Weines gewöhnten Volkes sich wesentlich verändern müßte, wenn derselbe auf einmal oder nach und nach aufhören würde. Deutschland und insbesondere Schwaben, in dem schon seit vielen Jahrhunderten Weinbau getrieben wird, ist deßwegen von jeher als eines der gesegnetsten Länder betrachtet worden, und die höchste Blüthe seines Wohlstandes hängt auch mit der Blüthe seines Weinbaues enge zusammen. Es wird deßwegen für jeden Vaterlandsfreund gewiß von hohem Interesse sein, die Entstehung, Verbreitung und Ausübung desselben, sowie überhaupt die Geschichte desselben und des damit in Verbindung stehenden Weinverkehrs näher kennen zu lernen, sowie es auch für den Weinbauer und Weinkommerzianten sehr lehrreich sein dürfte, zu erfahren, wie der Weinbau bei uns entstanden ist, welche Ausdehnung er gewonnen hat, welche Traubengattungen angepflanzt und wie der Wein behandelt wurde, indem dadurch nicht nur die Kenntnisse über den Weinbau verbreitet, sondern auch manche Mißgriffe bei dem gegenwärtigen und künftigen Weinbaue vermieden werden dürften.

Der Verfasser, der sich schon seit mehreren Jahrzehnten dem Weinbaue mit vielem Interesse widmet und seine vielseitigen Erfahrungen in den schon früher erschienenen Schriften, nämlich in:

„Den Wein- und Obstproduzenten Deutschlands",

„Der Weinbauschule", einer von der württembergischen Weinverbesserungsgesellschaft gekrönten Preisschrift,

„Dem rationellen Weinbaue und der Weinbereitungslehre",

und in der in den württembergischen Jahrbüchern erscheinenden

„Topographie des württembergischen Weinbaues“

niedergelegt hat, hat bei der Entwerfung dieser Werke auch vielfache Gelegenheit gehabt, Notizen über die Geschichte des Weinbaues zu sammeln, die er durch Benützung verschiedener Archivalakten, sowie durch handschriftliche Mittheilungen von Privaten möglichst vervollständigt hat und sie nunmehr dem Drucke mit der Bitte um nachsichtige Beurtheilung übergibt.

Eine einfache, geschichtliche Darstellung der früheren Weinbauverhältnisse hätte jedoch für den Weinbauer häufig keinen reellen Werth, wenn damit keine Anwendung auf die Weinbauverhältnisse überhaupt und insbesondere auf die neuere Betriebsweise verbunden wäre, daher die Darstellung, wo es nöthig und angemessen erschien, nicht nur mit kritischen Ausführungen und Bemerkungen begleitet, sondern auch da, wo von der Vergangenheit auf die Zukunft geschlossen werden kann, möglichst vollständige Zusammenstellungen über die Menge und Güte des Weins, über das specifische Gewicht und über die Preise desselben gegeben wurden. Aus eben diesem Grunde sind nicht bloß die Weinbauverhältnisse in den verschiedenen Zeitabschnitten, sondern auch die auf dieselben einen wesentlichen Einfluß ausübenden Weinconsumtionsverhältnisse, sowie die Entstehung des Weinschanks und die Art der Ausbreitung des Weinverkehrs und des Weinhandels beschrieben worden, auch wurde nicht unterlassen, die zur Hebung und Beförderung des Weinbaues und des Weinverkehrs theils von einzelnen Regierungen getroffenen Anstalten, theils von Privatvereinen an den Tag gelegten Bestrebungen in besondern Abschnitten darzustellen, um dadurch eine möglichst vollständige Uebersicht über das zu geben, was unmittelbar oder bloß mittelbar den Weinbau berührt.

Insofern übrigens, namentlich die Darstellung der älteren Weinbauverhältnisse, aus Mangel der erforderlichen Notizen, doch hie und da noch etwas lückenhaft erscheint, so wird der Verfasser ergänzende und berichtigende Mittheilungen stets mit besonderem Danke aufnehmen.

Weinsberg, im März 1868.

Der Verfasser.

Inhalts-Uebersicht.

I. Einführung des Weinbaues.

III. Anlage der Weinberge.

Wesentliche Druckfehler.

Seite 10, Zeile 14 von oben lies Heilbronn statt Heibronn.
„ 20, Anmerkung Zeile 2 von unten lies verdarben statt verdorben.
„ 23, Zeile 14 von oben lies Michelbach statt Michelberg.
„ 27, „ 26 „ „ „ §. 124 statt §. 138.
„ 30, „ 21 „ „ „ einen statt einem.
„ 101, „ 5 „ „ „ Rast statt Naft.
„ 114, „ 10 „ „ „ Lembergertraube statt Limburgertraube.

I. Einführung des Weinbaues.

1. Der Weinbau in Deutschland und Schwaben unter den Römern vom zweiten bis ins vierte Jahrhundert.

§. 1.

Unter den alten Deutschen, welche ohnedieß wenig Landwirthschaft trieben, war die Rebe und deren Anpflanzung nicht bekannt, doch scheint es, daß sie, wahrscheinlich von dem benachbarten Gallien (Frankreich) aus, den Wein kennen gelernt haben, denn wie Cäsar schreibt, war den Sueven, den ältesten bekannten Bewohnern des jetzigen Schwabenlandes, der Wein, weil er entnervend wirke, verboten. Erst nach der Besitzergreifung eines Theils von Deutschland durch die Römer wurden die dichten Wälder theilweise ausgerottet, nach und nach landwirthschaftliche Cultur und mildere Sitten verbreitet und dadurch der Boden auch für den Weinbau vorbereitet. Die Besitzergreifung geschah theils durch Eroberung, theils durch friedliche Besitznahme; indem zu Cäsar und Augustus Zeiten das Land zwischen dem Rhein und der Donau wegen der Nähe der Römer von seinen deutschen Bewohnern verlassen war, worauf es von gallischen Auswanderern und sonstigen Abentheuern unter römischer Schutzherrschaft besetzt worden seie. Diese Besetzung von Süddeutschland erfolgte im ersten Jahrhundert unserer Zeitrechnung, doch sollen besonders am Neckar die Römer erst zu Anfang des zweiten Jahrhunderts (117) festen Fuß gefaßt haben.

Um die Eroberungen zu sichern, errichteten sie Standlager für die Truppen und Castelle an den Grenzen gegen die germanischen Völker, die sie durch Wälle (die sogenannte Teufelsmauer) in Verbindung setzten.*) Solche Standlager befanden sich in der Gegend von Heilbronn, Lauffen, Marbach, Cannstadt rc., die auch im In-

*) Dieser Wall, der auf seinem Rücken theilweise als Heerstraße diente, nahm seinen Anfang an der Mündung der Altmühl oberhalb Regensburg, durchzog die Oberämter Ellwangen, Welzheim, Oehringen und endigte bei Köln am Rhein.

nern des Gebietes durch gepflasterte Heerstraßen mit einander verbunden waren. Gewiß ist, daß schon im Jahr 150 die VIII. und in den Jahren 213—230 die XXII. römische Legion ihre Standlager am Neckar hatten, auch findet man noch gegenwärtig Ueberreste römischer Straßen, namentlich zog eine derselben aus Italien bis nach Augsburg (Augusta vindelicorum) und von da an den Bodensee und bis nach Gallien, und eine zweite (Neckarstraße) traf bei Wimpfen mit einer großen Heerstraße zusammen, die noch jetzt unter dem Namen Hohestraße, auf dem Bergrücken zwischen dem Kocher und der Jaxt hinlauft und sich erst im Tauber- und Maingrunde verliert. Hauptknoten dieser Straßenbette bildeten die jetzigen Orte, Rottweil, Rottenburg, Marbach, Bopfingen, Meimsheim und besonders Cannstadt.

Dieses vom Rhein bis an den Neckar und Main reichende Land behaupteten die Römer, jedoch mit einiger Unterbrechung bis gegen das Ende des dritten, zum Theil bis in die Mitte des 4ten Jahrhunderts (355) und besonders vom Jahr 138—268, von Kaiser Antonius Pius bis auf den Kaiser Gallianus, scheint die Blüthezeit der Römerherrschaft in Süddeutschland gewesen zu sein. Die neuen Bewohner desselben widmeten sich unter dem Schutze der römischen Legionen dem Ackerbau und der Viehzucht und hatten den zehnten Theil ihrer Erzeugnisse als Abgabe zu entrichten, daher das Land auch das Zehentland (agri decumates) genannt wurde.*)

§. 2.

Durch die gallischen und vielleicht auch römischen Colonisten wurde die ehemalige Wüste in eine blühende Landschaft verwandelt, Korn- und andere Felder bedeckten die Ebenen, Städte und kleinere Ortschaften erhoben sich und zahlreiche Straßen durchzogen nach allen Richtungen das Land, daher es nicht unwahrscheinlich ist, daß an den sonnigen Abhängen des Rhein- und Neckarthales und seiner Nebenthäler auch die Rebe gepflanzt wurde, besonders da Römer und Gallier an den Wein gewöhnt und mit dem Rebbau längst bekannt waren. Wie ausgedehnt der schon unter den Phönizern nach Gallien gebrachte Weinbau daselbst war, dessen Grenzen sich damalen bis an den Rhein erstreckten, beweist der Umstand, daß Kaiser Domitian im Jahr 92, als das Getreide mißrathen und eine allgemeine Theurung im römischen Reiche entstand, die Hälfte

*) Die Entrichtung der Zehentabgabe wird theilweise beanstandet, indem unter dem Ausdrucke Decumates bloß ein geregelter, ungetheilter Grundbesitz zu verstehen seie, dagegen wird die Leistung von Naturalabgaben durch die Ansiedler nicht bestritten. (Mone, Geschichte des baden'schen Landes II. Th. S. 2 und 229.)

der Weingärten in Gallien aushauen ließ, damit sie in Zukunft mit Getreide angebaut werden.*)

Eine geschichtliche Thatsache ist es, daß später Kaiser Probus, als er, nach der Ueberwindung der Allemannen im Jahre 277 sein Heer in Köln verabschiedete (280), den fremden Legionen (Spanier, Britten, Gallier) die Erlaubniß ertheilte, Weinberge in dem Rheinthale anzulegen, woraus sich schließen läßt, daß schon früher, vielleicht unter Domitian, Weinberge am Rhein vorhanden gewesen seien und Probus durch die ertheilte Erlaubniß das frühere Verbot entweder aufheben oder wenigstens mildern wollte.

Daß unter Probus Weinbergeanlagen in der Gegend von Speier, Worms, Mainz und an der Mosel entstanden, unterliegt keinem Zweifel, auch führen Spuren auf Inschriften bis auf das Jahr 281 zurück. Einige Schriftsteller wollen sogar behaupten, daß durch ihn auch Weinberge im Neckarthale und am Trause der Alp angelegt worden seien, ja die Sage läßt durch Probus Weinsberg als einen festen Punkt gegen die angrenzenden Allemannen gründen und durch die Anpflanzung der Rebe an seinen so vorzüglich gelegenen Bergen, ihm seinen Namen (Weinsberg) geben.**) Aus dem gleichen Grunde solle von Probus auch die Burg Achalm bei Reutlingen erbaut und der Weinbau daselbst eingeführt worden sein. Nachweisen läßt es sich wenigstens, daß Probus, nachdem er die Allemannen bis an den Neckar zurückgetrieben hatte, den Grenzwall erweitern und viele Castelle an demselben erbauen ließ, auch, als besonderer Freund der Landwirthschaft, überall, wo er mit seinen Legionen erschien, den Landbau zu gründen, zu erweitern und zu verbessern suchte, wie er denn auch durch dieselben, um sie nützlich zu beschäftigen, in der Zwischenzeit der Feldzüge Straßen und Canäle bauen, namentlich aber Weinberge in Panonien (dem heutigen Steuermark) anlegen ließ. Dieses mag auch am Neckar, wo er sich wegen der anzulegenden Befestigungen länger aufhalten mußte, geschehen sein, auch konnte der Weinbau unter dem Schutze der die cultivirten Flächen überall umgebenden Waldungen schon damalen gut gedeihen, doch war die Regierung des Probus (276

*) Im ersten Jahrhundert unserer Zeitrechnung scheint übrigens der Weinbau in Gallien kaum bis zu den Thälern der Sevennen, sowie in die Gegend von Autun und Bordeaux vorgedrungen gewesen zu sein. Die ersten sichern Nachrichten von dem Weinbaue im nördlichen Gallien und in der Gegend von Autun besitzen wir vom Jahr 311, und ums Jahr 360 rühmt Kaiser Julian die Früchte des Weinstocks aus der Umgegend von Lutetia, dem jetzigen Paris.

**) Das Privilegienbuch der Stadt Weinsberg von 1468 enthält Seite 132: „Die Stadt Weinsberg war anfänglich groß und volkreich, welche Probus Valerius, der römische Kaiser, als er die Gegend des Neckars erobert, erbauet.“

1*

bis 282) zu kurz, als daß er, wie hie und da angenommen wird, als Begründer des Weinbaues in Süddeutschland angesehen werden kann.

§. 3.

Mit dem siegreichen römischen Heere zogen zugleich Schaaren von Handelsleuten, um dasselbe mit den erforderlichen Bedürfnissen zu versehen und gegen dieselben die Beute einzuhandeln, auch dürfen wir uns die Römer nicht immer im Kriegszustande gegen die angrenzenden germanischen Völker denken, es kamen öfters auch längere und kürzere Friedenszeiten, besonders von 138—234, während welcher ein gegenseitiger Handelsverkehr stattfand, wo die Germanen auf den römischen Handelsplätzen mit ihren Rohprodukten erschienen, um solche gegen römische Erzeugnisse und Fabrikate einzutauschen; brachten ja sogar die Allemannen ihr schönes Hornvieh auf die römischen Märkte in Rhätien. Daß nun bei diesem Umtausch der Traubenwein, wie bei dem gegenwärtigen Handel mit rohen Völkern der Branntwein, eine große Rolle spielte, dürfen wir um so mehr annehmen, als der Genuß starker geistiger Getränke bei allen rohen Völkern bald sehr beliebt wird, und, wie wir später sehen werden, namentlich der Wein der Lieblingstrank der alten Deutschen wurde. Auch weist darauf, daß der Wein ein vorzüglicher Handelsartikel bei dem Verkehr mit den Germanen war, eine Verordnung des Kaisers Gratianus hin, der nach Besiegung der Lenzer-Allemannen, welche am südlichen Ufer des Bodensees wohnten, im Jahr 378 das Verbot ergehen ließ, Wein aus den römischen Provinzen in die angrenzenden Länder auszuführen, damit die Barbaren dadurch nicht angelockt würden. (Pfister, Geschichte von Schwaben I. Th. S. 89 und 90.)

Wenn nun durch die bei den römischen Heeren befindlichen Handelsleute sogar die ersten Anfänge des Christenthums in Deutschland verbreitet worden sein sollen, so darf denselben auch ein wesentlicher Antheil an der Verbreitung der Cultur und namentlich der Landwirthschaft, die mit ihrem Handelsbetriebe so enge zusammenhieng, zugeschrieben werden, so daß dadurch nicht nur die innerhalb der römischen Eroberungen befindlichen, sondern auch die an dieselben angrenzenden Germanen das unstete herumziehende Leben verließen und sich immer mehr an eine seßhafte Lebensweise und an den Besitz eines festen Grundeigenthums gewöhnten.

Wie ausgedehnt schon damalen der Landbau in dem römischen Zehentlande gewesen sein muß, beweist der Umstand, daß, als in Rom und in dem altrömischen Gebiete im 4ten Jahrundert eine Hungersnoth ausbrach, Kaiser Honorius sogar Getreide von den deutschen Provinzen dahin führen ließ.

§. 4.

Bei diesem Stande der Landwirthschaft sind gewiß auch Anfänge mit dem Betriebe des Weinbaues bei uns gemacht worden. Waren einmal Weinberge an dem linken Ufer des Rheins angepflanzt (§. 2), so wird sich der Weinbau auch bald auf das rechte Ufer und von hier aus in die Seitenthäler desselben verbreitet haben, und wenn schon Ausonius, der 378 und 379 Präfekt in Gallien war, die mit Reben umkränzten Höhen und Ufer der Mosel und namentlich das feine Arom der Moselweine rühmt, mithin der Weinbau an der Mosel und wahrscheinlich auch am Rhein bereits in großer Blüthe stand, so ist nicht anzunehmen, daß er in den benachbarten Seitenthälern ganz unbekannt gewesen seie.

Es wird daher wenig Zweifel mehr unterliegen, daß der Weinbau in dem südlichen Deutschland schon von den Römern eingeführt wurde und hauptsächlich vom Rheine und von Gallien aus zu uns kam,*) wie denn noch gegenwärtig

a) die Namen einzelner Traubengattungen, wie z. B. unser Elbling, albuelis (§. 52), sowie

b) die Benennung vieler Produkte, Arbeiten und Werkzeuge auf römischen Ursprung hinweisen, z. B.

Most (mustum), Läuer (lurea), Maas (mosa), Gölte (galeta), Lägel (lugena), Eimer (amphora), Faß (vas), Kufe (cupa), Kübel (cupella), Kelter (calcatorium), keltern (calcare), Trotte (torculum), Bracke (brachium), Secker (sectum), Pfahl (palus), trechen (trahere), Rahmen (ramex), Kamerzen (camera) 2c.**)

---

*) Der Römerbesitz in Süddeutschland und besonders am Neckar und der Alp theilt sich ab in dessen Begründung vom Jahre 70—137 und in den ruhigen Besitz von 138—234 in die Störung desselben durch die Einfälle der Allemannen von 235—272. Zerstörung der römischen Niederlassungen durch die Allemannen von 272—276. Eroberung und Wiederherstellung durch Probus von 276—282. Gänzlicher Untergang derselben und Eroberung bis an die Donau durch die Allemannen nach dem Tode von Probus 282. (Jaumann, Rottenburg S. 79.) Ueber die Einführung des Weinbaues durch die Römer in Deutschland vergl. Mone, Zeitschrift für die Geschichte des Oberrheins III. B. S. 257.

**) Ob alle diese Benennungen unmittelbar von den Römern abstammen, möchte aus dem Grunde nicht wohl zu behaupten sein, weil im ersten Jahrtausend unserer Zeitrechnung die lateinische Sprache in der Regel Schriftsprache bei uns war, wodurch viele lateinische Benennungen bei uns heimisch geworden sein mögen. Für die unmittelbare römische Abstammung spricht übrigens, daß zwar auch bei anderen Zweigen des Feldbaues Benennungen vorkommen, die von den Römern entlehnt wurden, als Acker (ager), Samen (semen), Joch (jugum), aber doch viel seltener, als bei dem Wein.

Außerdem kommen noch viele unserer Weinbauarbeiten, wie wir hienach (§. 53 u. 82) sehen werden, mit denjenigen der römischen Schriftsteller überein, so daß wir auch dadurch auf römischen Ursprung schließen dürfen.

Von großer Ausdehnung mögen die Weinpflanzungen allerdings nicht gewesen sein, sondern sich mehr auf Anflanzungen in der Nähe der römischen Standlager beschränkt haben, worauf nicht nur das von Kaiser Gratian erlassene Verbot der Weinausfuhr in die deutschen Länder (§. 3), sondern auch der weitere Umstand hindeutet, daß bei uns bei Ausgrabungen keine dem Weingotte Bachus geweihte Denkmale gefunden werden, während in der benachbarten Schweiz hie und da vorkommen.

Dagegen findet man an vielen ausgegrabenen römischen Gefässen, die bei uns gemacht wurden, Verzierungen von Trauben und Reben, was auf Weinbau schließen läßt, auch weisen einzelne bis auf die neue Zeit, besonders im Zabergäu fortgedauerten Weiberfeste (die sogenannten Weiberzechen, ein Bachusfest) darauf hin, daß sie wahrscheinlich von den Römern abstammen, und daß daher bei ihrer Einführung in jenen Gegenden der Weinbau doch schon ziemlich bekannt gewesen sein muß.

§. 5.

In Oberschwaben und in der Gegend des Bodensees scheint zur Zeit der Römerherrschaft noch kein Weinbau getrieben worden zu sein, indem von den römischen Schriftstellern des vierten Jahrhunderts angeführt wird, daß die Ufer des Bodensees wegen der grausenhaften Wildniß ihrer Wälder unzugänglich gewesen seien. Erst durch die Gründung befestigter Niederlassungen, Bregenz (Oppidum Brigantium), Arbon (Arbor felix), Konstanz (Constantia), von Constantin zu Anfang des vierten Jahrhunderts gegründet, mögen die Ufer etwas gelichtet und einige Bodencultur verbreitet worden sein, die sich aber mehr auf Acker- und Obstbau beschränkt haben dürfte, worauf auch der Name Arbon hindeutet.

Doch da jene Städte theilweise und namentlich Bregenz schon zu Augusts Zeiten im ersten Jahrhundert unserer Zeitrechnung erbaut wurde, so war es immer möglich, daß in diesen Niederlassungen auch der Weinbau nicht ganz unbekannt war, wenigstens ist es geschichtlich, daß schon zu Augusts Zeiten in dem südlichen Rhätien (der südlichen Schweiz und Tyrol) ein vorzüglicher Wein erzeugt worden ist, indem dort in vallis tellina (Veltlin) der Lieblingswein Augusts gepflanzt wurde. Auch bewundert schon im vierten Jahrhundert der heilige Ambrosius († 397) den ergiebigen Getreidebau und im fünften Jahrhundert der heilige Severin den ausgedehnten Weinbau Rhätiens.

Jedenfalls dürfen wir annehmen, daß der Weinbau in der Gegend des Bodensees ursprünglich nicht vom Rheine und von Gallien aus, sondern vom südlichen Theile der Schweiz dahin verbreitet worden seie, wie denn auch noch gegenwärtig der dortige Rebbau mehr demjenigen der Schweiz als demjenigen des Rhein- und Neckarthales gleicht, obgleich später auch Reben aus dem Rheinthale in die Bodenseegegend verpflanzt worden sein sollen.

2. Der Weinbau nach Vertreibung der Römer und während der Völkerwanderung von der Mitte des vierten bis gegen das Ende des fünften Jahrhunderts.

§. 6.

Nach Vertreibung der Römer aus Süddeutschland im Laufe des vierten Jahrhunderts durch die Allemannen grenzte das von denselben und zum Theil von Sueven besetzte Land, das nunmehrige Allemannien und nachherige Schwaben, bis an den Rhein und dehnte sich noch über einen Theil der nördlichen Schweiz aus.

Bei der Eroberung des Landes mögen viele römische Niederlassungen zerstört worden sein, doch müssen die Allemannen den Landbau schon gekannt und wenn auch nicht selbst doch durch ihre Sclaven, worunter viele Römer und Gallier sich befanden, getrieben haben, denn die große Volksmenge, wie sie römische Schriftsteller schildern, konnte nicht allein von der Viehzucht, wenn sie gleich von großer Bedeutung war, leben, auch bedurften sie Landbau zur Bereitung ihres Gerstentrankes.

Aus diesem Grunde mögen auch die Zerstörungen nicht so bedeutend gewesen sein und sich mehr auf die römische Befestigungen beschränkt, als auf deren Anpflanzungen ausgedehnt haben.

Größer waren die Verwüstungen während der Heerzüge der Vandalen und Hunnen unter Attila im fünften Jahrhundert, die mit der wildesten Verheerung, besonders auch des Ackerlandes begleitet waren, wodurch nicht nur eine Menge friedlicher Arbeiter von ihren Wohnsitzen verdrängt wurden, sondern sogar ganze Volksstämme sich diesen Heer- und Raubzügen anschlossen.

Hiedurch mögen auch viele landwirthschaftliche Anlagen, besonders bei dem noch in der Entwicklung begriffenen Weinbau zerstört worden sein, doch beschränkten sich die Zerstörungen auf einzelne Landstrecken, auch dürften die verschiedenen Wanderungen einzelner Völkerstämme in südlichere Gegenden sie mit manchen feineren Genüssen und besonders auch mit dem Weine bekannt gemacht und nach deren Rückkehr Veranlassung zu dessen Anpflanzung gegeben haben, wie denn die nach dem Zuge Attila's und dessen Niederlage bei Chalons im Jahre 451 an der Mosel und am Rheine, auf dem sogenannten Hundsrücken (Hunnenrücken) zurückgebliebenen Hunnen Rebenpflanzungen angelegt und Wein erzeugt haben sollen, der lange Zeit unter dem Namen „hunnischer Wein" bekannt war. (§. 55.)

§. 7.

In keinem Falle hat während dieser Zeitperiode im Rheinthale, wo die Cultur schon weiter vorangeschritten war und sich bereits Städte befanden, der Weinbau ganz aufgehört, denn wenn schon im nächsten Jahrhundert die Weinberge bei Metz, Trier, an der Mosel und Andernach am Rheine von Venantius Fortunatus, der sich von 567—580 in Frankreich aufhielt und später Bischof von Poitiers wurde, gerühmt und besungen werden, so müssen diese von großer Ausdehnung gewesen und lange bestanden haben. Hat aber am linken Rheinufer der Weinbau fortgedauert, so wird er auch am rechten Ufer und den Seitenthälern nicht ganz aufgehört haben und nicht unwahrscheinlich ist es, daß sich auch am Neckar einzelne Anlagen wenigstens im wilden Zustande um so mehr erhalten haben, als schon in der nächsten Zeitperiode ausgedehnte Weinberganlagen in dem rechten Rheinthale und dessen Seitenthälern, in Lobdengau (§. 8) bestehen und in den Maingau sogar schon ums Jahr 460 die ersten Reben durch eine Colonie von der Mosel gebracht worden sein sollen, auch läßt sich die Rebe, als Schlingpflanze, wenn der Stock nicht förmlich ausgehauen wird, von dem einmal eingenommenen Boden nicht leicht vertilgen. Ueberdies wurden die mit dem Landbau schon mehr bekannten Allemannen durch die Völkerwanderung nicht gänzlich von ihren Wohnsitzen verdrängt, vielmehr dehnte sich ihr Reich nach derselben bis über den Rhein nach Elsaß und Lothringen aus, wo der Weinbau längst bestand und wo sie mit demselben bekannt werden mußten.

Welche Aufmerksamkeit auch schon in diesem Zeitraume dem Weinbaue geschenkt wurde, beweist der Umstand, daß nach dem salischen Gesetz, von dem Frankenkönig Chlodwig im Jahr 480 verfaßt, die Entwendung eines Rebenstocks mit 10 Schillingen bestraft wurde. (§. 78.) *)

*) Die salischen Franken wohnten im belgischen Gallien an der Maas und Sale und vielleicht auch an der Mosel und dem Unterrhein.

3. Der Weinbau nach der Völkerwanderung unter fränkischer Herrschaft von 500—768.

§. 8.

Eine geschichtliche Nachweisung der Einführung des Weinbaues in den deutschen Gauen und namentlich in Schwaben beginnt erst mit diesem Zeitraume. Nach der gegen die Allemannen gewonnenen Schlacht vor Zülpich (496) unterwarf sich Chlodwig, König der Franken, den nördlichen Theil von Allemannien bis an den Murr-, Glems- und Enzfluß und unter seinem Nachfolger unterwarfen sich auch freiwillig die südlichen Stämme der Allemannen.

Ein Theil der allemannischen Länder wurde fränkisches Kammerland und da Chlodwig die christliche Religion angenommen hatte, so fand diese auch bei den Allemannen Eingang.

Christliche Glaubensboten erschienen, Kirchen und Klöster wurden gegründet, und da bei der Ausübung der christlichen Religion der Wein ein besonders heiliges Symbol bildet, so war es natürlich, daß der Weinbau durch die Geistlichkeit sehr befördert und so mit der Errichtung der Klöster auch die Anpflanzung der Rebe versucht wurde, auch mögen die mit dem Weinbaue bereits bekannten und an den Wein gewöhnten Franken mit der Einführung desselben auf den neuen Kammerländern nicht lange gezögert haben.

§. 9.

Das erste uns bekannte Kloster, das in dem damaligen fränkischen Herzogthum Allemannien entstand, war das durch den irischen Glaubensboten Gall ums Jahr 613 gegründete Kloster St. Gallen in der Nähe des Bodensees (Arx, Geschichte des Cantons St. Gallen 1820. I. Th. 41).

Auch sollen im Jahr 645 die ersten Anfänge zur Gründung des Klosters Hirschau gemacht (Steinhofers württembergische Chronik II. Thl. S. 15) und im Jahr 724 durch den irischen Glaubensboten Pirminus das Kloster auf der Insel Reichenau gestiftet worden sein (Culturgeschichte Württembergs von Cleß 1806. I. Thl. S. 75).

Von Württemberg kennen wir keinen Glaubensboten aus der damaligen Zeit, doch sagt die Legende, daß am mittleren Neckar in der Gegend von Cannstadt der heilige Urban, ein Schüler von Gall, erschienen und die Kirche Altenburg bei Cannstadt gegründet habe, die bald ein berühmter Wallfahrtsort wurde, wo Urban die aus dem Gotteshaus Kommenden lehrte, den Boden zu bebauen, die Früchte zu pflanzen, den Weinstock zu behandeln, die Trauben zu keltern und den Wein in Kufen zu bewahren zum Jahrestrunk bei frohen und traurigen Ereignissen. Hieran sollen Viele Gefallen gefunden und wo ein sonniger Berg sich erhob, der im Frühjahr am ehesten vom Schnee befreit war, da wurden Reben, besonders aber in den südlichen Höhen von Cannstadt bis Eßlingen, gepflanzt. Dieser Urban ist bis heute der Schutzpatron der Weingärtner Württembergs, dessen Fest in manchen Orten noch gegenwärtig gefeiert wird (§. 129), und besitzen wir auch keine Urkunden darüber, so ist diese Legende doch ein Beweis, daß der Weinbau schon vor der geschichtlichen Zeit begonnen haben muß.

§. 10.

Der Weinbau in dem damaligen Herzogthum, Allemannien wurde übrigens nicht erst durch die Klöster fester begründet, denn gewiß ist, daß vor der Existenz der meisten derselben (§. 14) am untern Neckar in der Gegend von Heibronn, Lauffen rc., wo schon die Natur selbst zu dem Anbau des edlen Gewächses, der Traube, auffordert, Weinbau getrieben wurde. Vielmehr mögen die K. Kammergüter (palatia, Pfalzen), wozu namentlich auch Heilbronn und Lauffen, sowie Tübingen gehörte, in welch letzterem Orte nach der Unterwerfung der dortigen Allemannen im Jahr 510 sogar ein eigener Pfalzgraf eingesetzt worden sein soll, sowie die Güter der allemannischen Herzoge und Großen es hauptsächlich gewesen seien, wo der Weinbau zuerst heimisch und von wo aus derselbe weiter verbreitet wurde, auch dürfen wir die Gegenden von Heilbronn und des Zabergaues, die mildesten Württembergs, als diejenigen annehmen, wo, als durch keine hohe Gebirge vom Rheinthale geschieden, die deutschen Urwaldungen am frühesten gelichtet, die Cultur in den bedeutenden römischen Niederlassungen am längsten bewahrt und vom Rheine her am frühesten bei uns eingedrungen ist, wie denn auch namentlich das Zabergau in spätern Urkunden als eine edle Provinz bezeichnet und das kleine Italien geheißen wurde und wo vor der Zeit der frühesten Urkunden der Wein- und Obstbau längst getrieben worden sein muß.

Diese K. Pfalzen wurden nach der Ueberwindung der allemannischen Herzoge durch die königlichen Hausmayer Pipin und Carl Martell rc. und im Jahr 746 durch die Einziehung der Güter derselben bedeutend vermehrt, dieselben zur Sicherheit mit befestigten Castellen versehen und dadurch der Grund zu manchen nachherigen Städten und Ortschaften gelegt, wie denn schon im Jahr 603 die Burg Achalm und im Jahr 650 die Burg Urach (Weiache) gestanden sein sollen.

Im Jahr 638 übergibt Dagobert, König der Franken, seine Weinberge im Lobdengau (zwischen dem Neckar- und Mainthale in der Gegend von Darmstadt und Ladenburg) an das Stift St. Peter in Worms (Carlowitz, Versuch einer Culturgeschichte des Weinbaues S. 66).

Im Jahr 670 findet man Weinbau im Turgau unfern des Bodensees und im Jahr 724 zu Ermatingen am untern See auf einem Gute von Carl Martell. (Cleß, I. Theil S. 94 und 357.)

Auch zu Bodinghofen (Bettighofen) im Turgau kommen im siebten Jahrhundert Weinpflanzungen vor. (Cleß, I. Theil S. 190.)

§. 11.

Die Klöster dagegen suchten nach ihrer Gründung den Weinbau durch neue Anlagen sehr zu befördern und zu vermehren, weil sie des Weins für sich selbst, für den Gottesdienst und für reiche und arme Gäste in größerer Menge bedurften. Sie brachten daher den Weinbau in Gegenden, wo man zuvor an denselben kaum dachte und nahmen Geschenke von Weinbergen vorzugsweise gerne an. Aus diesem Grunde besitzen wir auch aus Gegenden, wo Klöster gegründet wurden, fast die ersten urkundlichen Nachrichten über den Weinbau.

Im Jahr 670 schenkte Ebo dem Kloster St. Gallen viele Güter, Weinberge nebst Leibeigenen zu Bötzingen, Laufen, Bettingen und einen Theil der Kirche zu Röteln im Breisgau. (Gock, der Weinbau am Bodensee, am obern Neckar und der schwäbischen Alp 1834 S. 31 und 32.)

Im Jahr 716 verkauft ein gewisser Ertoin (Erwin) ein Joch seines Weinbergs zu Ebringen (im Breisgau) an das Kloster St. Gallen. (Cleß, I. Th. S. 94.)

Ebendort kommen im Jahre 772 Weinberge zu Fischingen und im Jahre 790 zu Merzhausen vor. (Volz, Beiträge zur Culturgeschichte S. 190.)

§. 12.

Ausgedehnt mag freilich der Weinbau besonders am Bodensee noch nicht gewesen sein, denn wenn nach einer Urkunde vom Jahre 757 das Kloster St. Gallen damalen noch in einer Wildniß lag, so verdienen auch die weiteren Nachrichten, daß in diesem Zeitraume der Weinbau auf der Süd- (Schweizer) Seite des Bodensees noch nicht getrieben worden sei, vollen Glauben.*) Dagegen kommt derselbe im Wormsgau, Speiergau, Breisgau bis an die Grenze des

*) Doch herrschte schon zur Zeit der Gründung des Klosters St. Gallen (613) in dem von den Römern gegründeten Arbon ein Zehentgraf, wornach die Ufer des Bodensees wenigstens theilweise angebaut gewesen sein mußten. (Gock, Bodensee S. 31.)

Schweizerlandes, namentlich zu Ende dieses Zeitraumes im achten Jahrhundert überall vor und bei den verschiedenen urkundlichen Nachweisungen von dem Anfange des nächsten Zeitraumes an über den Betrieb des Weinbaues in dem untern Neckarthale von Heilbronn bis Eßlingen dürfen wir mit Bestimmtheit annehmen, daß derselbe in der dortigen Gegend schon lange existirt habe und nicht ganz unbedeutend gewesen seie.

Auch des Schutzes der Gesetze erfreute sich der Weinbau bereits in diesem Zeitraume, indem neben dem salischen (§. 7) auch das bayerische Gesetz vom Jahre 630 bis 638 (§. 78) von den Arbeiten der Colonnen in den Weinbergen spricht und Strafen auf die Entwendung von Weinreben sezt und wenn auch das allemannische Gesez von dem Jahre 502 bis 531 davon nichts enthält, so ist dies noch kein Beweis, daß der Weinbau damals bei uns noch ganz unbekannt gewesen sei, sondern es läßt sich bloß daraus schließen, daß zur Zeit des bald nach der Völkerwanderung erlassenen Gesetzes derselbe noch nicht von Belang gewesen sei und die vorhandenen Weinberge noch keines gesetzlichen Schutzes bedurften.

4. Der Weinbau unter den Carolingern und den ersten deutschen Kaisern von 768—1137.

§. 13.

Dem fränkischen Könige und nachherigen römischen Kaiser Carl dem Großen war es vorbehalten, wie auf die Gesittung und Ausbildung der seinem Scepter unterworfenen verschiedenen Völkerschaften, so auch auf die Cultivirung des Bodens und dessen zweckmäßiger Anpflanzung mit kräftiger Hand einzuwirken. Durch seine siegreichen Kriege unterwarf er sich nicht nur ganz Deutschland, sondern auch Italien, die früher verheerenden Kriegszüge einzelner Völker- und Volksstämme hörten dadurch auf, Ruhe und Frieden und mit ihnen Landwirthschaft, Gewerbe und Handel kehrten in den deutschen Gauen ein und breiteten sich unter seinem und seines Nachfolgers Schutze immer mehr aus, und durch seine Züge und den Aufenthalt in südlichen Ländern lernte er manches edle Gewächs, namentlich auch den Weinstock und die vorzüglichen Erzeugnisse desselben näher kennen und war daher später eifrig bemüht, denselben auch bei uns möglichst heimisch zu machen.

Eine der wichtigsten und einflußreichsten Verfügungen war seine Wirthschaftsverordnung (capitulare de villis vel curtis imperatoris), in welcher den Beamten auf den königlichen Kammergütern nicht nur Vorschriften über die Anpflanzung der Rebe, sondern auch über die Lese, Kelterung, Einkellerung und sonstige Behandlung des Weins gegeben wurde. (Anton, Geschichte der deutschen Landwirthschaft 1799, I. Th. S. 177.)

§. 14.

Als königliche Güter werden zur damaligen Zeit folgende genannt, auf welchen Weinbau getrieben worden sein konnte.

Im Neckarthale und den kleinen Seitenthälern: Heilbronn, Lauffen, Kirchheim (Dorf), Besigheim, Ilsfeld, Kirchheim (Stadt), Nürtingen, Dußlingen bei Tübingen, Pfullingen.

Im Remsthale: Waiblingen, Winterbach.

Im Filsthale: Faurndau bei Göppingen.

Im Kocherthale: Sindringen.

Im Jagstthale: Züttlingen, Möckmühl, Sindeldorf, Ailringen.

Im Tauberthale: Markelsheim.

Im Donauthale: Ulm, Langenau.

In der Bodenseegegend: Trutzenweiler und Happenweiler, Oberamts Ravensburg, Ailingen, Oberamts Tettnang, Hohentwiel, Heiligenberg, Zurzach, Constanz, Bodmann, Ermatingen, Lustnau (bei Bregenz). (Stälin, württembergische Geschichte 1841, I. Th. S. 344. 521. Hüllmann, deutsche Finanzgeschichte des Mittelalters 1805, S. 19—35. Volz, S. 182.)

Diese Güter wurden von besondern Beamten, den sogenannten Hofmayern verwaltet, welche nach jener Wirthschaftsverordnung den Auftrag hatten, an Weihnachten jedes Jahr einzelne und ordentliche Bestandzettel über den Ertrag derselben, besonders auch an Wein, einzusenden, auch waren dieselben angewiesen, die besseren Weine für das königliche Hoflager aufzubewahren und daher die gewöhnlichen Weine in der Nähe der königlichen Landgüter zu erkaufen. War der Wein zum Aufbewahren nicht tauglich oder für das königliche Hoflager nicht nöthig, so mußte derselbe ausgeschenkt werden und dieses durch Aushängen von Kränzen und Weinreben, was gegenwärtig noch bei uns gebräuchlich ist, angezeigt werden. Zur Vermehrung und Ausbreitung des Weinbaues waren die Beamten beauftragt, Weinsenker (Rebschnittlinge) aus den herrschaftlichen Weinbergen einzusenden. Auf diesen Landgütern (Pfalzen) schlugen die Könige von Zeit zu Zeit ihre Hoflager auf, besorgten von hier aus ihre Regierungsgeschäfte und übernachteten auf denselben auf ihren Reisen. Der Ertrag derselben bildete das hauptsächlichste Einkommen der Könige, daher ihnen auch sehr daran gelegen sein mußte, denselben möglichst zu erhöhen, und sowie Carl auf seinem Lieblingsaufenthalt zu Ober-Ingelheim und Rüdesheim am Rhein Weinberge anlegen und die gegenwärtig in der dortigen Gegend noch häufig vorkommende Orleanstraube anpflanzen ließ, so geschah es auch noch an vielen andern Orten, insbesondere aber finden wir, daß seit dieser Zeit in dem damaligen Herzogthum Allemannien und nachherigen Herzogthum Schwaben oder in den jetzt zu Württemberg gehörigen Gegenden der Weinbau in größerer Ausdehnung getrieben wurde, indem die königlichen Pfalzen für die gesammte Landwirthschaft, vorzüglich aber für den Wein-, Obst- und Gartenbau, als eigentliche Musteranstalten dienten.

Die ersten urkundlichen Nachweisungen, die wir über den Betrieb des Weinbaues in dem Neckarthale und seinen Umgebungen besitzen, sind von den Jahren 766—788 aus dem Oberamte Heilbronn (§. 29), 793 aus dem Zabergaue (§. 30) und 778 aus der Gegend von Eßlingen (§. 32), auch soll bei Pfullingen der Georgenberg und bei Reutlingen die Achalm schon früher mit Reben besetzt worden sein.

§. 15.

Welcher Werth auf Gegenden, in welcher ein vorzüglicher Weinbau stattfand, gelegt wurde, beweist der Vertrag von Verdün vom Jahr 843, wo das fränkische Reich zertheilt wurde und Deutschland seine eigenen Könige erhielte. Durch diesen Vertrag wurden Ludwig dem Deutschen wegen ihres reichlichen Weinertrags auch noch die Districte Mainz, Worms und Speier auf dem linken Rheinufer zugetheilt, obgleich sonst der Rhein die Grenze für das nunmehrige Deutschland bildete und, wie bereits angeführt, auch auf der rechten Rheinseite an verschiedenen Orten Weinbau getrieben wurde; es scheint daher, daß zu jener Zeit in der Umgegend der gedachten Städte der größte Weinbau in Deutschland bestanden habe.

Unter den nachfolgenden deutschen Königen zeichnete sich vorzüglich Heinrich I., der Vogler, der Gründer vieler deutschen Städte zum Schutze gegen die Raubzüge der Ungarn, und der von ihm zum Herzog in Allemannien im Jahr 926 erhobene Graf Hermann in Franken durch Beförderung der sittlichen und landwirthschaftlichen Cultur aus, und nicht unwahrscheinlich ist es, daß unter des letztern Verwaltung bis 948 besonders im obern Neckarthale und am Traufe der Alp der Wein- und Obstbau, der sich durch die wilden Völkerzüge verloren hatte, wieder eingeführt oder wenigstens verbessert und mehr verbreitet wurde.

Bald nachher, zur Zeit der Ottone, 936—1002, von welchen Otto I., der Große, die römische Kaiserwürde mit der deutschen Königswürde vereinigte, muß der Weinbau in Süddeutschland bereits freudig geblüht haben, da man damalen vielen Wein nach England ausführte. (Volz, S. 192.)

Weitere urkundliche Nachweisungen über den Betrieb des Weinbaues im Neckarthale finden sich von den Jahren 976 aus dem Oberamt Neckarsulm und Brackenheim (§. 29), 1003 aus dem Oberamt Besigheim (§. 29), 950 und 978 aus dem Oberamt Marbach (§. 32); im Filsthale 875 aus dem Oberamt Göppingen (§. 43) und insbesondere aus der Gegend von Göppingen, einer minder günstigen Weinbaugegend, wo der Weinbau bereits wieder aufgehört hat, daher derselbe in dem milderen untern und mittlern Neckarthale und dessen Seitenthälern, sowie im Kocher-, Jagst- und Tauberthale schon längst eingeführt gewesen sein muß. Die Burgen, um welche sich wegen des Schutzes, den sie gewährten, frühzeitig Ansiedlungen bildeten, mögen häufig auch Veranlassung gewesen sein, daß an den Abhängen der Berge, auf welchen sie standen, sehr bald Weinbau getrieben wurde und besonders mag das Stammschloß Württemberg den wohlthätigsten Einfluß auf die Verbreitung des Weinbaues im mittleren Neckarthale und seiner Umgebung ausgeübt haben.

§. 16.

Welche Ausdehnung der Weinbau an dem Bodensee in diesem Zeitraume gehabt habe, läßt sich nicht bestimmen. Einzelne Schriftsteller versichern, daß im zehnten Jahrhundert auf der Schweizerseite und im Turgau sehr wenige, im Rheinthale aber gar keine Weinberge angelegt gewesen seien, auch könnte man dieses daraus schließen, daß, um den Mangel an Wein in dem Kloster Reichenau abzuhelfen, Carl der Kahle im Jahr 875 demselben eine Abtei in Italien schenkte, woher es viel Oel und Wein bezog. Doch kommen schon Weinberge am See und in Turgau in der vorigen Zeitperiode vor (§. 10), und in dieser mehren sich die Urkunden darüber, insbesondere sind vorhanden (§. 52):

Von der Schweizerseite: von den Jahren 670, 779, 827, 850, 892, 896.

Von der Insel Reichenau: vom neunten Jahrhundert und von den Jahren 843 und 1065.

Auf der württembergischen Seite: von dem Jahre 875 aus den Oberämtern Ravensburg und Tettnang.

Auch ist es geschichtlich erwiesen, daß nicht nur die fränkischen Hausmeier, namentlich Carl Martell, sondern auch die fränkischen Könige von Carl dem Großen bis Ludwig dem Dicken, welche sich besonders für den Weinbau interessirten, sich öfters längere Zeit auf ihren Kammergütern am Bodensee aufgehalten haben, wie denn namentlich unter dem letztern König (884) der Weingarten zu Bodmann angelegt worden sein soll, in dem einer der besten Weine am Seeufer wächst und der noch heute der Königsgarten heißt. (Gock, S. 34.)

Hienach mag zu jener Zeit der Weinbau am Bodensee nicht mehr so ganz unbedeutend gewesen sein, besonders da man im neunten Jahrhundert auch schon von eingegangenen Weinbergen und von Mißjahren spricht, namentlich solle der Wein im Jahr 809 ganz mißrathen und in dem kalten Jahr 820 herb und sauer geworden sein.

§. 17.

Unter Carl dem Großen wurde auch der, von der Geistlichkeit zu ihrem Unterhalt und für gottesdienstliche Zwecke schon früher angesprochene Zehenten allgemein eingeführt, wie er in seiner Wirthschaftsverordnung §. 6 selbst verfügt:

> „daß unsere Beamte von allen Wirthschaftszweigen den Zehenten vollständig zu den Kirchen geben sollen, die auf unsern Herrngütern sind. Zu der Kirche eines andern werde kein Zehenten gegeben, außer wo er von Alters her eingerichtet gewesen ist.“ (Anton, I. Th. S. 185.)

Die Kirche und mit ihr die Geistlichkeit kamen dadurch zu einem ansehnlichen Vermögen, der Unterhalt der Geistlichkeit war gesichert, die Kirchen vermehrten sich und die vielen Stiftungen, nicht nur zu einzelnen Kirchen, sondern auch zu der Gründung und bessern Einrichtung ganzer Klöster, geben Zeugniß von dem damaligen religiösen Sinn der Einwohner. Namentlich erfolgte im Jahr 816 die Stiftung des Klosters Murrhardt; 830—838 Fundirung des Klosters Hirschau; 986 Stiftung des Klosters Kirchheim; 1060—1102 Stiftung des Klosters Lorch; 1095 Stiftung der Klöster Blaubeuren und Alpirsbach; 1124 Stiftung des Klosters Denkendorf; 1125 Stiftung des Klosters Anhausen; 1138 Stiftung des Klosters Maulbronn; 1183 Stiftung des Klosters Bebenhausen. (Steinhofers Chronik, I. Th. S. 21—110. Cleß, I. Th. S. 118.)

Durch die Vermehrung der Kirchen wurde das Bedürfniß an Wein für gottesdienstliche Zwecke gesteigert, die vermögliche Geistlichkeit verlangte auch feinere Genüsse und da manche höhere Geistliche vom Rheine in entferntere Gegenden Deutschlands versetzt wurden und dort das edle Gewächs ihres Heimathlandes vermißten, so suchten sie überall, wo es thunlich war, die Rebe anzupflanzen, so daß sich in diesem und wahrscheinlich zum Theil auch schon im vorigen Zeitraume der Weinbau am Maine hinauf bis Würzburg und an der Donau hinab bis Regensburg, sowie auch noch in andere Gegenden Deutschlands verbreitet hatte. Außerdem nahm durch die Errichtung von Klöstern der Weinverbrauch außerordentlich zu, da dieselben nicht nur zum eigenen Gebrauche, sondern auch für fremde Reisende und Gäste, indem sie häufig als Herbergen dienten, sehr vielen Wein brauchten, und wie der Mönch und Pfaffe, so freute sich auch der Laie des Weins. Die Geistlichkeit, namentlich aber die Klöster waren und blieben daher in dieser, sowie auch in der folgenden Periode die eifrigen Beförderer des Weinbaues, man suchte denselben überall, wo Klöster entstanden und einige Wahrscheinlichkeit für das Gedeihen der Rebe vorhanden war, einzuführen, wodurch der Weinbau in Gegenden kam, wo man zuvor an denselben gar nicht dachte. Die Mönche waren somit nicht allein Beförderer, sondern in manchen Gegenden auch Lehrer in dem Weinbau; auch wußten sie bei ihren Weinberganlagen den Ort genau zu treffen, wo die Rebe am besten gedeihen konnte. So sollen die Mönche von St. Peter im Breisgau die ersten Reben in die Gegend von Weilheim und Bissingen an der Alp gebracht haben, wo noch heute in jener Gegend der beste Wein wächst. In der Gegend von Ravensburg sollen die ersten Versuche zur Anpflanzung der Rebe von den Mönchen des benachbarten Klosters Weisenau gemacht worden sein. (Eben, Geschichte der Stadt Ravensburg, II. Th. S. 6.)

Einen sehr bedeutenden Weinbau muß namentlich das Kloster Hirschau getrieben haben, denn nach der Constitution des Abts Wilhelm von 1061—1091 wurden zu Besorgung der Weinberge, der Weinlese und Weinkeller eigene Decani (Hofpfleger) angestellt, die noch unter einen Großkeller standen.

Auch beweisen die vielen Reblande und Weinzinse des Klosters St. Gallen, daß der Weinbau in dem damaligen Herzogthum Allemannien nicht unbedeutend gewesen sein muß. Im zehnten Jahrhundert häufte sich der Weinvorrath in dem Kloster so sehr, daß sogar volle Weinfässer unter freiem Himmel, von Hütern bewacht, lagen und angesehene Leute den rothen Wein gar nicht mehr trinken wollten.

Auch die Urkunden der Wurmlinger Stiftung vom Jahr 1050, wo dreierlei Wein in nicht sparsamem Maße vorkommt, läßt auf bedeutenden Weinbau und Weinverbrauch in den Klöstern schließen. (Volz, S. 190.)

Ueberhaupt scheint man damalen, besonders aber in dem Kloster zu St. Gallen für gute Weine sehr feinzüngig geworden zu sein, denn ums Jahr 966 schickte der heilige Ulrich, Bischof in Augsburg, dem Kloster ganze Ladungen von Tyroler Wein. (Stälin, I. Th. S. 396.

5. Der Weinbau unter den Hohenstaufen von 1137—1254.

§. 18.

Schon gegen das Ende der vorigen Periode, namentlich aber unter den thatkräftigen Hohenstaufischen Kaisern, unter welchen Deutschland gegen seine innere und äußere Feinde geschützt war, breitete sich der Weinbau besonders auch im Norden von Deutschland immer mehr aus. Von Botzen bis Sachsen wurde Wein erzeugt und der Weinbau drang sogar in Gegenden, wo seit einigen hundert Jahren derselbe bereits wieder aufgehört hat.

Zu Anfang des eilften Jahrhunderts gab Bischof Bernhardt von Hildesheim dem neu gestifteten Kloster zu St. Michael zwei Weingärten, einen zu Hildesheim, den andern zwischen Heiligstadt und Göttingen.

Zu Ende des eilften Jahrhunderts legten die Mönche der Abtei Johannisberg die Weinberge an der südlichen Seite des Berges an und 1074 wurden die schon unter Karl dem Großen begonnenen Weinberganlagen bei Rüdesheim unter Bischof Siegfried erweitert.

Auch im Mainthal muß der Weinbau schon frühe in ziemlicher Ausdehnung betrieben worden sein (§. 7); denn 1170 vermacht Nicodem Billung und seine Frau Irmengart von Worms dem Kloster Brunnloch 3 Morgen Reben zu Randersacker am Main oberhalb Würzburg. (Mone, Zeitschrift II. Bd. S. 293.)

1073 brachte Bischof Bruno von Meißen den ersten Weinstock nach Thüringen und 1224 kommen Weinberge bei der Burg Meißen vor. Um Erfurt muß zur damaligen Zeit der Weinbau schon längst im Flor gestanden sein, denn das Jahr 1186 wird in Chroniken als ein so frühes Weinjahr gerühmt, daß man schon am 1. August reife Trauben schnitt.

1184 wurde Weinzehenten in Brandenburg erhoben und in der Niederlausitz, um Görliz, bei Göttingen wurde Wein gebaut.*)

1128 wurden in Pommern Weinreben angepflanzt und 1285 um Stendal so viel Wein gewonnen, daß man Handel damit treiben konnte.

Nach der Eroberung von Preußen durch den deutschen Orden im dreizehnten Jahrhundert wurde bei Thorn bis über Königsberg Wein gebaut und selbst bei Tilsit wuchsen Reben. Ja sogar in Kiel soll man neuerlich bei Erdarbeiten Weinstöcke gefunden haben und im dreizehnten Jahrhundert wurden die Klöster in Dänemark durch päpstliche Breven in dem Besitz von Weingärten bestätiget. (§. 103.)

§. 19.

Insbesondere war es aber das zu dem früheren Allemannien gehörige Schwaben, wo die Hohenstaufen dem Weinbau eine besondere

---

*) Im Brandenburgischen finden sich später im fünfzehnten Jahrhundert viele Spuren von ansehlichem Weinbau. 1578 erläßt Markgraf und Churfürst Johann Georg eine eigene Weinmeisterordnung, wo sich bei der Versenkung der Weinstöcke sogar auf die Vorschrift des römischen Schriftstellers Columella V. Buch, 2. Cap. berufen wird. (Rössig, Geschichte der Oekonomie 1782, IV. Th. S. 159.)

Sorge widmeten, indem hier nicht nur ihre Stammburg Hohenstaufen, sondern auch ein großer Theil ihrer eigenthümlichen Güter lag.

Neben den alten Reichsorten Heilbronn, Eßlingen, Constanz rc. besaßen dieselben als eigene Güter:

Im Neckarthal und seinen kleinen Seitenthälern: die Orte Gundelsheim, Lauffen, Sontheim, Flein.

Im Zabergau: Nordheim, Güglingen, Schweigern, Bönnigheim.

Im Enzthal und seinen Seitenthälern: Rieth bei Vaihingen, Heimerdingen, Malmsheim und Eilfingen bei Maulbronn.

Im Remsthal: Lorch mit Welzheim, Wäschenbäuren, Gmünd.

Im Filsthal: Göppingen und die Stammburg Hohenstaufen, wo ohne Zweifel der bis ins vorige Jahrhundert am Fuße derselben bestandene Weinbau seinen Ursprung diesem hohen Kaisergeschlechte verdankt, auch suchten dieselben den Wein, wie den Obstbau durch strenge Gesetze zu schützen. (§. 78.) (Stälin II. Th. S. 234.)

Der Weinbau gewann dadurch eine große Ausdehnung, unfruchtbare Berge und andere Strecken zur Weinkultur tauglich wurden mit Reben bepflanzt, und sogar in rauhere Thäler bis in diejenigen der Alp und des Schwarzwaldes drang der Anbau derselben und wurde nicht selten eine Hauptbeschäftigung der Bewohner. Nach vielen vorliegenden Urkunden blühte der Weinbau nicht nur in den Thälern des Rheins, Mains, Neckars, des Kochers, der Jagst, der Tauber, der Enz, der Rems, sowie in der Bodenseegegend (§. 15. 16. 17. 44. 45. 48. 50. 52), sondern auch in den Seitenthälern der größeren Flußgebiete am nördlichen Traufe der Alp und im Donauthale breitete sich derselbe immer mehr aus.

6. Der Weinbau nach dem Untergange der Hohenstaufen (1255) bis zum dreißigjährigen Kriege (1618).

§. 20.

Nach dem Untergange des Hohenstaufischen Hauses erscheinen die Grafen von Württemberg, die wahrscheinlich zu den Ministerialen der Hohenstaufen gehörten, zuerst als selbstständige Fürsten und die nachherige Grafschaft Württemberg wurde hauptsächlich aus den Trümmern der Hohenstaufischen Kammergüter gebildet. Ob und was von den neuen Regenten für die Beförderung des Weinbaues geschehen, ist nirgends aufgezeichnet, es scheint, dieselben waren zunächst mit der Ausdehnung ihrer Besitzungen beschäftigt, auch fallen in diese Periode die Zeiten des Faustrechts, wo die Fehden zwischen dem Adel unter sich und den angehenden Reichsstädten der Kultur überhaupt, insbesondere aber dem Weinbaue umsoweniger günstig waren, als es sich dabei nicht bloß um Eroberung einzelner Burgen und Städte handelte, sondern es wurde auch häufig alles mit Feuer und Schwert verheert und namentlich an den Weinreben und Obstbäumen durch Abschneiden derselben bedeutende und lang andauernde Beschädigungen verübt. So richteten in dem Kriege der Reichsstädte gegen die Grafen Eberhardt II. und Ulrich IV. die Eßlinger 1349 in dem Lande großen Schaden an, brannten viele Dörfer ab, schälten die Fruchtbäume, verderbten die Weinberge und weil es eben Herbst war, zogen sie die Zapfen an den Bütten, so daß 2000 Eimer Most in den Boden liefen. Zur Vergeltung wurde dann, als Graf Ulrich mit seinen Leuten oben an der Neckarhalde vor Eßlingen lag, die Stadt stark beschossen, die Weinberge und Stöcke verdorben; die Fruchtbäume umgehauen und viele Weinbergsmauern eingerissen. (Steinhofer I. Th. S. 157. II. Th. S. 913.)

Ebenso wurde bei der Belagerung von Heilbronn im folgenden Frühjahr das Dorf Flein zerstört, und Weinstöcke und Obstbäume verdorben, und als im Städtekrieg 1378 etliche Reichsstädte vor Stuttgart lagerten, brachten die Kriegsleute einen ganzen Tag mit dem Abschneiden der Reben zu. (Pfaff, Geschichte Württembergs 1818. I. Bd. I. Abth. S. 40. 59.)*)

Wo solche Verheerungen, die sich öfters wiederholten, vorkamen, da konnte die Kultur des Bodens nicht gedeihen.

§. 21.

Doch scheint auch in dieser Periode der Weinbau sich immer mehr ausgedehnt zu haben, indem immer noch neue Klöster entstanden und das Besitzthum derselben sowie der Geistlichkeit, das während der häufigen Fehden und Kriege aus Pietät von beiden Theilen von Verwüstungen verschont blieb, sich stets vermehrte, weil Adel und Laien wegen des gesicherten Besitzes sich häufig in den Schutz derselben begaben, wie die vielen Schenkungen an Klöster, besonders auch an Weinbergen, zur Genüge beweisen.

Auch flüchteten sich Manche in die an Macht, Gesittung und Wohlhabenheit zunehmenden Reichsstädte, indem auch diese im Stande waren, ihren Bürgern und deren Besitzthum mehr Schutz zu gewähren, als die adeligen und fürstlichen Inhaber des flachen Landes, weßhalb auch die Klagen der württembergischen Grafen über die Aufnahme ihrer leibeigenen Unterthanen in die Städte nicht ungegründet waren.

Die Geistlichkeit, die an Zahl stets im Zunehmen begriffen

*) Ja sogar in einem Klagschreiben der Landschaft gegen Herzog Ulrich 1519 wird demselben vorgeworfen, daß er den Eßlingern 100 Morgen Weinberg ganz verdorben, auf dem Boden abschneiden und zum Theil aus der Erde hauen ließ. (Heyd, Herzog Ulrich II. Bd. S. 15.)

war, und die nicht nur für kirchliche Zwecke, sondern auch für ihre im hohen Grade zugenommene üppige Lebensweise sehr vielen Wein brauchte (§. 113), sowie das gesicherte Bürgerthum in den Städten, von wo aus sich ein ausgedehnter Weinhandel in die nicht weinbautreibenden Gegenden von Oberschwaben und Bayern entwickelte, waren es hauptsächlich, welche den Weinbau in diesem Zeitraume besonders pflegten und für dessen Erhaltung und Verbreitung sorgten, auch wurde der Wein immer mehr allgemeines Getränke, nicht nur der Großen, sondern auch des Volks, und der Gebrauch des früheren Getränkes an Bier und Meth verschwand nach und nach aus dem Weinlande, daher auch aus diesem Grunde eine Zunahme des Weinbaues sich erklären läßt.

Wie ausgedehnt namentlich gegen das Ende des Zeitraums der Weinbau in manchen Gegenden bereits gewesen sein muß, beweisen die vielen urkundlichen Nachweise darüber (§. 29—47), und geht auch daraus hervor, daß z. B. der Rath der Stadt Eßlingen einige Mal (den 16. Dezember 1458 und 9. Juli 1467) das Verbot ergehen lassen mußte, keine weitere Weinberge mehr ohne besondere Erlaubniß anzulegen. (Pfaff, Geschichte der Reichsstadt Eßlingen, 1840, S. 81.)

§. 22.

Durch den in der Mitte dieses Zeitraums durch allgemeine Reichsgesetze verkündeten Landfrieden, dem durch kräftiges Auftreten der deutschen Kaiser, sowie der größeren deutschen Fürsten immer mehr Geltung verschafft wurde, kehrten nach und nach auch wieder Ruhe und Frieden in die Gauen Deutschlands, sowie insbesondere Schwabens und des immer mehr aufstrebenden Württembergs zurück.

Ursprünglich gehörte ein großer Theil des Grundeigenthums, also auch die Weinberge dem Adel, der dieselben durch seine leibeigenen Leute bauen und nicht selten nur so viel erzeugen ließ, als man für den eigenen Bedarf brauchte. Nachdem aber viele Güter und Weinberge durch Vergabungen an Klöster, oder durch Verkauf in andere Hände kamen, der eigene Bedarf des Adels an Geld und Naturalien sich mehrte, dem Wein durch den Handel Absatz verschafft wurde, mildere Sitten besonders durch die Kirchenreformation und damit auch eine bessere Behandlung der Leibeigenen sich verbreitete, und in Folge des Bauernkriegs (1525), der hauptsächlich gegen den Adel und die Pfaffen geführt wurde (was Sporen und Kutten trug,) und die Zerstörung vieler festen Schlösser herbeiführte, auch den leibeigenen Leuten manche Rechte, namentlich die Erwerbung von Grundeigenthum wenigstens nach und nach stillschweigend eingeräumt worden sein mögen, fanden es viele Güterbesitzer für geeigneter und nutzbringender, ihre Güter, statt sie auf eigene Rechnung bebauen zu lassen, gegen bestimmte Zinse und

Gülten, oder gegen einen bestimmten Theil des Ertrags an andere, häufig leibeigene Leute zu verleihen (§. 73. 74). Dadurch kamen viele Güter, insbesondere aber wegen der Schwierigkeit der Bebauung und der Erhaltung die Weinberge, in die Hände des eigentlichen Bauern- und Weingärtnerstandes, die solche, wenn auch mit Vorwissen und Genehmigung des Lehensherrn, wie freies Eigenthum verkaufen und verpfänden durften, und woher zum Theil noch die Lehen- und Zinsabgaben kommen, die bis auf die neueste Zeit auf vielen Weinbergen gehaftet haben.

§. 23.

Durch die größere Vertheilung des Bodens und den besonders auch durch die entstandene landständische Verfassung mehr gesicherten Besitz erweiterte sich die Bodenkultur und namentlich der Weinbau zusehends, vieler, theils kultivirter, theils öd liegender Boden wurde dazu verwendet (vergl. §. 31 über den bedeutenden Ertrag des Weingereuthzehentens zu Güglingen im Jahr 1433), und wo man nur irgend noch ein Gedeihen der Rebe erwarten konnte, da wurde Wein gebaut. Unter der Regierung Herzog Christophs wurden allein um Stuttgart 1000 Morgen Weinberge und im ganzen Lande seit dem Tübinger Vertrag 40,000 Morgen Weinberge neu angelegt, von welchen später viele wieder eingiengen. (Pfister, Herzog Christoph, I. Bd. S. 510.)

Zur Aufmunterung, öde, aber zum Weinbau taugliche Plätze zu kultiviren, erhielt Jeder, der einen neuen Weinberg gereutet hatte, einen Scheffel Dinkel vom Morgen, dagegen sah man sich veranlaßt, das Anlegen von Weinbergen auf den zum Fruchtbau tauglichen Feldern zu untersagen (§. 69). Zugleich war der württembergische Wein durch die Anpflanzung guter, passender Traubensorten unter dem Namen Neckarwein allgemein bekannt und beliebt, es wurde theils von den württembergischen, theils von den Reichsstädten aus (Heilbronn, Eßlingen und Ulm) ein ausgedehnter Handel nach Oberschwaben, Bayern und bis nach Norddeutschland getrieben, und selbst an auswärtigen Höfen, namentlich an dem kaiserlichen Hofe in Wien war derselbe beliebt und öfters giengen Sendungen dahin ab (§. 105. 107. 121—123). Auch muß derselbe wirklich von vorzüglicher Qualität gewesen sein, indem damalen die Weine aus Gegenden und Orten, wie z. B. von Metzingen am Fuße der Alb, von Wangen im Neckarthale sehr gesucht und gerühmt wurden, die derzeit in einem ganz andern und weit geringeren Rufe stehen.

Wir dürfen deßwegen annehmen, daß der Weinbau in Württemberg in der gegenwärtigen Periode in der höchsten Blüthe stand, und daß der davon abhängige Weinhandel, der damalen den Haupthandelszweig Württembergs bildete, den Grund zu der damaligen und nachherigen Wohlhabenheit desselben legte. In einer Beschreibung von Württemberg vom Anfang des sechszehnten Jahrhunderts von Ladislaus Suntheim von Ravensburg, Chorherr in Wien, wird gesagt: Württemberg ist ein gut Land, hat Wein, Korn, Obst 2c. 2c., der beste Neckarwein wächst in Heilbronn. Ferner: Stuttgart ist eine hübsche Stadt mit schönem Schloß, das den größten Keller in Schwaben hat. Da rinnt kein namhaft Wasser, sondern nur ein Bach, genannt „der Wälzendreck" (der Wälz im Dreck). (Pfaff, Fürstenhaus und Land Württemberg S. 82.)*)

Auch in andern, damalen noch nicht zu Württemberg gehörigen Landestheilen wurde durch besondere Regierungsverordnungen der Weinbau zu heben gesucht; so sind für die früheren gräflich hohenloh'sche Lande und zwar für das Amt Ingelfingen im Kocherthale den 12. Dezember 1614, für das Amt Michelberg den 10. März 1616 und für das Orengau den 29. Januar 1617 besondere Weinbauordnungen erlassen worden (§. 75). (Oehringer, Archivalakten.)

7. Der Weinbau während und nach dem dreißigjährigen Kriege im siebzehnten und achtzehnten Jahrhundert.

§. 24.

Die innere Ruhe, welche in ganz Deutschland namentlich aber in Schwaben in dem verflossenen Zeitraume herrschte, trug sehr viel dazu bei, daß Landwirthschaft, Gewerbe und Handel einen bedeutenden Aufschwung nahmen, viele der noch jetzt bestehenden Kirchen und Pfarreien wurden während desselben errichtet und die Bevölkerung mancher Orte und Städte nahm so zu, daß dieselbe der gegenwärtigen nicht viel nachstand.

Mit dem dreißigjährigen Kriege ging aber besonders in Württemberg Alles zu Grunde. Städte, Dörfer und Felder wurden während desselben abgebrannt und verwüstet, viele Einwohner ermordet und ein großer Theil derselben ging durch Seuchen und

*) In diesem Zeitraume und namentlich im sechzehnten Jahrhundert wurde auch schon viel über den Weinbau und die Behandlung des Weinbaues geschrieben, wir führen hier an: Coler Calendarum perpetuum, oder stets währender Kalender für Hauswirthe, Ackerleute, Apotheker, Kaufleute, Weinherren. Oeconomia ruralis & domestica. Rasch, über den Bau und die Pflege des Weins, München 1585. Bericht vom Weinbau 1585. Wili Grataroluş, über die Natur des Weins und aller Getränke. Straßburg 1565. (Rössig, Geschichte der Oekonomie II. Th. S. 164.)

Hunger zu Grunde, so daß seit dieser Zeit die Namen mancher Ortschaften ganz verschwunden sind.

Insbesondere hatte während desselben der Weinbau außerordentlich gelitten, indem viele Weingärten ganz zu Grunde gerichtet und auch nach demselben entweder gar nicht mehr oder erst lange nachher wieder angepflanzt wurden.

Nach den im Jahr 1652 von den herzoglichen und Klosterämtern über die Verheerungen des Kriegs eingeforderten Berichten lagen in Württemberg an Weinbergen öd und ungebaut:

Aemter und Klöster.	Oedliegende Weinberge. 1652. Morgen.	Aemter und Klöster.	Oedliegende Weinberge. 1652. Morgen.
Amt Markgröningen an 1142½ Mg.	907½	Göppingen . . .	13
Nürtingen an 520 M.	400	Neuffen	454¼
Pfullingen . . .	24	Botwar	628
Asberg an 237½ M.	126¾	Tübingen	807
Winnenden . . .	265	Bietigheim an 1113 M.	975
Marbach	1821	Cannstadt	1900
Sindelfingen (Stadt)	50¼	Denkendorf . . .	65¾
Möckmühl an 551 M.	323	Schorndorf . . .	5068
Derdingen an 1877 M.	1689	Beilstein	796
Herrenalp	16	Lichtenstern . . .	192
Neuenstadt an 848¾ Morgen	374	Adelberg, zu Steinenberg, Zell u. Altbach	434¾
Backnang	600	Lauffen	944
Neuenbürg an 561¼ Morgen	276¾	Merklingen . . .	16½
Herrenberg . . .	307	Maulbronn . . .	2548
Mundelsheim . .	271	Güglingen . . .	1737
Rosenfeld	30	Kirchheim	1043
Bebenhausen . . .	172½	Weinsberg . . .	1059½
Alpirsbach, zu Nordweiler im Breisgau	320	Leonberg	1035
Sachsenheim . . .	714½	Brackenheim a. 3754 M.	3028
Vaihingen . . .	2879	Besigheim	690
Urach an 911½ Mg.	505½	Böblingen . . .	166½
		Waiblingen a. 3557 M.	3107
		Stuttgart, Stadt u. Amt	1006½
		Hoheneck mit Neckarweihingen . . .	408
	12,072¾		28,122¾
	40,195½ Mg.		

Auf der Markung Haubersbronn, Oberamts Schorndorf, dienten 1654 noch viele Weinberge zur Weide. Dieses vielfach vorgekommene Viehtreiben in die ödliegenden Weingärten wurde daher durch ein Rescript vom 14. September 1655 untersagt, weil dieselben dadurch zum Wiederaufrichten ganz untüchtig gemacht werden.

Die Oberamtsstadt Schorndorf hatte vor dem dreißigjährigen Kriege 1132 Morgen Weinberge, während sie neuerlich nur noch 440 Morgen besitzt (§. 44).

Zwischen Knittlingen und Derdingen lagen, da wo jetzt Großvillars steht, 60—70 Jahre nach dem Kriege noch 820 Morgen Aecker, meist mit Forchen bewachsen, und 450 Morgen Weinberge wüst.

Auch während der französischen Raubkriege, zu Ende des siebzehnten Jahrhunderts (1688—1693), wurden abermalen Städte, Dörfer und Felder, sowie viele Weinberge verwüstet, oder verlassen, so daß nach den von der Regierung in den Jahren 1697 und 1698 eingeforderten Berichten nicht nur noch viele Güter vom dreißigjährigen Kriege her, sondern auch seit dem französischen Kriege unangebaut und herrenlos waren, wie denn seit der letztern Invasion in den Jahren 1688 und 1693 z. B. im Amt Besigheim 110 Morgen, im Amt Beilstein 156 Morgen, im Amt Bietigheim 134 Morgen, im Amt Güglingen 413 Morgen, im Amt Cannstadt 354 Morgen und im Amt Weinsberg 254 Morgen Weinberge wüst liegen blieben, daher, um solche Güter wieder in Bau zu bringen durch das Herbst-Generalrescript vom 25. November 1693 Nachlaß der darauf haftenden Steuern, Zinse und anderen Beschwerden auf 6 Jahre zugesichert wurde.

Den Wein, den man aus den am Boden liegenden unzeitigen Trauben bereitete, nannte man spottweise den Franzosenwein.*)

§. 25.

Diese Verwüstungen hatten nicht nur an und für sich, sondern auch noch dadurch den nachtheiligsten Einfluß auf den Weinbau, daß durch die bedeutende Verminderung und Verarmung der Bevölkerung die Weinconsumtion sowohl im eigenen Lande,**) als auch da, wohin

*) In einzelnen Waldungen von Heilbronn und Weinsberg fand man noch in neuerer Zeit uralte Reben, welche zwar nicht, wie einzelne Schriftsteller vermuthen, von den Römern angepflanzt wurden, wohl aber darauf hinweisen, daß solche Plätze vor dem dreißigjährigen und französischen Kriege mit Reben bepflanzt waren, damalen aber verwüstet und verlassen wurden und nachher zu Wald anflogen.

**) Im Jahr 1652 fehlten in dem Herzogthum Württemberg gegen früher noch 57,721 Haushaltungen oder ca. 288,605 Einwohner, 67 Kirchen, 158 Pfarr- und Schulhäuser, 230 Herrschafts- und Kommungebäude und 36,086 bürgerliche Häuser und Scheuern waren abgebrannt und ruinirt und zum Theil 1698 noch nicht aufgebaut, vielmehr kamen dazu neue Verheerungen, so daß manche Bauplätze zu Gärten angelegt wurden. (Acten des Staatsarchivs.)

früher der Weinhandel ging, außerordentlich abnahm, auch hatte man sich während des Kriegs durch die vielfachen Anforderungen der Kriegsvölker, an ein geringeres Getränke und daran gewöhnt, bei der Anpflanzung und Bebauung der Weinberge mehr auf Quantität als Qualität zu sehen. Als daher nach dem Kriege die verwüsteten Weinberge nach und nach wieder neu angelegt wurden, so scheint der letztere Grundsatz häufig befolgt und Reben aus südlichen Gegenden eingeführt worden zu sein, welche jenem Verlangen zwar entsprachen, den Wein aber, besonders in geringen Jahren, bedeutend verschlechterten (unten §. 59—61), wenigstens beginnen von diesem Zeitpunkte an nicht nur die Klagen über die Anpflanzung schlechter Traubengattungen und die Verbote dagegen, sondern auch die Klagen über die Verfälschung des Weins, weil man sich bald von der geringen Qualität des Produkts überzeugte und daher das durch unnatürliche, künstliche Mittel zu ersetzen suchte, was früher durch Anpflanzung besserer Sorten erzielt wurde (unten §. 95).

Die Verminderung der Weinconsumtion trug auch dazu bei, daß nach dem dreißigjährigen Kriege der Weinbau in minder günstig gelegenen Gegenden, wie z. B. bei Ulm, gänzlich aufhörte, auch kam in diesem Zeitraume die Obstmostbereitung immer mehr in Gang, daher man es in manchen Gegenden vorzog, den zweifelhaften Weinbau mit dem mehr sicheren Obstbaue zu vertauschen.

§. 26.

Nach Erholung von den Drangsalen nicht nur des dreißigjährigen Krieges, sondern auch der verheerenden Einfälle der französischen Heere zu Ende des siebzehnten und Anfang des achtzehnten Jahrhunderts traten für den württembergischen Weinbau wieder günstigere Zeiten ein, der Fleiß des württembergischen Weingärtners hatte, da mit der Bevölkerung auch die Weinconsumtion und der Weinhandel wieder zunahm, nicht nur viele verwüstete Strecken, sondern hie und da auch noch manche andere mit Reben angepflanzt, so daß der Magistrat der Stadt Stuttgart sich veranlaßt sah, sich am 4. Januar 1731 an die Regierung zu wenden und sie zu bitten, der allzugroßen Vermehrung und dem „allzuvielen und indistinkten“ Weinbaue Einhalt zu thun, weil viel schlechter und saurer Wein erzeugt werde, den man nur zur Verderbung des besseren brauche. (Pfaff, Geschichte der Stadt Stuttgart 1845. II. Th. S. 372.)

Das Streben der Weingärtner, mehr auf Quantität als Qualität zu sehen, konnte jedoch nicht verhindert werden, es wurden daher immer mehr sehr ergiebige aber geringe Traubengattungen angepflanzt (§. 62—63), wodurch die Qualität des Weins immer mehr abnahm; auch mag die in der zweiten Hälfte dieses, sowie im nächsten Zeitraume vorgegangene bedeutende Lichtung und wegen des immer mehr zugenommenen Waldstreubedürfnisses, die Verkripplung vieler Waldungen, wodurch den Weinbergen ein bedeutender Schutz gegen kalte Winde entzogen wurde, viel dazu beigetragen haben, daß namentlich in minder günstigen Weinjahren nur geringe Weine erzeugt wurden, wodurch auch der Weinhandel immer mehr in Verfall kam und die frühere Blüthe nie mehr erreichte.*)

8. Der Weinbau neuerer Zeit im neunzehnten Jahrhundert.

§. 27.

Wie im vorigen, so waren es auch in diesem Zeitraume die Kriege, welche auf den Weinbau einen wesentlichen Einfluß ausübten. Durch die französischen Revolutions-, die napoleonischen Eroberungs- und die nachherigen Befreiungskriege kamen eine Menge fremder Kriegsvölker nach Deutschland, die öfters längere Zeit Standquartier hielten, wodurch die Consumtion des Weins außerordentlich zunahm. Der Wein war stets gesucht und die Einfuhr durch Zollschranken sowie durch die Vereinigung des weinreichen linken Rheinthales mit Frankreich erschwert, er wurde daher gut bezahlt und häufig frug man weniger nach der Qualität als nach dem Preise. Der Anbau viel ausgebender Traubengattungen nahm immer mehr zu und, um die durch Anpflanzung weicher weißer Traubengattungen erzeugten größeren Wein-Quantitäten haltbarer zu machen, wurden unter dieselben gleichfalls reichlich tragende rothe Traubengattungen gepflanzt, wodurch, statt der früheren rothen und weißen Weine, sogenannte Schillerweine entstanden, die nichtsweniger als beliebt sind und die den Weinhandel nach Oberschwaben und Bayern vollends zu Grunde richteten (§. 138).

Durch die Anpflanzung geringer Traubengattungen und die

---

*) In diesem Zeitraume wurde viel über den Weinbau geschrieben, namentlich im siebzehnten Jahrhundert: Hellbachs Beschreibung des Weins 1604; Heynemanns Weinstock an der Elbe, Meißen 1685; Portz, Examen vini Rhenani; Strauch, diss. de vino, Jena 1670; Turnebus, de vino, Helmstädt 1688; Strauß, de jure vitis, Ligl. 1661; Hauptmann, Weinbauirrthümer, Nürnberg 1642; Knohl, Vinikulturbüchlein vom obersächsischen Meißnischen Kreise 1667; Sachs, vitis vinifera; Wie der Reif im Frühlinge von den Weinreben möge abgewendet werden, Straßburg 1607; Der Weinarzt und Weinbauer, sowie viele Schriften über die Oekonomie überhaupt, in welchen auch der Weinbau abgehandelt wurde. (Rössig, II. Th. S. 171.) Ueber die Schriftsteller vom achtzehnten und neunzehnten Jahrhundert vergl. Gatterer, Literatur des Weinbaues.

zunehmende Lichtung der Wälder, wodurch auf der einen Seite der Wein sich immer mehr verschlechterte und auf der andern das Klima in höher liegenden Gegenden sich erkältete, wurde derselbe namentlich gegenüber dem Obst- und Futterbau so wenig lohnend, daß er, sowie er im Norden von Deutschland von dem 53. nördlichen Breitegrade (Freienwalde) bis gegen den 52. Grad (Berlin) zurückgedrängt wurde, auch in Württemberg in manchen weniger günstig gelegenen Bezirken und Markungen immer mehr aufhörte, während er sich in besseren Weinbaugegenden von den Bergen bis in die Ebenen ausdehnte und auch dadurch zur Verschlechterung des Produkts beitrug.

§. 28.

Nach Beendigung der Kriege suchte man zwar den Weinbau von Seiten der württembergischen Regierung, insbesondere aber von patriotischen Privat-Vereinen, die unter dem Namen „Weinverbesserungs-Gesellschaft und Weinbau-Verein" entstanden, dadurch wieder zu heben, daß man Muster-Weinberge, mit edlen Traubensorten bestockt, anlegte, unter Mitwirkung der Regierung Reben von edlen Traubengattungen unentgeltlich an die Weingärtner vertheilte und ansehnliche Preise für die Anlegung von Weinbergen aussetzte, die ausschließlich mit edlen Reben bestockt wurden. Durch dieses eifrige und andauernde Bestreben der nun seit 30 Jahren bestehenden Vereine wurden auch wirklich viele Millionen edler Reben an die Weingärtner Württembergs vertheilt und fast in allen Theilen desselben Muster-Weinberge angelegt, wodurch ein solcher Eifer für die Verbesserung des Weinbaues unter den Weinbergbesitzern entstand, daß überall Weinberge mit edlen, besonders frühreifenden Traubengattungen angelegt und Württemberg wegen derselben auch im Auslande wieder bekannt wurde (§. 126), daher wir hoffen wollen, daß dieses Streben ein nachhaltiges seie.

II. Ausdehnung des Weinbaues.

§. 29.

Es hat für ein jedes Land und eine jede Gegend ein besonderes Interesse zu erfahren, seit wann dort Weinbau getrieben wird, wie sich derselbe entwickelt hat und welche urkundliche Nachrichten darüber vorhanden sind; wenn wir daher diesem Gegenstande einen besondern Abschnitt widmen, so muß zum Voraus bemerkt werden, daß hier nichts Vollständiges erwartet werden darf, weil, solange alles Land den Grundherrn gehörte und die Leibeigenschaft noch im vollen Sinne des Worts bestand, selten Urkunden über den Besitz des Grundeigenthums und den Zustand der Landwirthschaft aufgenommen wurden, vielmehr manches mündlich vor Zeugen verhandelt werden sein mag. Erst nach Errichtung der Klöster durch Schenkungen an dieselben und nachdem ein großer Theil der Güter der Grundherrn in bürgerliche Hände übergegangen war und aus früheren Leibeigenen, Lehen- und Zinsleute wurden (§. 22), war Veranlassung vorhanden, die gegenseitigen Verhältnisse sowie die zu entrichtenden Abgaben näher zu beschreiben und Urkunden darüber aufzunehmen, daher erst von hier an, im zwölften und dreizehnten Jahrhundert, die Urkunden über den Besitz von Gütern und deren Bewirthschaftung, namentlich auch von Weinbergen, sich mehren, doch sind durch die Zerstörungen während des Bauern-, des dreißigjährigen und anderer Kriege, sowie durch andere Umstände auch sehr viele Urkunden verloren gegangen, weßhalb wir über die Entwicklung des Weinbaues nur noch Bruchstücke besitzen, und uns hier, um nicht allzu weitläufig zu werden, auf die Mittheilung der Notizen über den württembergischen Weinbau beschränken.

1. Unteres Neckarthal mit dem Weinsberger- und Zaberthal.

a) Neckarthal.

Von der Landesgrenze bis zur Einmündung des Zaberthales bei Lauffen.

Wie aller Wahrscheinlichkeit nach der Weinbau in Württemberg in dem untern milden Neckarthale, sei es nun zu der Römerzeit, oder später, zuerst getrieben wurde (§. 2—4, 8—11), so finden wir auch fast die ersten Urkunden über den Weinbau aus diesen Gegenden.

Nach denselben wurde Weinbau getrieben in dem Oberamt Heilbronn: 766 in Biberach, Böckingen, Schluchtern, Frankenbach; 775, 779, 793 in Eisesheim; 777, 781 auf dem Böllingerhof, 788 in Gartach. (Cleß I. Thl. S. 121, Stälin I. Thl. S. 396, Volz S. 190.)

796 kommen:

zu Jagstfeld

bei der Schenkung der Abtei Mosbach durch Kaiser Otto II. an die Kirche zu Worms in Jagstfeld am Neckar, Oberamts Neckarsulm, in Horkheim, Oberamts Heilbronn, Schwaigern, Oberamts Brackenheim, und wahrscheinlich auch in Möckmühl, Ober- und Unterkessach im Jagstthale Weinberge vor. Ebenso sind zu Ober- und Untereisesheim, sowie Böllingerhof bei einem Austausch von Gütern und Rechten zwischen dem Bischof Anno zu Worms und dem Grafen Burchardt (950—976) auch Weinberge genannt worden. (Württembergisches Urkundenbuch I. Bd. S. 212 und 221.)

Zu Heilbronn.

Ums Jahr 1100 schenkt Utha von Calw, Gemahlin des Markgrafen Hermann II. von Baden, dem Kloster Hirschau einen Hof zu Heilbronn an dem Nordberg nebst 14 Leibeigenen, um die Weinberge daselbst zu bauen. (Correspondenzblatt des württemb. landwirthschaftl. Vereins 1846, 2tes Heft. S. 144.)

1216 verpfändet Bischof Otto von Würzburg an dem Weinzehenten zu Heilbronn 30 Karren und an selbst erzeugtem Wein 15 Karren, so daß er dort viele Weinberge besessen haben muß.

Zu dem Heilbronn'schen Gute, das zu dieser Zeit die Grafen von Calw-Löwenstein besaßen, gehörten Weinberge am Nordberg, die noch jetzt zu den besten der Stadt Heilbronn gerechnet werden.

In der Mitte des zwölften Jahrhunderts besaß das Kloster Schönthal viele Weinberge in der Umgegend von Heilbronn, zu Dahenfeld, Erlenbach, Binswangen, Weinsberg, so daß dasselbe schon 1279 einem Bürger der Stadt Heilbronn mit seinem Ueberfluß an Weinbergen belehnen konnte.

Der Wartberg und der niedrig liegende Stiftsberg waren schon im eilften Jahrhundert zu Weinberghalden angelegt.

1284 schenkte Albert Kobel, Bürger in Heilbronn, dem Kloster Schönthal seinen Weinberg im Stiftberg und 1311 übergab er ihm eine Kelter.

Zu Anfang des vierzehnten Jahrhunderts belehnte Friedrich, Abt des Klosters Lorch, Heinrich Remmingen von Heilbronn mit einer Mühle und andern Gütern und Gefällen daselbst, darunter 1½ Morgen Weinberg im Hundsberg, 1 Morgen zu Buchern, 3 Morgen zu den hintern Pfullen, 1 Morgen in Böckinger Markung, 5 Morgen zu Flein ob dem Kloster.

Im vierzehnten Jahrhundert war der Weinbau in Heilbronn so bedeutend, daß fast jeder wohlhabende Bürger seine eigene Kelter hatte; derselbe dehnte sich von Jahr zu Jahr immer mehr aus, so daß noch ums Jahr 1503 200 Morgen Aecker zu Weinbergen angelegt wurden (§. 24) und der Großzehentherr sich darüber bei der Stadt beklagte. (Klunzinger, Geschichte des Zabergaues 1844, I. Bd. S. 283. Anmerk. 903.)

Auch besaß früher fast jede Familie ein eigenes Weinbüchlein, das den Jahresertrag der Weinberge angab und oft bis ins fünfzehnte Jahrhundert hinaufsteigt.

1384 versetzten die Grafen Eberhard und Ulrich von Württemberg den dritten Theil des Weinzehntens zu Heilbronn an

Heinrich Hantschuh in Gmünd für 3000 ungarische und böhmische Gulden.

Zu Frankenbach.

1438 verkaufte Heinrich von Rennhingen, Edelknecht, das Dorf Frankenbach, soweit es ihn antraf, mit allen Rechten, Zehenten, Höfen, Gülten, Aeckern, Wiesen, Weingärten, an die Stadt Heilbronn für 1400 Gulden.

Zu Groszgartach.

Bei der Stiftung des Klosters Odenheim bei Bruchsal durch Erzbischof Bruno in Trier im Jahre 1122 kommen Güter zu Groszgartach, Oberamts Heilbronn, Hausen bei Massenbach und Weiler, Oberamts Brackenheim, Kaltenwestheim, Oberamts Besigheim, Poppenweiler, Oberamts Ludwigsburg, vor, worunter sich auch Weinberge befanden. (W. Urkundenbuch, I. Bd. S. 350.)

Im Jahre 1285 tragen die Herren von Böckingen den halben Weinzehenten an dem Wartberg bei Groszgartach von den Grafen von Zweybrücken und Bitsch zu Lehen.

Zu Böckingen.

Der Stiftungsbrief der Collegialkirche zu Oehringen vom Jahre 1037 erzählt, daß Graf Hermann von Hohenlohe dem Bischof Mainhard zu Würzburg für zween Theile des Zehentens der Oehringer Kirche, die Villa Böckingen mit einem Weinberg daselbst gegeben habe. (Württemb. Urkundenbuch, I. Bd. S. 263.)

Zu Klingenberg.

1345 verkauft Ludwig Haas von Brackenheim aus einem Weinberg 2 Pfund Heller an das Collegialstift St. Peter in Münster. (Klunzinger, IV. Abth. S. 77.)

Zu Horkheim.

Siehe oben bei Jagstfeld.

Zu Flein.

1383 verkaufte einen Theil des Weinzehentens zu Flein Edelknecht Dietter von Rüd an die Präsenz zu St. Kilian in Heilbronn für 100 Pfund Heller, und 1404 Arnold von Thalheim die zweite Hälfte an dieselbe.

§. 30.

b) Das Weinsbergerthal.

Ueber die ersten Weinberganlagen und die Ausdehnung des Weinbaues. (Vergl. §. 2. 24. u. 29 bei Heilbronn.)

Im Jahre 1254 besitzt das Kloster Lichtenstern ein Drittel des Zehentens nebst Aecker, Wiesen, Weinbergen ꝛc. zu Hierweiler ob Löwenstein, am Anfange des Mainhardter Waldes, wo der Weinbau längst abgegangen ist. 1254 besitzt das Kloster Weinberge zu

Weiler und 1274 kauft es drei Morgen Weinberge von Graf Gottfried in Löwenstein. (Cleß, II. Th. II. Abth. S. 85 und 86.)

Im April 1262 beurkundet Abt Heinrich von Comburg, daß Barnung von Steinwag einen Weinberg an der Eichhalde bei Affaltrach von Heinrich von Eschenau, genannt Brukeppel, erworben habe. (Mone, Zeitschr. für die Geschichte des Oberrheins, V. Bd. S. 201.)

1318 vergibt Conrad der ältere von Weinsberg für 40 Pfund Heller ein Fuder Wein jährlich gen Lichtenstern. (Steinhofer, II. Th. S. 237.

In der neuesten Zeit wurden auch auf dem benachbarten Mainhardter Walde zu Ruzenweiler einige kleine Weinberganlagen an südlichen Abhängen aus Liebhaberei des Besitzers gemacht, denen jedoch bei dem kalten und rauhen Klima kein langes Gedeihen in Aussicht gestellt werden kann.

c) Das Zaberthal (Zabergau).

Der Michelsberg.

Den 13. Februar 793 stiftete Hilteburg, die sich Gott geweihet, dem heiligen Nazarinus im Zaber nach goeve auf dem Berg Runigenburg, eine Hauptkirche, welche daselbst zu Ehren des heiligen Michels erbaut war, mit allen ihren dortigen Besitzungen, zwei Weinberge und die Villa Bunningheim (Bönnigheim) mit 120 Leibeigenen. (Klunzinger, Zabergau I. Abtheilung S. 18 u. 59. Volz, S. 162.)

1286 schenkte Conrad von Wurmlingen, Canonicus in Sindelfingen dem Stifte daselbst seinen Weinberg an der Steingrube am Ruliberg (Michelsberg).

Brackenheim.

1289 schenkte Erkinger von Magenheim dem Kloster Bebenhausen alle seine Weinberge zu Brackenheim.

1293 verkaufte Ulrich von Magenheim dem Kloster Bebenhausen alle seine Weinberge zu Brackenheim um 270 Pfund Heller. (Klunzinger, I. Abtheilung S. 33 u. 35.)

Bönnigheim.

Im Jahre 1130 schenkte Wolpert von Bönnigheim dem Kloster Hirschau einen Weinberg. (Oberamtsbeschreibung von Besigheim, S. 152.)

Im zwölften Jahrhundert schenken Zeisolf und sein Bruder Warnher von Bönnigheim einen Weinberg dem Kloster Hirschau. Watil von Bönnigheim gab die Hälfte der Kirche und 3 Morgen Weinberg dahin.

1103 kaufte das Kloster Bebenhausen einen Weinberg daselbst.

Den 4. September 1284 verkauft das Kloster Hirschau Schulden halber seine Besitzungen zu Bönnigheim und Botenheim an das

Kloster Bebenhausen, worunter auch Weinberge vorkommen. (Mone, Zeitschrift, III. Bd. S. 440.)

1289 gibt der Erzbischof zu Mainz Frau Anna Gränner von Asberg den Weinzehenten zu Bönnigheim, die Weingärten zu Magenheim an dem Strich, zu Kleebronn und Erligheim zu Lehen.

Den 18. Januar 1291 gibt Kaiser Rudolph seinem natürlichen Sohn Albrecht die Burg Magenheim, die Stadt Bönnigheim und 5 Morgen Weingärten auf dortiger Markung.

Um die Mitte des vierzehnten Jahrhunderts empfing Johann von Oswile von Württemberg zu Lehen $1^{1}/_{2}$ Eimer Eßlinger Weingült zu Bönnigheim, heißt der Erbwein. (Klunzinger, I. Abtheilung S. 33. 36. 81. 82. 83 u. 84.)

Im Jahre 1304 verpfändete die Wittwe des Grafen Albrecht zu Löwenstein, Lukart, an ihre Tochter Anna, Gräfin von Asberg, den Weinzehenten von Bönnigheim und die Weingärten zu Magenheim und Erligheim. (Oberamtsbeschreibung v. Besigheim S. 153.)

Botenheim.

Im zwölften Jahrhundert schenkte Crisolff von Brackenheim dem Kloster Hirschau 2 Huben mit einem Weinberg zu Botenheim. (Klunzinger, II. Abtheilung S. 11.)

Dürrenzimmern.

Bei einem Austausch von Gütern und Rechten zwischen Bischof Anno von Worms und dem Grafen Burchhard in den Jahren 950—976 kommen Weinberge zu Dürren-, Metten-, oder Frauenzimmern und zu Stockheim vor. (W. Urkundenbuch, I. Bd. S. 212.)

Frauenzimmern.

Im Jahre 1251 veräußern die von Neipperg einen Weinberg in Zimmern. 1288 vertauschen sie einen solchen an das Kloster Maulbronn. (Klunzinger, III. Abtheilung S. 151.)

1245 vertauschte das Kloster Adelberg an das Kloster in Frauenzimmern ein Gut daselbst, worunter auch zwei Weinberge, gegen ein Gut in Böckingen. Den 6. Dezember 1443 kommt die Kelter durch Tausch mit dem Kloster an Württemberg.

§. 31.

Güglingen.

Im Jahre 1253 schenkte Gottfried von Neuffen dem Kloster zu Güglingen 1 Fuder Wein.

1289 gibt Rabeno, genannt Göler von Ravensperg, dem Kloster Rechentshofen 1 Fuder Wein vom Zehenten dahier.

1296 den 12. Mai verkaufen Rudolph von Neuffen und Ulrich von Magenheim dem Kloster zum heiligen Grab in Speier ihre Gefälle zu Güglingen und Weiler von 2 Fuder, welche von dem dritten Theil des Weinewigs zu entrichten sind, das jährlich in den auf der Markung Güglingen gelegenen Weinbergen, Rude und Tuminc, auf dem Berg Rietenfurt wächst.

1360 verkauft das Kloster Frauenzimmern dem Vogt Berthold Messner 7 Pfund Heller jährlichen Geldes aus den Weinbergen in der Rietenfurt um 70 Pfund Heller.

1365 wird $^{1}/_{18}$ am Weinzehenten für 100 Gulden verkauft.

1366 den 8. Dezember verkauft das Kloster Odenheim an Walter den Grafen ½ Fuder jährliche Weingült um 30 Gulden.

1433 den 27. August Uebereinkunft zwischen Raben Göler von Ravensperg und den Grafen Ludwig und Ulrich von Württemberg wegen des Weinzehentens, wornach die Göler, welche zwei Theile am Zehenten besaßen, denselben auch aus den Weingereuthen, so vorhin Aecker gewesen, beziehen sollen gegen 62 Eimerlen des ersten Vorlasses, welche im Herbst der Herrschaft Württemberg zu geben sind. (Klunzinger, III. Abth. S. 5. 9. 10. Steinhofer, II. Th.)

Klein-Gartach.

Ums Jahr 1100 erhielt das Kloster Hirschau von den Brüdern in Mühlhausen 3 Huben und 2 Weinberge.

1110 von Marcolff von Thalacker 2 Huben und 1 Weinberg. (Klunzinger, II. Abtheilung. S. 160.)

1109 übergibt der Mönch Conrad von Merlenheim seine Güter dem Kloster Hirschau, worunter 2 Morgen Weinberge zu Klein-Gartach. (W. Urkundenbuch, I. Bd. S. 338.)

Kürnbach (Großherzogthum Baden).

Im Jahre 1266 gibt Adelheid von Liebenstein 14 Morgen Weinberg zu Kürnbach und Itzingen dem Kloster Frauenzimmern und Kürnbach. (Cleß, II. Th. II. Abth. S. 80.

Klingenberg.

1345 verkauft Ludwig Haas von Brackenheim aus einem Weinberg 2 Pfund Heller an das Collegiatstift St. Peter in Wimpfen. (Klunzinger, IV. Abth. S. 77.)

Meimsheim.

1260 verkauft der Abt des Klosters Maulbronn alle Güter an Zehenten, Aeckern, Weinbergen, welche Walther von Lauffen bei Meimsheim und Löchgau besessen hat, für 200 holländische Pfund an das Kloster Rechentshofen. (Mone, Zeitschr. IV. Bd. S. 439.)

Ochsenbach.

1286 verkauft Ulrich I. von Bromburg (ehemalige Burg bei Ochsenbach) 8 Ohm jährlichen Weins für 36 Pfund 5 Schilling an das Kloster Maulbronn. Um dieselbe Zeit vermachte Irmengard von Besigheim diesem Kloster 8 Ohm jährlichen Weins, die sie von Conrad II. von Bromberg gekauft hatte. (Klunzinger, III. Abth. S. 180. 187.)

Pfaffenhofen.

Nach den Traditionen des Klosters Weißenberg werden dahier im neunten und zehnten Jahrhundert Weinberge genannt. (Württ. Jahrbücher 1850. II. Heft. S. 31.)

1288 übernahm Ritter Heinrich von Brettach seine Weinberge in Pfaffenhofen und Rietenfurth (Güglingen) von denen von Magenheim als Lehen.

1290 verkauft Rudolph von Neuffen den Zehenten und die Kelter mit allen Gerechtigkeiten an das Kloster Frauenzimmern.

1292 den 20. Januar vermacht Swiker von Bruchsal seinen Weinzehenten demselben Kloster.

1443 den 6. Dezember kam die Kelter mit 5 Bäumen durch Tausch mit dem Kloster Frauenzimmern an Württemberg. (Klunzinger, I. Abth. S. 33. III. Abth. S. 157 u. 184. Mone, Zeitschrift IV. Bd. S. 190 u. 205.)

Rodenbach-Hof.

(Abgegangener Hof.)

1279 trat Conrad von Magenheim 4 Morgen Weinberg im Roden und 20 Ohm Wein jährlicher Einkünfte an Mainz ab.

1441 erhielt Bechtold IV. von Massenbach zwei Theile an dem Korn- und Weinzehenten zu Rodbach. (Klunzinger, I. Abth. S. 31. III. Abth. S. 194. IV. Abth. S. 85.)

Stockheim.

Den 3. Mai 1351 gibt Albrecht von Enzberg seinen Töchtern Engelia und Anna, Klosterfrauen zu Rechentshofen, ein Fuder Weingült, Vorkauf von der Weingült und dem Zehenten zu Stockheim. (Mone, Zeitschr. V. Bd. S. 66.)

Weiler.

(Zu vergleichen §. 29 bei Großgartach.)

1296 den 16. Mai verkaufen Rudolph von Neuffen und Ulrich von Magenheim dem Stift Speier die Kelter zu Weiler mit ihren Gerechtigkeiten, die Gefälle aus den Weinbergen auf dem Weilerberg, auch einen Theil des aus dem Weilerberg erzeugten Weins, welcher Erbeimer genannt wird, und zwei Theile des Frucht- und Weinzehentens von demselben Berge und ist hiebei noch besonders zugesagt, es nicht zu gestatten, daß man, um den sogenanuten Rappoiswein zu machen, wie bisher Reben hinwegnehme.

1449 übergibt dieses Stift dem Grafen Ludwig von Württemberg die zwei Keltern und den Kelterwein. (Klunzinger, III. Abth. S. 5. 197. Steinhofer, II. Abth. S. 906.)

Zaberfeld.

1289 hat Ulrich von Magenheim aus 3 Morgen Acker und Weinberg im Mordhusen 6 junge Hühner zu beziehen. (Klunzinger, III. Abth. S. 246.

Aus diesen einzelnen Notizen dürfte zur Genüge zu entnehmen

3*

sein, daß der Weinbau, bevor wir noch schriftliche Urkunden darüber besitzen, im untern Neckarthale und den Seitenthälern schon weit verbreitet war, und daß derselbe namentlich im fünfzehnten und sechszehnten Jahrhundert (§. 23) sehr ausgedehnt betrieben wurde, denn wenn, wie z. B. in Heilbronn und Güglingen und wahrscheinlich auch in andern Orten ganze Bezirke vormaliger Aecker zu Weinbergen angelegt wurden und die Zehentherren es für nöthig fanden, wegen der Zehententrichtung aus diesen Weingereuthen besondere Vergleiche abzuschließen und solche bedeutende Entschädigungen, wie zu Güglingen, dafür zu geben, so muß die Ausdehnung des Weinbaues wirklich von großem Belang gewesen sein.

2. Das mittlere Neckarthal mit dem Botwar- Murr- und Zipfelbach- (Winnender-) Thale.

a) Das mittlere Neckarthal.

§. 32.

Das mittlere Neckarthal beginnt bei der Einmündung des Zaberthales in das Neckarthal bei Lauffen und endigt bei Plochingen an dem Einflusse der Fils in den Neckar.

Die ersten urkundlichen Nachweise über den Betrieb des Weinbaues besitzen wir aus den Jahren 778 von Eßlingen. (Pfaff, Eßlingen S. 170.)

978 von Marbach, Benningen, Beihingen, Heutingsheim, Pleidelsheim im Neckarthal und von Murr, Steinheim, Zwingelhausen in dem bei Marbach einmündenden Murrthale, sowie von Erdmannhausen, Affalterbach, Rielingshausen; (W. Jahrbücher. 1850 II. Heft S. 30), ferner von Groß- und Kleinaspach, Oberamts Backnang, aus Veranlassung des Eigenthumsanfalls an Bischof Balderich in Speier. (W. Urkundenbuch I. Bd. S. 222.)

An diese reihen sich an:

Von Lauffen.

1354 verkaufte Hans von Helfenberg, gesessen zu Lauffen im Dorf, dem Conrad von Liebenstein seinen Theil Weinzehenten zu Lauffen der Stadt als württembergisches Lehen. (Klunzinger, Geschichte der Stadt Lauffen 1846 S. 27.)

1366 hat Johann Zitwein von Lauffen $^1/_{16}$ am Weinzehenten und $^1/_3$ am Fruchtzehenten in der Stadt Lauffen.

1389 hatten die von Klingenberg die Hälfte des Wein- und Kornzehentens daselbst.

1428 empfängt Siegfried Osterbaum von Riexingen $^1/_4$ Zehenten aus etlichen Weingärten dahier.

1440 verkaufte er seinen Korn-, Wein- und kleinen Zehenten an das Kloster Frauenzimmern und dieses 1443 an Württemberg.

1482 versicherte Dietrich von Weiler, württembergischer Landhofmeister, das Zubringen seiner Frau, Anna v. Gültlingen, mit seinem lehnbaren Korn- und Weinzehenten dahier. (Klunzinger, Lauffen S. 33.)

Von Kirchheim.

1003 überläßt König Heinrich II. dem Bischof zu Würzburg sein Gut zu Kirchheim am Neckar mit den dazu gehörigen Weinbergen. (Württemberg. Urkundenbuch I. Bd. S. 240.)

Von Gemmrigheim.

1252 verkaufen Albert und Vollmer von Waldeck einen Weinberg zu Gemmrigheim an das Priorat Reichenbach. (Oberamtsbeschreibung von Besigheim S. 154.)

Von Wahlheim.

In dem von dem Grafen Adelbert von Calw im Jahr 1075 ausgestellten Briefe über verschiedene an das Kloster Hirschau zurückgegebene Güter kommt auch ein Hof Tambach bei Wahlheim vor, wo das Kloster 2 Huben und 6 Morgen Weinberge besaß. (Württemberg. Urkundenbuch I. Bd. S. 276.)

Von Besigheim.

In den Jahren 1043—1077 vergibt die Kaiserin Agnes, Gemahlin Heinrichs III., den Hof Besigheim an das Kloster Erstein im Elsaß mit allen Zugehörungen an Dienstleuten, Hofställen, Gebäuden, Aeckern, Feldern, Wiesen, Weiden, Jagden, Wassern, Mühlen, Fischereien, Wegen und Stegen (Oberamtsbeschreibung von Besigheim S. 110), und den 12. Juli 1153 bestätigt Kaiser Friedrich I. die Schenkung des Hofs Besigheim an den Markgrafen Herrmann zu Baden. (Volz. S. 203.)

In beiden Urkunden kommen zwar keine Weinberge vor, dies beweist aber noch nicht, daß der Weinbau dort unbekannt war, vielmehr zeigen Urkunden von anderen Orten, wie z. B. von dem benachbarten Wahlheim, daß damalen in der dortigen Gegend schon längst Weinbau getrieben wurde.

Hessigheim.

1275 erkauft das Kloster Bebenhausen von Hermann von Malmsheim 5 Morgen Weinberg. (Mone, Zeitschrift III. Bd. S. 220.

Groß-Ingersheim.

Im Jahr 1295 verkauft der Ritter Friedrich von Gemaringen an das Kloster Steinheim [1], des Ingersheimer Zehentens und 2 Morgen Weinberg für 115 Pfd. Heller. (Oberamtsbeschreibung von Besigheim S. 192.)

Asberg.

Nach den Traditionen des Klosters Weißenburg kommen hier Weinberge im neunten oder zehnten Jahrhundert vor. (Württemb. Jahrbücher 1850. II. Heft S. 31.)

In Kornwestheim,

wo im Jahr 1122 und

In Pflugfelden,

wo 1277 Wein gebaut wurde, befindet sich kein Weinbau mehr. (Württemberg. Jahrbücher 1850. II. Heft S. 51.)

Von Neckarweihingen.

1432 bezahlten beide Herren von Württemberg Hansen dem Hacken für den Zehenten zu Weihingen am Neckar 125 fl.

Von Poppenweiler.

Dieser gute Weinort besaß 1652 406 Morgen Weinberge, jetzt nur noch 164 Morgen. (Vergleiche §. 29 bei Großgartach.)

Von Zuffenhausen.

Den 8. April 1281 verkauft das Kloster Hirschau an das Kloster Bebenhausen neben vielem Anderem auch die Pfarrei Zuffenhausen mit den dort befindlichen Gütern und Weinbergen. (Mone, Zeitschrift III. Bd. S. 146.)

1293 verkauft Berfeld von Mühlhausen an das Kloster Bebenhausen seinen Hof und seine Weinberge zu Zuffenhausen. (Oberamtsbeschreibung von Cannstadt S. 167.)

Von Feuerbach

kommen in einer Urkunde von 1281 Weinberge vor. (Württemb. Jahrbücher 1850. II. Heft S. 34.)

1326 besaßen die Herren von Rechberg Weingärten daselbst. (Beschreibung des Amts-Oberamts Stuttgart S. 157.)

Zu Botnang (bei Stuttgart)

kommen in einer Urkunde vom Jahr 1075 Weinberge vor. (Württemb. Jahrbücher II. Heft S. 30.

Von Cannstadt (vergl. §. 9)

werden in einer Urkunde von 1280 Weinberge erwähnt. (Württemb. Jahrbücher II. Heft S. 34.)

Den 29. November 1279 bestätigte Graf Eberhardt von Württemberg eine Vergabung der Ida, Wittwe Bertholdt von Lichtenstein, verschiedener Güter an das Kloster Bebenhausen, worunter Weinberge zu Cannstadt und ein Weingarten in Eckartshalden vorkommen. (Mone, Zeitschrift III. Bd. S. 341. 423.)

1299 übergibt das Kloster zu Lauffen dem Marquard von Cannstadt, Canonikus in Sindelfingen, seinen Weinberg in Cannstadt auf Lebenszeit in Nutznießung. (Klunzinger, Lauffen S. 29.)

1482 kauft das Kloster Sindelfingen von Georg von Wernau den Korn- und Weinzehenten. 1528 einen andern Theil dieses Zehentens. (Cleß, II. Th. II. Abth. S. 107.)

Von Gaisburg.

1318 den 18. März kauft das Kloster Kaisersheim dem Kloster Bebenhausen Weinberge dahier ab. (Beschreib. des Amts-Oberamts Stuttgart S. 162.)

Von Wangen.

1289 schenkt Schwigger von Berg dem Kloster Bebenhausen und 1290 dem Kloster Weil Weingärten zu Wangen.

Von Hedelfingen.

1366 vergibt Irmelgardt, Stöfflerin, Klosterfrau zu Weil bei Hedelfingen, den Weinberg auf der Burg, den man nennt den Stöffler. (Oberamtsbeschreib. von Cannstadt S. 157.)

Von Rohracker.

1282 hatten die von Aechterdingen den dritten Theil am Weinzehenten daselbst. (Oberamtsbeschreib. von Cannstadt S. 189.)

Von Fellbach.

1265 verkauft Graf Hartmann von Gröningen an das Kloster Salem einen Morgen Weinberg im „Imbenord" (ein abgegangenes Weiler bei Fellbach gegen Untertürkheim) und andere Weinberge und Aecker zu Fellbach. (Oberamtsbeschreib. von Cannstadt S. 155.)

Von Untertürkheim, Obertürkheim, Uhlbach.

In der Zeit von 1080—1120 schenkt ein Bruder vom Abt Bruno zu Hirschau, Conrad von Beutelsbach, 16 Huben Landes mit einer Mühle zu Dürnkeim und in dem nächst gelegenen Dorfe gleichen Namens (Obertürkheim) einen Weinberg. (Oberamtsbeschreib. von Cannstadt S. 219.)

Eine Urkunde vom eilften Jahrhundert spricht von Weinbergen im Goldberg, der Stammburg von Württemberg gegenüber. Diese Gegend war schon damalen als eine der besten des Landes bekannt und Berfeld von Zwiefalten nennt sie das Mark des Landes.

1121 schenkt dem Kloster Hirschau Gopold von Cannstadt 4 Jauchert Weinberg zu Türkheim auf dem Kesselberg.

1291 verkauft die Gräfin Adelheid von Sigmaringen, eine geb. von Württemberg, 5 Morgen Weinberg im Goldberg zu Türkheim für 92 Pfd. an Hugen Nollinger von Eßlingen. (Oberamtsbeschreib. von Cannstadt S. 219.)

1279, 1281, 1291 kauft das Kloster Bebenhausen den Weinzehenten zu Türkheim und Uhlbach von den Herren von Hochberg, den Grafen von Landau und dem Herrn von Echterdingen. (Cleß, II. Th. II. Abth. S. 68.)

Nach den Rechnungen der königlichen Hofdomainenkammer besaßen die Herzoge zu Württemberg schon vor 200 Jahren (1622) 22¾ Morgen Weinberg im Mönchberg zu Untertürkheim (wie gegenwärtig).

Den 2. Mai 1285 schenkt Berthold, Bürger in Eßlingen dem Kloster Bebenhausen einige Weinberge zu Obertürkheim, die sich im Guggerich am Berg Kakke und im Hundinlengir schreiben. (Mone, Zeitschrift III. Bd. S. 445.)

Vergleiche §. 44 bei Endersbach, wornach 1337 Graf Ulrich den Herrn von Echterdingen Weinberge zu Uhlbach eignete.

1405 kauft Graf Eberhardt von Hansen von Gültlingen vier Morgen Weinberg in der Markung von Obertürkheim, den man nennt den Hohenbergweingarten.

Von Berkheim.

Dasselbe in einem Seitenthal links vom Neckar, besaß vor dem dreißigjährigen Kriege 15¼ Morgen Weinberge, die nach demselben wüst lagen, und nun zu andern Kulturen verwendet sind. (Akten des Staatsarchivs.)

§. 33.

Die Stadt Eßlingen mit ihrer Umgebung, Mettingen, Rüdern 2c.

In Urkunden von den Jahren 856 und 866 über den Besitz des Klosters St. Denys bei Paris zu Eßlingen kommen zwar keine Weinberge vor (Württemb. Urkundenbuch. I. Bd. S. 145 u. 166), doch soll der Weinbau daselbst schon 778 bekannt gewesen sein (§. 32).

Ums Jahr 1150 schenkt Gisela, Tochter Rupert von Eßlingen dem Kloster Blaubeuren Weingärten und andere Güter. Auch Luitgard, Rudtliebs Wittwe, gab demselben fünf Morgen Weingärten, sowie überhaupt im zwölften Jahrhundert das Kloster Blaubeuren verschiedene Weingärten zu Eßlingen geschenkt erhielt.

1257 besaß das Kloster Bebenhausen nach dem über die Besteuerung abgeschlossenen Vergleich vom 3. Februar 13½ Morgen Weingärten in der Neckarhalden.

1258 den 17. Septemher schenkt dem Kloster Söflingen Graf Hartmann von Dillingen seine Weinberge zu Eßlingen.

1278 den 14. Februar schenkt demselben Kloster Graf Heinrich von Burgau seine Weingärten in Heimbach.

1281 besaß das Kloster Salmansweiler 24¾ Morgen Weingärten zu Eßlingen. (Pfaff, Eßlingen S. 277. 282. 283.)

1261 schenkt Walter von Hausen, genannt Hochschlitz, dem Kloster Pfullingen einen Weinberg zu Mettingen.

1276 bekam das Kloster Edelstetten von Graf Ulrich von Württemberg einen Weinberg zu Mettingen.

1264 schenkt Albert von Plieningen zwei Weingärten dem Kloster Weil. (Oberamtsbeschreibung von Eßlingen S. 131, 169.)

1279 schenkt der Eßlinger Bürger Berthold in der Vorstadt Bentau dem Kloster Bebenhausen alle seine Güter 2c. 2c., worunter auch zinsbare Weinberge zu Rüdern bei Eßlingen. (Mone, Zeitschrift III. Bd. S. 331.)

Den 16. Februar 1287 schenkt der Arzt Rudolf zu Eßlingen dem Kloster Eßlingen neben andern Gütern auch 1½ Morgen Weinberg in der Neckarhalden, 3 Morgen auf dem Berg Immenrode, 3 Morgen bei Beutelsberg auf dem Kaiser, 3 Morgen bei

Heckebach (Heppbach) und 3 Morgen bei Strümpfelbach auf dem Pflasterberg. (Mone, Zeitschrift IV. Bd. S. 104.)

Den 5. November 1287 weist der Erzbischof zu Mainz in einem Streit zwischen den Klöstern Bebenhausen und Weil um Berthold Hœwer zu Eßlingen dem letztern zwei Stück oder Jauchert Weinberg in dem Rusembaldesweingarten zu Eßlingen zu. (Mone, Zeitschrift IV. Bd. S. 110.)

1314 den 29. November kauft das Kloster Kaisersheim von der Stadt Eßlingen 5½ Morgen 26 Ruthen Weingarten am Schönenberg für 340 Pfund Heller 7 Schillinge.

1321 besaß das Kloster Fürstenfeld 12 Morgen Weingärten zu Eßlingen.

1337 verkaufen die von Rechberg einen Weingarten zu Mettingen.

1434 besitzt das Kloster Pfullingen einen Weinberg zu Rüdern, den Mönchsacker, an dem Weg den man von der Kelter auf den Oelenberg ging.

1455 besitzt das Wangenkloster in Ulm 20¼ Morgen Weingärten im Heimbach.

Weinberghalden.

1343 zu Hainbach an Schliffen. 1345 zu Eßlingen, genannt Waldmann. 1361 und 1362 in der Einöd. 1363 genannt Kaiser. 1366 am Musberg bei der Einöd zu Berkheim. 1411 bei Sulzgries, der Oschenmorgen. (Pfaff, Eßlingen S. 76. 131. 281. 297. 300—303. Oberamtsbeschreibung von Eßlingen S. 162.)

§. 34.

Die Stadt Stuttgart mit ihrer Umgebung, Berg, Gablenberg, Heßlach (Neßenbachthal).

Die Stadt Stuttgart, welche als solche wahrscheinlich erst im dreizehnten Jahrhundert gegründet wurde, hat keine so alten Urkunden über den Weinbau aufzuweisen, wie manche andere Städte, doch solle nach einem der ältesten württembergischen Chronikschreiber, Christian Täbinger, Mönch, und später Abt in Blaubeuren, schon zu Anfang des zwölften Jahrhunderts ein Freiherr Bruno von Beutelsbach, früher Geistlicher in Speier und 1105 Abt zu Hirschau, das Schloß in Stuttgart und einen sehr geräumigen Keller gebaut haben, mithin müssen auch Weinberge vorhanden gewesen sein. (Pfaff, Geschichte der Stadt Stuttgart 1845. I. Theil S. 5. Plieninger, Beschreibung der Stadt Stuttgart S. 3.)

Auch spricht eine Urkunde vom Jahr 1108 von Weinbergen zu Stuttgart, namentlich bekommt das Kloster Blaubeuren von Pfaff Ulrich Weinberge auf der Markung Stuttgart.

Wahrscheinlich ist, daß die in der Umgebung von Stuttgart befindlichen Orte, namentlich der abgegangene, zwischen Stuttgart und Cannstadt gelegene Weiler Tunzhofen, ferner Berg und Gablenberg älter sind als die Stadt selbst, und schon in den ältesten Zeiten bedeutenden Weinbau getrieben haben. Im Jahr 1229 freiete Pabst Gregor dem Kloster Bebenhausen seine Güter zu Stuttgart, worunter auch Weinberge.

1259 freite Graf Ulrich, der Stifter, zwei Morgen Weingärten des Klosters Pfullingen in den Kriegsbergen, mit Zustimmung des Markgrafen Rudolph von Baden als Eigenthumsherrn, d. h. er befreite sie von allen Abgaben. In einer Urkunde vom 20. Dezember 1275 kommen Weingärten auf dem Berge Gablenberg bei Berg vor.

1281 schenkt ein Vetter der Herrn von Berg, Reinhardt, dem Kloster Bebenhausen zwei Morgen Weingärten zu Berg.

1285 kaufte das Kloster Bebenhausen $3\frac{1}{2}$ Morgen Weinberg im Ameisenberg von Berthold, Bürger in Eßlingen.

1286 werden die Weinberge des Klosters Bebenhausen durch Graf Eberhardt von allen Lasten und Abgaben befreit um 30 Pfund Heller, jedoch auf Wiederlösung. (Cleß, II. Thl. II. Abth. S. 68.)

Nach der Genehmigungsurkunde des Abts Friedrich zu Bebenhausen vom 1. September 1286 besaß das Kloster Bebenhausen folgende Weinberge auf der Markung Stuttgart:

Vier Morgen in der Afternhalden auf dem Königsberg, zwei Morgen ebendaselbst unter dem Weg, die Weinberge genannt; einen Weinberg ebendort, den man zu Morharden den Weingarten Eilvogels nennt, auf dem Berge Stamburg, einen in der Wannun, zwei an der Wulenhalden, zwei zu Famelspach, zwei zu Höfteig, zwei zu Hupenloch, einen am Kunenberg. (Mone, Zeitschrift IV. Bd. S. 101.)

1288 erkauft dasselbe Kloster Weinberge zu Heslach. (Steinhofer II. Theil S. 186.)

1290 verkauft das Kloster Lorch Schulden halber seine Weingärten am Mönchsberg und die Kelter zu Tunzhofen.

1293 besaß das Kloster Kaisersheim Weingärten am Ameisenberg und in der Herrnhalde und sechs Morgen im vordern Berg bei Tunzhofen, der Kaisersheimer genannt.

1294 verkauft das Frauenkloster Weil bei Eßlingen den Weinberg bei Stuttgart, der Steinhäußer genannt, von drei Morgen, und einen im Kufenthal von $2\frac{1}{2}$ Morgen an den Kirchherrn Weiner von Leonberg für 65 Pfund.

1294 den 30. November verlieh das Kloster Weil $9\frac{1}{2}$ Morgen Weinberg im Steinhausen, Koppenthal und in den Kriegsbergen.

1300 erwarb das Kloster Bebenhausen zu Berg eine halbe Kelter und Weingärten von den Herrn von Frauenberg.

1301 kauft der Spital zu Eßlingen Weinberge bei Berg.

1327 kauft das Kloster Lorch mehrere Weinberge.

1362 verkauft Walter v. Ebersberg an Reinhard v. Neuhausen seine Weinberge zu Stuttgart im Ameisenberg und in der Steig.

1372 verkauft das Kloster Kaisersheim an Conrad von Hirnheim 6 Morgen Weinberg zu Tunzhofen, den Morgen zu 37 Pfd. 16 Schilling, die derselbe 1382 an die Gräfin Elisabetha von Württemberg käuflich abtritt. (Memminger, Beschreibung von Stuttgart S. 389.)

1396 kaufte Graf Eberhardt von dem Kloster Heckbach bei Biberach alles, was dasselbe zu Stuttgart hatte an Weingärten, Gülten, Keltern, Zinsen 2c. 2c., um 400 Pfd. Heller.

1450 besaß das Kloster Lorch schon zwei eigene Keltern zu Stuttgart.

1464 eignet Graf Ulrich dem Spital zu Stuttgart den Laienweinzehenten daselbst zu, den er von denen zu Sachsenhausen an sich gebracht, welche ihn von der Herrschaft zu Lehen getragen, deßgleichen den Weinzehenten, so der Spital von Hans Notschaften erkauft. (Pfaff, Stuttgart I. Theil S. 96. 97. 373. 374. Cleß II. Theil II. Abtheilung S. 41. Steinhofer III. Theil S. 116.)

1482 verkauft Graf Eberhardt der Jüngere dem Probst und Capitel zu Stuttgart einen Theil des Korn- und Weinzehentens daselbst. (Steinhofer II. Theil S. 364.)

1504 kauft das Kloster Sindelfingen von Kaspar und Ludwig Späth von Hopfigheim einen Theil des Korn- und Weinzehentens zu Stuttgart. (Cleß, II. Theil II. Abtheilung S. 107.

Weinberghalden.

1304 kommen schon 37 Weingarthalden um Stuttgart vor.

1350 betrug die Zahl der zehentpflichtigen Weinberge 1593 Morgen.

Doch wurden 1491 in der Mönchshalden, jetzt eine der besten Weinbergshalden, noch 62 Morgen Wald verkauft, und der Birkenwald über den Kriegsbergen, eine der besten Lagen, wurde erst im Jahr 1606 vollends ausgerodet.

Namentlich im sechszehnten und siebenzehenten Jahrhundert muß der Weinbau in Stuttgart sich sehr ausgedehnt haben, denn nur allein von 1550 bis 1620 sollen gegen 1000 Morgen Weinberg neu angelegt worden sein, auch sagt der Magistrat in einem Bericht an Herzog Friedrich I. vom 14. April 1594, daß die Stadt gegen 4000 Morgen Weinberge besitze, und solle dieselbe neben Würzburg den größten Weinwachs in Deutschland haben. (Pfaff, Stuttgart, I. Theil S. 7. 274.)

Die Weinberge reichten bis an die Stadtthore, verminderten sich jedoch nach und nach, indem die geringeren zu Gärten und Baumgüter angelegt wurden. Das Flächenmaß derselben betrug 1712 noch 2800 Morgen, 1769 2670 Morgen und gegenwärtig 2175 Morgen.

Zu den besten Weinberghalden nicht nur in Stuttgart, sondern in ganz Württemberg wurden schon im sechszehnten Jahrhundert gerechnet:

Der Falkert, Mönchberg, die Kriegsberge, wozu sie auch sowohl durch ihre Lage, als den vorzüglichen Mergelboden besonders geeignet erscheinen.

In Möhringen und Vaihingen auf den Fildern wird der Weinbau erst seit 3—400 Jahren betrieben, wenigstens wurde die Kelter in letzterem Ort erst 1510 erbaut. (Württemb. Jahrbücher 1850, II. Heft S. 34.)

In Kaltenthal hat in diesem Jahrhundert der Weinbau gänzlich aufgehört. (Ebendort S. 43.)

§. 35.

b) Das Botwarthal

(bei Steinheim in das Murrthal einmündend).

In einer Urkunde vom Jahr 873, nach der Ado und seine Gemahlin Detda ihren Herrenhof zu Botwar im Murrgau dem heiligen Cyriacus in Neuhausen bei Worms schenken, kommen noch keine Weinberge zu Großbotwar vor (Württemb. Urkundenbuch I. Bd. S. 173 und 212), dagegen nach Urkunden vom Jahr 950 bis 976 zu Kleinbotwar. (Volz S. 190.)

Im Jahr 1411 lösete Graf Eberhardt an sich von Rauen von Hofwarten etliche Weingarten zu Wummenstein an dem Berg (Wunnenstein) und etliche Güter zu Winzelhausen für 650 fl. (Steinhofer II. Theil.)

c) Das Murrthal

(bei Marbach in das Neckarthal einmündend).

Das untere Murrthal war wie schon oben §. 32 nachgewiesen ist, sehr frühzeitig mit Reben bepflanzt, der Weinbau in demselben muß sich aber in alten Zeiten bis Sulzbach erstreckt haben, wo sogar im Jahr 1818 ein neuer Versuch mit einer Weinberganlage gemacht wurde, die jedoch von keinem günstigen Erfolg war, und daher bald wieder aufgegeben wurde. (W. Jahrbücher 1850, II. Heft S. 69.)

In einem Bericht des Vogts zu Murrhardt vom 23. September 1652 heißt es: „Weil in hiesiger rauhen, bergigen und wilden Gegend gar kein Weinwachs vorhanden"; mithin muß der Weinbau dort nie eigentlich heimisch gewesen sein. (Akten des Staatsarchivs.)

Unter den Murrthalorten zeichnet sich Steinheim durch gute Weinqualität aus. Der Wein wurde demjenigen der guten Weinorte Marbach und Botwar gleichgeachtet, daher auch die jährliche Weinrechnung nach den Schlägen dieser Orte gemacht wurde. In einer poetischen Beschreibung Steinheims von 1685 heißt es:

„So hoch wird unser Wein zu Steinheim hier gepriesen,
Daß er auf Fürstentisch zum Trank wird auserkiesen,
Es wird Dein Wein verkauft, in fremde Land' geführt,
Und Du, werth's Steinheim, dann mit hohem Lob geziert;
In Schwaben. in Tyrol, in Salzburg, Baierland,
In Ungarn, Oestreich, gar im welschen Land."

(Scholl, Geschichte von Steinheim 1826 S. 79.)

Ein Beweis nicht nur für die Vortrefflichkeit des Steinheimer Weins, sondern auch dafür, daß früher nicht sowohl der Steinheimer, als überhaupt der württembergische Wein weit in's Ausland versendet wurde und dort gesucht war.

d) Das Zipfelbachthal

nimmt in der Gegend von Winnenden seinen Anfang und mündet ob Poppenweiler in das Neckarthal.

Im Jahr 1333 kauft das Kloster Lorch zu Winnenden im Staigerberg Weinberge von Conrad Schenk von da. (Cleß, II. Th. II. Abth. S. 41.)

Der Weinbau in Winnenden und Buch soll sehr alt sein. In einem Bericht des vormaligen Amtsphysikus Halder in Winnenden vom Jahr 1773 wird gesagt, der erste Weinstock solle in Buch gepflanzt worden sein, der Wein in Stadt und Amt ist gut trinkbar, von mittlerer Gattung und wächst reichlich.

e) Das Kerschthal

(auf der linken Neckarseite bei Deizisau in das Neckarthal einmündend).

Im Kerschthale erhebt sich der Weinbau bis auf die Hochebene der Filder, doch hat er auch hier bedeutend abgenommen, indem zu Rohr, unweit des Ursprungs der Kersch, schon 1742 die letzten 15 Morgen Weinberge in Baumgüter umgewandelt wurden und zu Echterdingen, in einem Seitenthal der Kersch, der Weinbau gleichfalls schon lange aufgegeben wurde. (W. Jahrbücher 1850, II. Heft. S. 42 und 43.)

Denkendorf hatte während des dreißigjährigen Kriegs noch 45 Morgen Weinberg, während jetzt dieselben auf wenige Morgen herabgekommen sind. (Acten des Staatsarchivs.)

Nellingen.

1246 den 1. März überläßt das Kloster Weil dem Pfarrer dahier 2 Morgen Weinberg. (Oberamtsbeschreibung von Eßlingen S. 168.)

Der Weinbau in dem mittleren Neckarthale scheint somit, wenigstens in einzelnen Gegenden, wie z. B. bei Eßlingen und Cannstatt (vergl. oben §. 10), fast mit demjenigen in dem unteren Neckarthale begonnen zu haben, wenigstens muß derselbe zu den Zeiten, von welchen Urkunden vorliegen, schon längst betrieben worden und namentlich zu Ende des sechszehnten und zu Anfang des siebenzehnten Jahrhunderts in großer Blüthe gestanden sein, indem aus jener Zeit von Stuttgart geschrieben wird, die Weingärten daselbst seien so zahlreich, daß Stuttgart zu den weinreichsten Orten Deutschlands gerechnet werden dürfe, indem oft viele tausend Eimer in der Stadt aufbewahrt werden und es in Schwaben zum allgemeinen Sprichwort geworden, Stuttgart habe mehr Wein als Wasser, obgleich es ihm an letzterem durchaus nicht fehle. (Pfaff, Stuttgart I. Theil, S. 8 und 19.)

In dem gegenwärtigen Jahrhundert hat dagegen der Weinbau namentlich in den am oberen Ende des mittleren Neckarthales einmündenden Seitenthälern, besonders in dem Kersch- und Sulzbachthale, nicht nur bedeutend abgenommen, sondern sogar fast ganz aufgehört, wie dieses bei den Orten Kornwestheim, Rohr, Echterdingen, Plieningen, Neuhausen, Nellingen und Deizisau der Fall ist.

2. Das obere Neckarthal mit den Seitenthälern und dem Traufe der Alp.

§. 36.

a) Das obere Neckarthal.

Dasselbe beginnt bei Plochingen und endigt in Beziehung auf den Betrieb des Weinbaues bei Sulz. Ueber denselben sind von den einzelnen Orten folgende Nachrichten vorhanden.

Nürtingen.

1046 schenkt König Heinrich III. der Kirche zu Speier die curtis Nürtingen, wobei jedoch noch keine Weinberge erwähnt werden. (W. Urkundenbuch I. Band, S. 269.)

Dasselbe muß jedoch nach der noch bis zum Jahr 1811 vorhanden gewesenen großen Kelter früher viel Wein erzeugt haben. In den ersten zehn Jahren dieses Jahrhunderts wurden aber die meisten Reben, weil die Trauben erfroren, ausgehauen und die Plätze zu Baumgütern angelegt, nur noch im Gewende Klingler wird der Weinbau fortgesetzt. (W. Jahrbücher 1850, II. Heft, S. 40.)

Ein alter Schriftsteller sagt: Nürtingen hat zwar einen Weinwachs, der aber nicht zum lieblichsten ist.

Pfauhausen und Köngen am Neckar und Wendlingen im benachbarten Lauterthale hatten früher Weinbau, derselbe hat jedoch neuerlich gänzlich aufgehört. (Oberamtsbeschreibung von Eßlingen, S. 202 und 240.)

Mittelstadt.

1413 besitzt das Kloster Pfullingen Güter und Weinberge dahier. (Cleß, II. Thl. II. Abth. S. 172.)

Ein Weideplatz schreibt sich noch gegenwärtig im Hansle's Weinberg. (W. Jahrbücher 1832, II. Heft, S. 295.)

Hier, sowie zu Rommelsbach, Altenburg und Reicheneck, wo 1552 noch Weinberge vorkommen, hat jedoch der Weinbau längst aufgehört. (W. Jahrbücher 1850, II. Heft, S. 49.)

Während des dreißigjährigen Kriegs waren zu Mittelstadt noch 13 Morgen, zu Altenburg 8 Morgen Weinberge.

Lustnau.

1236 übergibt Eberhardt von Lustnau und seine Gattin Haila dem Kloster Bebenhausen neben andern Gütern auch 4 Jauchert Weingarten. (Mone, Zeitschrift, III. Bd. S. 116.)

Tübingen.

1171 stellt Pfalzgraf Hugo von Tübingen das Kloster Marchthal wieder her und schenkt ihm Güter in der Umgebung von Tübingen, wo dasselbe 1231 eine Kapelle zu Ammern (Ammerhof), Weinberge zu Lustnau und bei der Stadt Tübingen besaß.

1292 kamen Schenkungen von Weinbergen an den Spital von Tübingen vor.

1294 überläßt Graf Götz von Tübingen dem Kloster Bebenhausen seine sämmtlichen Weinberge am Pfalzgrafenberge und Wizzemansberg. (Geschichte der Stadt Tübingen von Klüpfel und Max Eifert, 1849, I. Theil, S. 15. 26. 29.)

1295 verkauft Graf Gottfried von Tübingen an das Kloster Bebenhausen die Frohnhöfe daselbst und das Ruggengut nebst einem ganzen Distrikt von Weinbergen um 2000 Pfund Heller, worunter die Weinberge am Pfalzgrafen mit ihrer Kelter. (Cleß, II. Theil I. Abth. S. 214. Zeller Merkwürdigkeiten von Tübingen, S. 535.)

Weinberghalden.

In alten Urkunden über Verkäufe und Schenkungen werden auffallend viele Weingärten genannt. Von der Oedenburg an und der ihr nahen Sonnenhalde (1310), im Hammerthal (1301), am Lichtenberg (1317), an der Pfalzhalde und dem Wizzemansberg, bei dem Schlosse hin (1294) bis zum Osterberg (1312), war der blaurothe Mergelboden mit Weinreben bepflanzt, und dieß waren, was sie noch jetzt sind, die besten Halden. Allein auch im Norden der Stadt, wo jetzt zum Theil keine Rebe mehr wurzelt, am Viehwaidle, am Heyland (Hainland), im Rosenthal, bei der Cluttthardtskelter (1329), im Buckeloh, Eßlingloh wurde Wein gebaut, und selbst der linke Osterberg und der Schnarrenberg und jenseits des Neckars das Winfeld hatten Weingärten, daher früher der Weinbau eine Hauptbeschäftigung der Tübinger Einwohner war. (Klüpfel und Max Eifert, I. Theil, S. 51.)

Der Wein an der Pfalzhalden war sogar ein sehr geschätzter Wein und wegen seiner besonderen Eigenschaften berühmt. Er war bitter und galt als Heilmittel gegen Kolik und sonstige Unterleibsbeschwerden.

Im Jahr 1742 zählte man noch 36 größere Weinberghalden. (Zeller, Merkwürdigkeiten von Tübingen S. 52—57.)

Hirschau.

1277 vergabt Dietrich von Märnhild aus seinem Weingart zu Hirschau, den man nennt den Constanzer, 2 Fuder Wein Tübinger Maß an Heinrich von Bombei, Leutpriester auf dem Berge Wurmlingen. (Oberamtsbeschreibung von Rottenburg S. 176.)

Wurmlingen.

In einer Urkunde der Wurmlinger Kapelle vom Jahr 1050 kommen dreierlei Weine in nicht sparsamer Weise vor, daher auf bedeutenden Weinbau in der dortigen Gegend geschlossen werden darf. (Württ. Jahrbücher 1850, II. Heft S. 32.)

Den 21. März 1268 verkaufte ein Ritter von Bondorf einen Weinberg an das Kloster Kirchberg. (Oberamtsbeschreibung von Herrenberg S. 162.)

Den 25. Juli 1285 verkaufen Dietrich und Diemo von Steinhülben alle ihre Güter in der Pfarrei Wurmlingen an das Kloster Bebenhausen, worunter auch Weinberge. (Mone, Zeitschrift III. Bd. S. 446.)

In dem gleichen Jahre erhielt das Kloster einige Güter zu Härtenstein und Wurmlingen, worunter Weinberge in letzterem Ort. (Steinhofer, II. Th. S. 176 und 192.)

Wendelsheim.

1273 begiebt sich Albert, Dictus Randal de Wurmeringen, einiger Weinberge, die Randal genannt, nicht weit von Winolfsheim (Wendelsheim). (Oberamtsbeschreibung von Rottenburg S. 210.)

Bierlingen, Oberamts Horb.

König Arnulf bestätigt dem Kloster Reichenau 889 den Besitz der Orte Bierlingen (wahrscheinlich bei Horb) und Erchingen im Turgau, wobei auch Weinberge vorkommen. (Württ. Urkundenbuch Nr. 84 S. 189.)

Außer dem wurde in dem Oberamt Horb noch in den Orten Sulzau, Felldorf, Börstingen, Weitingen, Ahldorf, Mühlen,

Iflingen, Hochdorf und in der Oberamtsstadt Horb Wein gebaut, und in der letzteren sollen sogar einige hundert Morgen Weinberge gewesen, seit dem kalten Winter von 1788 aber die Kultur aufgegeben worden sein. (Württ. Jahrbücher 1850, II. Heft S. 42.)

Der Weinbau erstreckte sich vor dem 30jährigen Kriege sogar bis nach und in die Gegend von Sulz, wenigstens wird daselbst noch gegenwärtig ein Gewende in den sogenannten Bergdistrikten St. Nikolaus unter der Herbergsteige „die Weinberge" genannt; in einem nach dem gedachten Kriege den 22. September 1652 über verwüstete Güter erstatteten Bericht kommen jedoch keine Weinberge vor. (Akten des Staatsarchivs.)

Dagegen entrichtete die Stadt Sulz lagerbuchmäßig bis in die neueste Zeit eine jährliche Weinsteuer von 60 fl.

Neuerlich hat man am Schloßberge wieder einen Versuch mit einer Rebanlage von edlen, frühreifen Trauben, jedoch mehr aus Liebhaberei als der Zweckmäßigkeit wegen gemacht.

Aehnliche kleine Anlagen befinden sich in einem Seitenthal des Neckars zu Rennfrizhausen, Bergfelden und Böhringen, wo bis zum Jahr 1652 ziemlicher Weinbau getrieben worden sein muß; zu Böhringen wurden bei der Landesvermessung noch 23 Morgen Weinberge aufgenommen und 1834 wird am 17. September von Rosenfeld aus gemeldet, daß dort die Trauben bereits gereift seien und man sich zu Böhringen, 1800′ über der Meeresfläche und 500′ über dem Neckarspiegel, 7 Eimer Wein vom Morgen verspreche. (Schwäbische Chronik 1834, S. 823.)

In einem von dem Vogt zu Tübingen über die Verheerungen des dreißigjährigen Kriegs den 18. September 1652 erstatteten Bericht heißt es übrigens, daß in dem (vormaligen) Amt Tübingen nur 3 Orte mit ziemlichem Weinbau, alles übrige nur schlechte, geringe Halden seien, daher nicht bedauert werden darf, daß der Weinbau in dem oberen Neckarthale und seinen Seitenthälern seit jener Zeit immer mehr abgenommen und besseren Kulturen Platz gemacht hat. (Acten des Staatsarchivs.)

§. 37.

b) Das Aich-, Aychathal mit seinen Verzweigungen (auf der linken Neckarseite).

Der Weinbau in diesem Thale geht bis auf die Hochebene des Schönbuchs bei Holzgerlingen am Ursprung der Aich und in den Seitenthälern bis Breitenstein, Schönaich und Weil im Schönbuch, Oberamts Böblingen; doch hat er auch in diesen Orten im Laufe des gegenwärtigen Jahrhunderts bedeutend abgenommen, indem zu

Holzgerlingen 1815 55 Morgen eingiengen und 1850 nur noch $2\frac{7}{8}$ Morgen vorhanden waren. Auch heißt es dort in einem alten Buche der Ortsregistratur: „Wenn das ganze Land mit einem Herbstertrag gesegnet wird, so gibt es hier auch ein wenig sauren Wein.“

In Breitenstein wurden im Jahr 1812 18 Morgen ausgereutet und war im Jahr 1850 nur noch 1 Morgen mit Reben angepflanzt. In Schönaich war im letzten Jahre der Weinbau von 73 auf 34 Morgen gesunken und in Weil im Schönbuch, wo 1740—1750 die Weinberge neu angelegt wurden, waren im Jahr 1850 von früheren 80 Morgen nur noch 27 Morgen im Ertrag.

In Waldenbuch, Oberamts Stuttgart, wo noch jetzt ein mit Obstbäumen bepflanzter Berg, der Weingartberg, ein anderer Platz hinter den Weingärten, sowie Gärten nahe am Ort die Keltergärten genannt werden, hat der Weinbau schon längst aufgehört. Ebenso zu Neuenhaus.

In Bonlanden bestand schon 1474 eine Kelter und wurden die dortigen Weinberge 1788—1790 wieder neu angelegt. In Plattenhardt existiren keine Weinberge mehr.

In Grözingen wurde der Weinbau vor 100 Jahren aufgegeben. (Oberamtsbeschreibung von Nürtingen, S. 160.)

c) Das Mühlbachthal

(links vom Neckarthal bei Mittelstadt einmündend).

In diesem Thale fand vor dem dreißigjährigen Kriege ein ziemlicher Weinbau statt, indem sich zu Waldorf 40 Morgen, zu Dörnach 4 Morgen, zu Gniebel 16 Morgen Weinberge befanden, die nach demselben sämmtlich wüste lagen. Jetzt hat der Weinbau im ganzen Thale fast gänzlich aufgehört.

§. 38.

d) Das Ammerthal

(bei Lustnau unterhalb Tübingen in das Neckarthal einmündend).

In einer Urkunde des Klosters Marchthal vom 4. Mai 1216 kommen Weinberge im Ammerthale vor. (Stälin, II. Thl. S. 778.)

1) Unter-Jesingen.

Nach einer unverbürgten Sage solle im Jahr 1212 der Probst von Marchthal zwei Klosterbrüder auf den Hof Ammern gesendet haben, um dem Hof gegenüber auf hiesiger Markung die ersten Weinberge anzulegen, die noch jetzt die Ammerhalde genannt werden und zu den besseren auf hiesiger Markung gehören. (Württemberg. Jahrbücher 1850, II. Heft S. 41.)

1290 kauft das Kloster Bebenhausen von Pfalzgraf Eberhart zu Tübingen Weinberge zu Jesingen mit dem Vorbehalt der Steuerfreiheit. (Klüpfel und Max Eifert, I. Thl. S. 25.)

Den 23. April 1289 verkauft Pfalzgraf Eberhart, genannt Scheerer, an das Kloster Bebenhausen alle seine Weingärten zu Unter-Jesingen mit Vorlehen und einer Kelter-Hofstatt dabei. (Mone, Zeitschrift, IV. Band S. 122.)

1298 verkauft derselbe Graf, genannt der Scheerer, alle seine Weinberge bei Jesingen mit Zugehör. (Schönhut, Wanderungen in der Umgegend von Tübingen 1829, S. 75; Zeller's Merkwürdigkeiten von Tübingen S. 32.)

(Zu Ober-Jesingen an der Schwarzwaldgrenze wurde nie Weinbau getrieben.)

2) Altingen.

Am Ende des zwölften Jahrhunderts, 1182 und 1187, wurden bei 30 Morgen Weinberge von dem Markgrafen Heinrich von Ronsberg an das Kloster Ottenbeuren verschenkt. (Stälin, II. Thl. S. 747.)

Den 7. Juli 1299 verkauft Pfalzgraf Rudolph von Tübingen das Patronat der Kirche mit den dazu gehörigen Frohnhöfen, Ußäckern, Weinbergen, an das Kloster Bebenhausen.

3) Entringen.

1240 übergibt Graf Gottfried von Sigmaringen dem Kloster Bebenhausen einen Theil des Hartrichberges, der zu einem Weinberg hergerichtet wurde. (Mone, Zeitschrift III. S. 117.)

1288 bekennt Heinrich von Rennechingen, daß er verpflichtet sei, dem Kloster Bebenhausen 2 Eimer Wein aus seinem Weinberg zu Hartrichberg zu geben.

Den 5. Dezember 1300 bekommt dasselbe Kloster von Graf Heinrich von Veringen seine dahier gelegenen Weinberge. (Herrenberger Oberamtsbeschreibung S. 179.)

Das Kloster Alpirsbach erwarb hier 1463 Weingärten, Gülten und Zinse von Truchseß, Wolf v. Waldeck. Dasselbe besaß aber auch schon 1229 dahier Güter und erkaufte 1291 neben Anderen 3 Jauchert Weinberge von Peter v. Birmingen (Bierlingen). (Ebendort S. 182.)

Früher befanden sich hier 5 Keltern, wovon jetzt nur noch eine vorhanden ist. (Ebendort S. 171.)

4) Kayh.

Das Kloster Reuthin erscheint im Jahr 1289 im Besitz hiesiger Weinberge. 1292 veräußerte Pfalzgraf Rudolph II. von Tübingen Weinberge an den Schultheiß Heinrich von Rottenburg, 1298 an das Kloster Bebenhausen. 1334 fällt der Ort mit Vogtei, Gericht, Zwing und Bann, worunter auch Weinberge, dem Pfalzgrafen Conrad I. zu.

1375 erkaufte Dietrich Last von Hans Harter von Dußlingen Weingülten. (Oberamtsbeschreibung von Herrenberg S. 219.)

5) Breitenholz.

Jakob Harter kauft am 18. September 1439 16 Ohm jährliche Weingült von Heinrich von Neuhausen. (Herrenberger Oberamtsbeschreibung S. 168.)

6) Zu Herrenberg

wurde früher der Weinbau an den südlich gelegenen Herrenbergen (Burghalde) und an dem alten Rain ziemlich ausgedehnt betrieben. Im Jahr 1289 besaß das Kloster Reuthin dahier Weinberge. 1352 kommen Weinberge am Hausemer-(Hildrighauser-)Steig vor. Am alten Rain stand ehemals eine Kelter. Auch 1382 kommen hier Weinberge vor. Der Weinbau kam jedoch im vorigen Jahrhundert nach und nach in Abgang. In einer Handschrift vom Jahr 1771 heißt es von Herrenberg, „daß noch ein kleines Häldlen von 10—12 Morgen allhier gebaut werde, der Wein seie aber schon seit 30 Jahren nicht mehr gerathen, daher die Inhaber verlegen und auf Pflanzung anderer nützlichen Gewächse verfallen seien." Doch muß es im Jahr 1784 noch ziemlich Weinberge in Herrenberg gegeben haben, da in diesem Jahre der niedrigste Preis für einen Eimer Wein, 8 fl., in Herrenberg erlöst wurde. Seit jener Zeit hat hier an der Grenze gegen den Schwarzwald der Weinbau fast ganz aufgehört und die einzelnen kleinen Rebgütchen, die sich dahier, sowie in Haslach, Kayh und Poltringen noch befinden, haben ihre Fortpflanzung mehr der Liebhaberei der Besitzer, als der Nützlichkeit und Zweckmäßigkeit des Ertrags zu verdanken. Außer diesen Orten wurde nach der Oberamtsbeschreibung von Herrenberg früher und zum Theil noch bis ins vorige Jahrhundert fast in dem ganzen dermaligen Oberamtsbezirke Herrenberg und besonders in den meistens 16—1800 württembergische Fuß über dem Meere auf einem Murschelkalkplateau befindlichen sogenannten Gäuorten Weinbau betrieben, so daß sich derselbe bis an das Nagoldthal und den Fuß des Schwarzwaldes erstreckte.

Namentlich auf der linken Seite der Ammer, an den Ausgängen des Schönbuchs

zu Mönchsberg,

wo die Kelter neben dem sogenannten Mönchshause stand.

Zu Rohrau

heißt noch gegenwärtig eine östlich vom Ort gelegene Halde im Weingarten, auch befand sich nach dem Landbuche von 1624 eine Kelter daselbst.

Auf der rechten Seite der Ammer, im Gäu

zu Affstätt,

wo an den Abhängen des Röthelberges und des Fichtenberges Weinbau getrieben wurde; auch hatte der Ort bis in die neueste Zeit

Weingülten an die Stiftungspflege Kuppingen und an die Hofkammer zu entrichten.

Zu Bondorf

wurden in dem sogenannten Weingartstaig Reben gepflanzt. Ebenso

zu Gärtringen

an dem eine Viertelstunde nordwestlich vom Orte gelegenen Weingartenberg.

Zu Gültstein

an der Ammelshalde, in der Schweingrube, am Klotzberg, im Thurm und im Horn; auch befand sich dort nach dem Landbuche von 1623 eine Kelter.

Das Kloster Hirschau hatte aus seinen Weinbergen dahier an die Pfalzgrafen in Tübingen einen Karren Wein zu liefern, der den 26. Mai 1296 von den Grafen Eberhardt und Rudolph an Wolfram von Ohmenhausen abgetreten wurde.

Zu Haslach fand Weinbau statt an einem südlich geneigten Abhange, in den Weinbergen genannt.

Zu Kuppingen südlich vom Ort in den sogenannten hintern Weingärten, jetzt Obstgärten.

Zu Mözingen war nordöstlich vom Ort ein Weingarten.

Zu Nebringen östlich vom Ort im sogenannten Mönchthale. Der Weinbau wurde jedoch vor etwa 70 Jahren, mithin erst gegen das Ende des vorigen Jahrhunderts, verlassen und mit dem Obstbaue vertauscht. Ebenso

zu Nufringen, wo noch vor 60—70 Jahren Weinbau getrieben wurde.

Zu Ober-Jettingen wird noch ein Abhang im Mäntlesthal der Weinberg genannt und ebenso

zu Unter-Jettingen ein eine Viertelstunde nördlich vom Ort gelegener südlicher Abhang.

§. 39.

e) Das Lauter- und Lindachthal im Oberamt Kirchheim
(auf der rechten Neckarseite am Traufe der Alp).

Sehr alt und ausgedehnt erscheint auch der Weinbau in diesem Bezirke. Die ersten Reben sollen durch Mönche von St. Peter im Breisgau hieher gebracht worden sein (§. 17). (Cleß, II. Thl. I. Abth. S. 275.) Wann dieses geschehen ist, läßt sich nicht mehr nachweisen, dagegen solle

zu Weilheim

der Weinbau an der Limburg, einem kegelförmigen ganz frei stehenden Vorsprunge der Alp, auf dem schon 1077 eine Burg der Herzoge von Zähringen stand, im eilften Jahrhundert betrieben worden sein.

Zu Bissingen

wurde nach Traditionen schon im zwölften Jahrhundert Wein gebaut.

Im Jahr 664 schenkt ein Graf Cancor seine Güter dahier dem Kloster Lorsch bei Worms, mithin muß doch schon ziemliche Cultur in der Gegend geherrscht haben. (Beiträge zur Geschichte der Stadt Kirchheim von Riecker, S. 60.)

Zu Kirchheim

ist der Weinbau so alt, als die Stadt selbst, die schon im zwölften Jahrhundert genannt wird.

In einer Urkunde von 1275 ist vom Weinbau die Rede.

1311 kommen Weinberge in den Reusten gelegen vor, zwischen denen der H. Simon und Conrad v. Teck.

1320 siegelt Albert Hofwart und 1330 verkauft er einen Weinberg.

Zu Jesingen.

Ums Jahr 1112 schenkt dem Kloster St. Peter ein Edler Berthold von Henkenberg einen Weinberg zu Ursingen.

1393 erwarb das Kloster Kirchheim von Heinrich Schilling zwei Weinberge dahier.

1453 haften auf Hof und Gütern dahier 30 Eimer Wein.

Zu Owen.

Eine Urkunde von 1276 spricht von Weinbergen dahier.

1333 verkauft Elisabeth von Sperberseck 5 Morgen Weinberg an das Kloster Kirchheim.

1336 ein Wernher von Owen einen Weinberg an dasselbe.

In dem Lagerbuch von 1513 wird ein Weingarten Cläffer (Clevner) genannt, so daß also auch hier der Clevnerbau nicht unbekannt gewesen und der Anbau dieser Rebe vielleicht mit Einführung des Weinbaus dahier zusammenhängt. (Württ. Jahrbücher, 1850, II. Heft S. 36.)

Zu Oethlingen.

1304 verkaufen die Brüder Simon und Conrad v. Teck einem Eßlinger Bürger einen Weinberg und in eben diesem Jahre die von ihrem Vater ererbte Weingärten, die Altenberg genannt, an einen Bürger von Kirchheim um 90 Pfund Heller.

Zu Hepsisau.

1317 gibt Marquardt von Lichtenegg seiner Tochter Bercht im Kloster zu Kirchheim eine Hellergült aus einem Weinberge zu Triebenbach.

Zu Nabern.

1412 verkauft Wolf von Stein am Rechtenstein an Pfaff Berthold Teufel, Kirchherrn zu Dettingen, 4 Morgen Weinberg.

Dettingen.

1415 verkauft Burkhardt von Mansjerg an Graf Eberhardt Mühlin, Kelter, Korngülten zu Tettingen um 1075 Pfund Heller.

Unterlenningen.

Zu der Burg Sulzburg, welche schon 1454 und 1584 vorkommt, gehörten neben Aecker und Wiesen auch Weinberge und Gärten, im Ganzen 63 Morgen. (Beiträge zur Geschichte der Stadt Kirchheim von Riecker, 1833, S. 83.)

Zu Aichelberg (Achelberg).

Ein hoher Berg-Kegel, 1976 württemberger Fuß über dem Meere, wurde an der Südost-, Süd- und Westseite schon frühzeitig Wein gepflanzt. (Gratianus, I. Thl., S. 3 und 4.)

§. 40.

f) Das Steinachthal

(von Neuffen bis Nürtingen).

In den Orten dieses Thales kommen im eilften bis dreizehnten Jahrhundert öfters Weinberge vor, namentlich zu Kohlberg, Neuffen und Linsenhofen, so daß auch hier wie in andern Thälern am Fuße der Alp der Weinbau schon sehr frühe begonnen haben muß.

Von Kohlberg werden schon 1089 Weinberge zum Kloster Zwiefalten gestiftet. (Stälin, II. Thl. S. 778.)

In den Jahren 1240 und 1247 vergab Heinrich von Neuffen Weinberge daselbst an das Kloster Söflingen.

Dasselbe Kloster erhielt 1278 von Berthold von Neuffen eine Kelter. (Oberamtsbeschreibung von Nürtingen, S. 195.)

g) Das Ermsthal.

Wie sehr alt der Weinbau in diesem Thale und überhaupt am Traufe der Alp ist, sehen wir aus der Stiftungsurkunde des Klosters Zwiefalten vom Jahr 1089, wo Graf Cuno von Achalm, einem der Stifter des Klosters, demselben seine Güter und Weinberge zu Neuhausen (bei Urach) und zu Kohlberg, Oberamts Nürtingen, schenkt, „in einem Lande, das gleich ist dem Lande der Verheißung, fruchtbar, reich an Wein", wie der Chronikschreiber Ortlieb, ein Zeitgenosse der Stiftung, noch besonders bemerkt. (Oberamtsbeschreibung von Urach, S. 69.)

Zu Neuhaus besaßen die Mönche von Zwiefalten einen Weinberg von 70 Jauchert, der 1138 64 Faß Wein gab. (Gratianus, Achalm und Reutlingen, I. Thl. S. 29.)

Zu Mezingen kommt schon 1281 eine Kelter vor und 1565

gab es dort weißen und rothen Wein, der gesucht und berühmt war, §. 114. (Württ. Jahrbücher, 1850, II. Heft S. 47.)

Ueberhaupt muß der Weinbau zu Mezingen im sechzehnten Jahrhundert in großem Flor gestanden sein, es besaß während des dreißigjährigen Krieges noch 425 Morgen Weinberge, während dieselben nach der neuen Landesvermessung nur noch 269 Morgen betragen, von welchen in der neuesten Zeit wieder verschiedene zu anderen Culturen gezogen wurden. (Acten des Staatsarchivs.)

Der Weinbau erstreckte sich in dem Thale bis nach Urach am Fuße der Alp, wo derselbe nicht unbedeutend gewesen sein muß.

1404 gibt Anna von Felberg, Hansen von Usenbachs Tochter, ihre Güter Graf Eberhardt um ein Leibgeding von jährlichen 2 Eimern Wein aus der Kelter zu Urach. (Weckherlin, Beschreibung der Achalm und Metzingen 1790 S. 22.)

1487 werden 3 Viertel Weinberge an der Eichhalden dem Spital verschrieben.

In einer Eingabe an den österreichischen General Grafen Gallas sagen die Uracher, „weil sonderlich wir in Urach gar einen schlechten Frucht- und den geringsten Weinbau haben."

Die Weinberge lagen zunächst um die Stadt, sollen jedoch erst zu Ende des siebenzehnten Jahrhunderts eingegangen sein. (Oberamtsbeschreibung S. 69 u. 106.)

Aber nicht allein am Traufe, sondern sogar auf der Alp muß Wein gebaut worden sein, denn bei Hangen, Oberamts Urach, kommt in alten Urkunden ein Weinbergle vor und im Jahre 1364 verkauft Schweickhardt von Gundelfingen das Dorf Ehestetten unsern Münsingen mit aller Zugehör, ausgenommen den Weinzehnten, der gelegen ist im Mühlbach. (Gratianus, II. Th. S. 129.)*)

Auch in neuerer Zeit wurden Versuche mit der Anpflanzung der Rebe auf der Alp gemacht. 1834 erhielt Pfarrer Hahn in Suppingen, eine der höchsten Gegenden auf der rauhen Alp, von einem mit blauen Clevnern und Ruländern angelegten Rebgelände Trauben, die sich durch Süßigkeit auszeichneten. Ein Beweis der Tauglichkeit beider Traubengattungen für ein minder günstiges Klima, sowie daß in früheren Zeiten, wo in den Seitenthälern der Alp sehr häufig Wein gebaut wurde, die Weinberge wahrscheinlich mit sorgfältig ausgewählten und frühreifenden Traubensorten bestockt waren. (Correspondenzblatt 1834, S. 274.)

---

*) Zu Ehestetten selbst, als auf dem höheren Alpgebirge, ist wohl nie Weinbau getrieben worden. Der zu demselben gehörige Weinzehente lag daher wahrscheinlich im Mühlthal, einem Zweige des Ermsthales, oder im Mühlbachthale, Oberamts Sulz.

§. 41.

h) Das Echatzthal.

Wenn auch unter Probus noch keine Weinberge an der Achalm bei Reutlingen angelegt wurden (§. 2), so ist doch so viel gewiß, daß der Weinbau in dem Thale der Echatz schon sehr alt ist, daß die sonnigen Abhänge an der Achalm, der Scheibengipfel um den Warnsberg, der St. Jörgenberg, sämmtlich bei Reutlingen, sehr dazu einluden, und daß derselbe zu Ende des fünfzehnten Jahrhunderts eine große Ausdehnung erhalten hatte, indem von der Einmündung des Echatzthales in das Neckarthal bei Kirchenthälnesfurth, (namentlich bei Reutlingen und Pfullingen) bis nach Oberhausen, wo schon längst keine Rebe mehr zu sehen ist, Wein gebaut, und mindestens im neunten Jahrhundert auf der königlichen Ville Pfullingen 822 mit der Anlage von Weinbergen begonnen wurde. (Gratianus, II. Th. S. 129.)

Die Berichte über die Verheerungen des 30jährigen Krieges im Jahre 1652 wollen übrigens von einem Weinbau zu Unterhausen, Oberhausen und Honau nichts wissen. (Acten des Staatsarchivs.)

Die beste und wahrscheinlich älteste Halde zu Reutlingen, welche vielleicht schon 1247 dem Pfalzgrafen zu Tübingen gehörte, heißt noch jetzt der Pfalzgraf. (Gailer, Denkwürdigkeiten von Reutlingen, I. Th. S. 11.)

In der Schönbuchsgerechtigkeit von 1310 waren die Weingärtner und Faßbinder zu Reutlingen besonders bevorrechtet, was auf die Wichtigkeit dieser Gewerbe schließen läßt. (Gratianus, I. Th. S. 225.)

1533 verkauft das Kloster Königsbronn an die Stadt Reutlingen den Widdmanshof nebst Zehnten, Kirchensatz und 10 Eimer Gültwein für 8000 Gulden. (Cleß, II. Th. II. Abth. S. 74.)

In Ehningen fand nach dem Steuerbuche vom Jahre 1569 schon vor mehreren Jahrhunderten Weinbau statt. (Württ. Jahrbücher 1830, I. Heft S. 49.)

Zu Bezingen solle seit dem Jahre 1847 kein Wein mehr gebaut worden sein und

zu Wannweil muß wenigstens früher Weinbau stattgefunden haben, da noch Halden „im alten Weinberg“, „im neuen Weinberg“ vorkommen.

Zu Sundelfingen im Reichenbachthal kommen 1552 Weinberge in der Rommelspach am hintern Schönrain vor. (Gratianus, Achalm und Reutlingen, I. Th. S. 288.)

§. 42.

i) Das Steinlachthal.

In diesem Thal wird noch gegenwärtig in verschiedenen Orten Weinbau getrieben, doch hat er auch in einzelnen Orten aufgehört, wie z. B. zu Dußlingen, wo zur Zeit des dreißigjährigen Krieges noch 30 Morgen gebaut wurden, die nach demselben wüste lagen und später wahrscheinlich zu anderer Cultur verwendet worden sind. (Acten des Staatsarchivs.)

k) Das Eyachthal.

In diesem Thale und seinen Ausläufern wurde früher bis Balingen, Frommern, Binsdorf und Rosenfeld Weinbau getrieben. In Balingen bestand 1562 Weinbau, indem Herzog Christoph aus Veranlassung eines am 2. August zu Stuttgart stattgefundenen fürchterlichen Hagelwetters eigenhändig an die Wand seines Zimmers schrieb:

„Bahlingen hat dis Jahr mer zehend wein geben,
Als Stuatgart mit synen vilen reben;
Nit eine Kelter ist uffgangen,
Ob evas bösen Weiberschlangen.“ (§. 106.)

Der Weinbau muß jedoch schon frühe und wahrscheinlich vor dem dreißigjährigen Kriege aufgehört haben. Da nach einem Berichte über die Verheerungen des gedachten Krieges vom 28. September 1652 in Balingen keine Weinberge sich befanden und nach dem Kellerei-Lagerbuch von 1688 die in ungefähr 9 Morgen bestandenen Weinberge nicht mehr aufgefunden werden konnten. Nach einem älteren Kellerei-Lagerbuch kommen Weinberge daselbst vor: 4 Morgen an Gallenhelden, welche an St. Agathe Caplanei in Balingen zehnten, 1½ Morgen daselbst, welche den Zehnten unserer Frauenpfründt zu Balingen abreichen, 2 Morgen an der Reichenbacher Halden, genannt der Reuschen Weingarten, 2 Morgen am Galgenrain, Erbingerbahn.

Bei der in den 1830er Jahren vorgenommenen Landesvermessung werden noch 1⅝ Morgen 30 Ruthen Weinberge als zu anderen Culturen verwendet aufgeführt, daher es scheint, daß von Zeit zu Zeit doch immer wieder neue Versuche mit dem Weinbaue gemacht wurden.

In Frommern

waren 1652 noch 14, im Jahre 1828 aber nur noch 2 Morgen Weinberge, im Jahre 1848 hatte der Weinbau ganz aufgehört.

Binsdorf (Oberamts Sulz)

besaß 1770 noch 18½ Morgen Weinberge im sogenannten Rebweinberg, wovon jedoch 1828 nur noch ¼ Morgen mit Reben angepflanzt gewesen sein solle. Die dortige Pfarrei hatte den Weinzehnten zu beziehen. (Württembergische Jahrbücher 1850, II. Heft S. 43—45.)

In Rosenfeld

weisen einzelne Gewendebenennungen auf den dort betriebenen Weinbau hin; nach den Berichten über die Verheerungen des dreißigjährigen Krieges sollen sich übrigens in Stadt und Amt Rosenfeld keine Weinberge befinden, außer circa 30 Morgen zu Böringen im Mühlbach, die wüste lägen. (§. 36.)

4. Das Filsthal.

§. 43.

In dem Filsthale hat man den Weinbau fast ganz verlassen, bloß bei der Einmündung in das Neckarthal bei Plochingen, sowie in einem Seitenthal, dem Thalbachthal, zu Hochdorf und Schlierbach kommt noch Weinbau vor, dagegen scheint früher und schon im neunten Jahrhundert, namentlich in der Umgegend von Göppingen, ziemlich viel Wein gebaut worden zu sein und der Weinbau sich bis in das bei Großsüßen einmündende Lauterthal erstreckt zu haben.

Zu Reichenbach, wo sich 16 Morgen Weinberge befanden, gehörte der Weinzehnte ob dem Mallenweg der Pfarrei Hegenlohe.

Zu Uihingen wurden die Weinberge im Hegnach 1698 ausgestockt.

Faurndau.

Im Jahre 875 schenkt Ludwig der Deutsche seinem Diakonus Luitbrand das Klösterlein Faurndau bei Göppingen mit aller Zugehörde an Ländereien, Weinbergen rc. (Cleß, I. Th. S. 189.)

Im Jahre 895 übergibt Kaplan Luitbrand dem Kloster St. Gallen die Abtei Faurndau bei Göppingen, wozu auch die Kapelle an der Brenz gehörte, mit allen Liegenschaften, Zinsen, Zehnten, Rebbergen, Leibeigenen. (Arx, I. Th. S. 104.)

Der „Weingarten unter dem Schwallbrunn" gedenkt eine Urkunde von 1489. Auch jenseits der Fils, auf dem Hayrain, standen 3 Morgen Weinberge noch 1562 im Bau, die 1700 in Wiesen verwandelt wurden. (Oberamtsbeschreibung v. Göppingen, S. 191.)

Zu Göppingen gibt Ehrenfried von Schechingen 1487 seinen Weingarten an dem Untertöbel (etwa 5 Morgen) einigen Bürgern zu Lehen, die sich verbinden, in des Junkers Kelter zu fahren. Diese wurde 1586 abgebrochen. Nach dem Lagerbuch der Stiftungsverwaltung von 1707 waren am sogenannten Sachsentobel, an „die Weinsteig" stoßend, noch einige Morgen Weinberg, die 1733 ausgereutet wurden. (Oberamtsbeschreibung von Göppingen, S. 118.)

Auch in anderen Orten, besonders auf der rechten Seite der Fils, wurde in früheren Zeiten Weinbau getrieben, namentlich in Eberbach, Wangen (1686), Großeißlingen (1759 noch 9 Morgen auf dem Schellenberg), sowie auf der linken Seite zu Holzheim (noch 1772 4 Morgen am Buchrain) und sogar in das Seitenthal der Lauter nach Staufeneck (1604), Donzdorf und bis Wißgoldingen muß der Weinbau gedrungen sein, wenigstens ist die Kelter zu Donzdorf erst am Ende des siebenzehnten Jahrhunderts eingegangen und zu Wißgoldingen heißt noch jetzt eine Halde „der Weinberg". In einer Urkunde von 1489 wird noch ein Weingarten erwähnt, der am Hohenstaufen selbst hinabgieng gegen den Weiler Hochrain. (Oberamtsbeschreibung von Göppingen, S. 228.)

1535 fiel an Zehntwein der geistlichen Verwaltung zu Holzheim			8 Imi.
Im Untertöbel bei Göppingen . .	5	Eimer	— „
In Wangen	1	„	2 „
1550 der Kellerei:			
Im Sachsentobel bei Göppingen	9	Eimer	5 „
In Faurndau*)			6½ „

Die Weinberge zu Göppingen sollen oberhalb des Bades Jebenhausen zu und in den jetzigen Baumgärten gegen das Dorf Heiningen gelegen sein.

In allen diesen Orten hat der Weinbau dem weit einträglicheren Futter- und Obstbau Platz gemacht, was um so weniger zu bedauern ist, als die Güte des Weins in der Regel nur gering gewesen sein muß, worauf auch die bei Göppingen vorkommende ominöse Namen, der Sauerhof und die Sauerweinhöfle hindeuten. (Oberamtsbeschreibung von Göppingen, S. 201. 250. 274. 277. 293. 298. Oberamtsbeschr. von Geißlingen, S. 59.)

5. Das Remsthal.

§. 44.

Die milde und für den Weinbau so ausgezeichnete Lage des Remsthales hat zuverläßig dazu beigetragen, daß derselbe hier wie

*) Die Vermuthung, Cleß, I. Th. S. 189, daß in Faurndau nie Wein gebaut wurde, wird hiernach vollständig widerlegt.

in dem benachbarten Neckarthale schon sehr frühzeitig betrieben wurde, obgleich in einer Urkunde von 1080, nach der König Heinrich IV. seine Besitzungen zu Winterbach, Oberamts Schorndorf und zu Waiblingen der Kirche zu Speier übergibt, keiner Weinberge Erwähnung geschieht. (Württemb. Urkundenbuch, I. Bd. S. 283.)

Dagegen kommen in einer Schenkungsurkunde von 1086 Weinberge zu Beinstein vor.

In andern Urkunden ist über den Weinbau Folgendes enthalten:

Hohenacker.

1482 kaufte das Kloster Wörnizhausen (Winzerhausen nach Steinhofer, III. Th. S. 363 Anhausen), von Graf Eberhardt dem Jüngern den Weinzehnten sammt dem Kelterwein, Zinswein, Theilwein und 48 Zinshühnern mit beiden Keltern und bei 15 Morgen Weinberge dahier um 2187 Gulden. (Oberamtsbeschreibung von Waiblingen, S. 165.)

Waiblingen.

1253 kommt nach Sattler, die Grafen Württembergs, Beilage 1, Weinbau dahier vor.

Beinstein.

1086 schenkt Kaiser Heinrich IV. der Kirche zu Speier 26 mansus, worunter sich auch Weinberge befinden. (Württemb. Urkundenbuch, I. Bd. S. 286.)

1482 kaufte das Stift zu Constanz dem Grafen Eberhardt dem Jüngern den Wein- und Kornzehnten sammt Kelter für 2630 Gulden ab.

Endersbach.

1337 den 14. Februar trugen Friedrich und Heinrich von Echterdingen dem Grafen Ulrich ihre Weingärten und all ihr Gut dahier zu Lehen auf, da er ihnen Weingärten zu Uhlbach eignete.

1442 erkauft das Kloster Adelberg von Adelheid und Elisabeth, Truchsessin von Höfingen, ihre Zehnten an Wein und Korn dahier. Adelberg besaß hier auch ein Tafernlehen.

1470 verkauft Württemberg einen Antheil am Korn- und Weinzehnten an das Stift Göppingen.

Großheppbach.

1290 den 22. September wird in einer Urkunde die dem verstorbenen Truchsessen Wolfram gehörige Kelter erwähnt.

1299 besaß das Kloster Mettenhausen hier Weinberge.

Ebenso das Kloster Eßlingen. (§. 33.)

Kleinheppbach.

1467 kauft Ulrich von Rechberg einen Weingarten von Caspar von Renningen.

Strümpfelbach.

1364 und 1385 erwirbt das Kloster Denkendorf Güter, besonders Weinberge dahier.

1442 erkauft das Kloster Adelberg von Adelheid und Elisabeth, Truchsessin von Höfingen, ihren Weinzehnten dahier. (Oberamtsbeschreibung von Waiblingen, S. 117. 138. 139. 143. 144. 167 und 202.

Beutelsbach.

1352 erkauft das Stift Beutelsbach von Wolfpelt von Wernshausen den Korn-, Wein- und andern Zehnten um 70 Pfund Heller.

1450 erkauft die Pfründe zu St. Peter und Pauls Altar in der St. Nicolaikapelle auf dem Cappelberg $\frac{1}{12}$ des Korn- und Weinzehntens zu Strümpfelbach und Endersbach. (Vergl. §. 33.)

Grunbach.

1328 den 25. Juli räumt Graf Ulrich dem Kloster Lorch das Recht und den Gebrauch einer Kelter ein.

1344—1361 trug Conrad, der junge Müller in Gmünd, drei Weinberge von Württemberg zu Lehen.

1480 verkauft Graf Eberhardt der Jüngere dem Kloster Lorch und Heidenheim am Hahnenkamm den Weinzehnten und Kelterwein für 3430 Gulden.

Geradstetten.

1506 brachte Herzog Ulrich von Hansen von Zollenhardt ein Drittel am halben Theil des Dorfes Geradstetten mit allem Zugehör an Haus, Hof, Weingärten um 1600 Gulden an sich.

Im Jahre 1694 heißt ein hiesiger Weinberg „der Frenschweingart" und ein anderer „der Rothwein".

Schorndorf.

1290 werden die Weinberge im Grafenberge (beste Lage) genannt.

1385 wird von Graf Ulrich an Heinrich, dem Rohrbeck von Schorndorf, ein Weinberg am Brumberg verliehen.

Haubersbronn mit Metzlinsweiler.

1357 erkaufen die Grafen Ulrich und Eberhardt den Hof Metzlinsweiler mit Mühle, Weingärten 2c. um 900 Pfund Heller. (Oberamtsbeschreibung von Schorndorf S. 99, 101, 130, 140, 144.)

Plüderhausen.

1468 übergibt Graf Ulrich den Zehnten von mehreren neuangelegten Weinbergen „an unserem eigen Berg, dem Cünenberg", dem Kloster Lorch zu eigen.

Das Kellereilagerbuch von 1500 nennt Weinberge am St. Elisabethenberg (jetzt Elisabethenhof) außerhalb des Grabens.

Plüderhausen und das benachbarte Waldhausen gehören zu den frühesten Weinorten, da hier die ältesten Lagerbücher schon des Weinzehntens und Bodenweins gedenken, doch sind in beiden Orten, wo nur ein geringer Wein wächst, in neuerer Zeit manche Weinberge ausgereutet und zu andern Culturen verwendet worden, wie

z. B. zu Plüderhausen 16½ Morgen. (Württemb. Jahrbücher 1850, II. Heft S. 52.)

Unterschlechtbach mit Lindenthal und Michelau im Wieslaufthal.

1352 kauft Ulrich Sorg von Schorndorf vom Kloster Adelberg alles, was es zu Lindenthal besaß, ausgenommen 1 Morgen Weinberg, für 208 Pfund Heller.

Auf der Markung Michelau heißt eine Weinberghalde „im Römerstein", daher es wahrscheinlich ist, daß auch hier das Wieslaufthal, ein Seitenthal des Remsthales, den Römern zum Aufenthalt diente. (Oberamtsbeschreibung von Welzheim S. 229. 261. 244. 245.

In dem Remsthale selbst erstreckte sich früher der Weinbau bis Lorch und Gmünd. In Lorch hat eine südliche, 40 Morgen große Halde noch jetzt den Namen „in den Weingärten", auch soll hier 1571 noch Weinbau getrieben worden sein. In dem benachbarten Kirneck, links vom Remsthal, bestand 1393 Weinbau.

Zu Lorch und in dem Pfahlbronner Amt kommen jedoch nach dem dreißigjährigen Kriege keine Weinberge mehr vor. (Akten des Staatsarchivs.)

In Gmünd war besonders der Salvatorberg, der Zeiselberg ꝛc. mit Reben besetzt; auch ist noch ein Kaufbrief über einen Weinberg vom Jahr 1586 vorhanden. Im Jahr 1444 soll es so viel Wein gegeben haben, daß man 3 Eimer geringen für einen guten gab. Nach und nach wurden die Weinberge ausgereutet und mit Futterkräutern bepflanzt. 1680 war der Salvatorberg noch ein wenig mit Reben besetzt. Im Jahr 1834 wurde zwar ein neuer Versuch mit Rebenanpflanzung gemacht, aber bald wieder aufgegeben.

Ebenso der in den 1790er Jahren von Baron v. Lang in Leinzell angestellte Versuch.

In den Seitenthälern des Remsthales ging früher der Weinbau:

In dem Beutels- oder Schweizerbachthal bis Aichschieß auf dem Schurwald, wo er jedoch 1760 völlig aufgegeben wurde.

In dem Wieslaufthal bis Obersteinenberg, wo 1595 Weinbau bestand, und bis Haghof, wo nach den Lagerbüchern früher 1½ Morgen Weinberge waren.

Auf dem Welzheimer Wald bis Pfahlbronn, wo nach einem Vertrag vom Jahr 1585 in einem Lorcher Lagerbuch das Domstift Augsburg zur Besoldung der Geistlichen in Lorch den Weinzehnten an Württemberg abtritt. (Württ. Jahrbücher 1850, II. Heft S. 52 und 53.)

Wie sehr der Weinbau im sechszehnten und zu Anfang des siebenzehnten Jahrhunderts in dem Remsthale und seiner Umgebung in der Blüthe gestanden sein muß, beweisen die Berichte über die

Verheerungen des dreißigjährigen Kriegs vom Jahr 1652, indem vor dem Krieg an Weinbergen besaßen:

Waiblingen	1100 Morgen,	jetzt	238 Morgen,
Beinstein	600 „	„	175 „
Korb	700 „	„	497 „
Neustadt	350 „	„	222 „
Neckarrems	296 „	„	139 „
Bittenfeld	174 „	„	39 „
Schorndorf	1132 „	„	441 „

(Akten des Staatsarchivs, Rösch S. 66.)

6. Das Enzthal.

§. 45.

In das Enzthal münden verschiedene andere Thäler ein, in welchen fast in ihrer ganzen Ausdehnung Weinbau getrieben wird, oder wenigstens früher getrieben wurde, daher wir dieselben hier abgesondert aufführen.

a) Das Enzthal.

Löchgau.

1407 kaufte Graf Eberhard von Hennele von Kaltenthal seinen Hof in Löchgau, sowie seine Kelter und andere Güter daselbst für 300 fl.

(Ferner §. 31 bei Meimsheim.)

Bissingen.

1480 kauft Graf Eberhard von dem Kloster Lorch den Weinzehnten. (Cleß, II. Thl. II. Abth. S. 39.)

Thamm.

1399 gab Rudolph der Camerer, ein Edelknecht, seinen Theil am Weinzehnten dem Grafen Eberhard um ein Leibgeding zu kaufen.

Riexingen.

Hier (Ruggsingen) sowie zu Hohenhaslach (Hasla) kommt schon sehr frühe (im eilften und zwölften Jahrhundert) eine Schenkung von einem Weinberge vor. (Württemb. Jahrbücher 1850, II. Heft S. 53.)

Enzweihingen.

1426 kauft Württemberg von Friedrich von Dürrmenz seine Kelter zu Weihingen an der Enz sammt etlichen Wein- und Hühnergülten für 200 fl.

Roßwaag und Illingen.

Den 3. Juli 1324 verzichtet Ritter Conrad von Enzberg zu Gunsten des Klosters Herrenalp auf den Kirchensatz zu Roßwaag und die Widdumhöfe daselbst, und zu Illingen auf Güter, Zinse, Zehnten 2c., worunter auch Weinberg. (Mone, Zeitschrift VI. Bd. S. 75 und 81.)

Mühlhausen.

Den 25. Juni 1342 stiftet Clara v. Niefern verschiedene Güter und Zinse, worunter 4 Jauchart Weingarten auf dem Felsen, zu einer Präbende in der Nikolauskapelle bei Roßwang. (Mone, Zeitschrift VI. Bd. S. 327.)

Dürrmenz.

Die beste Lage, der alte und neue Stöckach, zwischen Mühlacker und Enzberg wurde, weil, als sehr steil seine Anlage viel Mauerwerk kostete und daher kostspielig war, erst 1602 angelegt, indem es auf einem aufgefundenen Stein heißt: „Anno 1602 Anfänger und Ursächer dieses Stöckachweinberges dessen 40 Morgen Endreß Schmid, Vogt zu Maulbronn."

Zu Anfang dieses Jahrhunderts war ein Theil wieder verfallen, daher 1818 Tabaksfabrikant Rapp von Mühlacker 6½ Morgen kaufte und sie im Jahr 1820 neu anlegen und mit Rießlingen bestecken ließ. (Württemb. Jahrbücher 1850, II. Heft S. 53.)

Von hier aus erstreckt sich der Weinbau über Enzberg bis nach der badischen Stadt Pforzheim, wo er im eigentlichen Enzthal endigt, sich jedoch, wie wir hernach sehen werden, noch in verschiedene Seitenthäler abzweigt.

b) Das Metterthal

(bei Bietigheim in das Enzthal einmündend).

Sachsenheim.

1459 kauft das Spital in Stuttgart den Weinzehnten dahier für 1800 fl. (Cleß, II. Thl. II. Abth. S. 659.)

Horrheim.

Dasselbe besaß vor dem dreißigjährigen Kriege 680 Morgen Weinberge, welche 1652 wüste lagen, jetzt nur noch 347 Morgen. (Akten des Staatsarchivs.)

Gündelbach.

1330 kauft das Kloster Maulbronn von Herrenalp 12 Morgen Weinberge dahier. (Cleß, II. Thl. II. Abth. S. 51.)

1291 verkaufen Conrad II. und Volmar v. Bromburg dem Kloster Maulbronn 13 Ohm Wein zu Gündelbach für 46 Pfund 10 Schilling. (Klunzinger, III. Abth. S. 187.)

Schützingen.

Im Jahr 1152 besaß das Kloster Maulbronn ein Gut zu Füllenbach (bei Diefenbach), das zur Pfarrei Schützingen zehntete und das wüste und ungebaut war. Die Mönche bauten es wieder an und pflanzten Weinberge.

Hohenhaslach (siehe oben bei Rieringen).

Ferner den 4. April 1255 schenkt ein Edler, Bertold, Vogt von Weitzenstein, alle seine Güter, Zinse und Weinberge, die er dahier besessen, an das Kloster Rechentshofen. (Mone, Zeitschrift IV. Bd. S. 348.)

Den 19. Januar 1287 schenkt Pfarrer Walter dahier 4 Jauchert Weinberge dem Kloster Rechentshofen. (Mone, IV. Bd. S. 348.)

Den 7. November 1336 verkauft das Dominikanerkloster zu Pforzheim an das Kloster Rechentshofen seinen halben Hof mit der halben Kelter in dem Dorfe, Haslach und 3½ Morgen Weingarten daselbst an dem Eizenberge. (Mone, Zeitschrift IV. Bd. S. 454.)

Den 14. Februar 1289 verkauft Conrad, Graf zu Vaihingen, seine Besitzungen zu Hohenhaslach an Zinsen, Kelter, Weinbergen, Wäldern, Wiesen, Aeckern an das Kloster Maulbronn für 750 hallische Pfund. (Mone, Zeitschrift IV. Bd. S. 441.)

Den 9. Dezember 1393 vermacht Schwester Ybal von Ravensburg, Klosterfrau zu Rechentshofen, dem dortigen Kloster einen Weingarten in Haslacher Markung, genannt in der Rür (Raut), den jetzt bauet Hartmann Schopf um den halben Theil. (Mone, Zeitschrift V. Bd. S. 191.)

Häfnerhaslach.

Den 29. September 1450 kauft die Gemeinde 60 Morgen Wald in Radbacher Markung von dem Kloster Kirnbach und verzichtet auf das Recht, Rebpfähle für ihre Weinberge in der Gerhardtshelden, in den Waldungen des Klosters zu hauen.

Enßingen.

Den 14. März 1349 bestätigt Graf Conrad v. Vaihingen die Schenkung der Kelter mit aller Zugehör an das Kloster Rechentshofen. (Mone, Zeitschrift V. Bd. S. 197.)

§. 46.

c) Das Glemsthal

(bei Unterriexingen in das Enzthal einmündend).

Hemmingen.

Von 1407—13 trug ein Bertold III. von Massenbach zwei Theile am Korn- und Weinzehenten von Württemberg zu Lehen. (Klunzinger, Zabergau IV. Abth. S. 83.)

Der Weinbau hat hier seit 1819 als Nahrungszweig ganz aufgehört und wird nur noch von einzelnen Besitzern auf kleinen Stückchen als Liebhaberei fortgetrieben. Ebenso hat er ganz aufgehört in den zum Glemsthal gehörigen Orten:

Schöckingen seit 1780, wo jedoch im Jahr 1852 wieder 8 Morgen neu angelegt waren;

Hirschlanden seit 1805;

Ditzingen, wo in einem Vergleich vom 22. Juli 1402 ein Vorzehent „uß einem Weingarten" vorkommt; auch wurden bei der neuerlichen Landesvermessung noch 25$^{7}/_{8}$ Morgen vormalige und $^{3}/_{8}$ Morgen neu angelegte Weinberge aufgenommen.

In Gebersheim hörte der Weinbau in der zweiten Hälfte des vorigen Jahrhunderts,

in Rutesheim, wo noch Güter unter dem Namen „wüste Weinberge" vorkommen, schon früher auf, und ebenso auf dem Bergheimer Hof, wo noch einige Halden den Namen Weinberge führen. (Württemb. Jahrbücher 1850 II. Heft S. 56—57.) Dagegen wird der Weinbau noch fortgeführt

in Gerlingen.

1140 erhält das Kloster Hirschau von Adelbert von Derdingen und von 1157—1165 unter Abt Mangold mehrere Jauchert hiesiger Weinberge. (Oberamtsbeschreib. von Leonberg S. 133.)

Ebenso findet noch Weinbau statt in Münchingen, Höfingen, Leonberg und Eltingen.

d) Das Strudelbachthal und Kreuzbachthal

(bei Enzweihingen in das Enzthal einmündend).

Nußdorf.

1393 kaufte Graf Eberhardt von Gözen Kremern zu Pforzheim 3$^{1}/_{2}$ Ohm Weingült dahier, welche er von Hansen und Conrad Remchingen, Edelknechten, um 40 fl. an sich gebracht.

1652 nach dem dreißigjährigen Kriege besaß der Ort 296 Morgen Weinberge, welche wüste lagen, jetzt nur noch 208 Morgen.

Heimerdingen.

Ums Jahr 1441 erwarben die Grafen von Württemberg ein Viertel an der Kelter durch Kauf. Auf dem kalkhaltigen Boden des Abhangs gegen das Strudelbachthal wird neuerlich wieder auf 10—15 Morgen Weinbau getrieben.

Der Weinbau in dem Strudelbachthale erstreckte sich bis zu dem Anfang desselben bei Flacht und Perouse, wird jedoch hier und in dem einmündenden Kreuzbachthale in den meisten Orten zum Theil schon seit mehr als 100 Jahren nicht mehr betrieben.

In Flacht hörte der Weinbau im Jahr 1775 auf und der Kelterbaum wurde einige Jahre nachher verkauft.

In Wiernsheim wurden im Jahr 1797 die letzten 40 Morgen Weinberge ausgestockt und das im Jahr 1828 noch vorhandene Keltergebäude war ohne Keltereinrichtung. In Pinache wurden im Jahr 1698 bei Gündung dieser Waldenser Colonie 25 Morgen

5*

Wald zu Weinbergen angelegt, nach 50 Jahren aber in Ackerfeld verwandelt. An Serres wurde zwar bei der Gründung dieser Colonie im Jahr 1698 von dem benachbarten Wiernsheim ein Distrikt mit Weinreben bepflanzt abgetreten, seit dieser Zeit wird er aber als Ackerfeld benützt.

In Wurmberg muß früher gleichfalls Weinbau getrieben worden sein, denn das Fleckenbuch enthält:

Das Kloster Maulbronn ist die Kelter in nothwendigem Bau und Besserung zu erhalten schuldig, dagegen gibt man von allem Wein, so auf des Fleckens Markung wächst, dem Kloster Maulbronn vor Zehent- und Kelterwein den siebenten Theil.

Auch gibt es dort noch Halden unter dem Namen „Weinberg" und im Ort einen Kelternplatz. Jetzt sind die Weinberge in Klee- und Kartoffelfelder verwandelt. In Bärenthal, wo man 1812 erst Weinberge anlegte, sind dieselben gleichfalls wieder eingegangen. (Württemb. Jahrbücher 1850 II. Heft S. 58.)

Zu Wimsheim wurden die Weinberge 1769 ganz ausgehauen. (Oberamtsbeschreib. von Leonberg S. 273, 121.)

Auch zu Friolzheim, auf der Hochebene zwischen dem Kreuzbach und Würmthal scheint früher Weinbau getrieben worden zu sein, indem noch jetzt ein District „im Weinbergsweg" heißt.

In dem Kreuzbachthale wird der Weinbau nur noch zu Großglattbach, Iptingen und Mönsheim betrieben, wo er aber neuerlich ziemlich abgenommen hat. (Württemb. Jahrbücher 1850 II. Heft S. 58.)

§. 47.

e) Das Würmthal

(bei der baden'schen Stadt Pforzheim mit dem Nagoldthal in das Enzthal einmündend).

Von dem Austritt des Würmthales aus einem Ausläufer des Schwarzwaldes, dem Hagenschieß ob Pforzheim, wurde bis zu dem Anfange desselben bei Altdorf, Oberamts Böblingen, auf der Hochebene des Schönbuchs, Wein gebaut, jetzt hat die Pflanzung desselben, mit Ausschluß bei Pforzheim, überall aufgehört und einträglicheren Culturen, namentlich dem Obst-, Klee- und Kartoffelbau Platz gemacht. In dem württembergischen Theile dieses Thales, das bei Heimsheim aufwärts beginnt, sowie in einzelnen Seitenthälern fand Weinbau statt:

Zu Heimsheim

bis ins vorige Jahrhundert, wo noch bis in die neueste Zeit 16 Morgen 2½ Viertel vormalige Weinberge mit einem Zehentsurrogatgeld belegt waren; auch sollen sich dort noch manche öde Plätze befinden, die vormals Weinberge waren. Ein Theil derselben heißt: „des Junkers Weinberge" und sollen dieselben einem adeligen Besitzer gehört haben, der zur Zeit des Schleglerbundes (zu Ende des vierzehnten und zu Anfang des fünfzehnten Jahrhunderts) lebte; auch kommt in einem Extract des Lehenbuches vom Jahr 1344—1361 (Sattler, Geschichte Württembergs unter den Grafen, V. Bd. Beil. Nr. 61 S. 323) Weinzehenten zu Heimsheim vor. Der Anfang des Weinbaues hier und in der Umgegend ist daher mindestens in das vierzehnte Jahrhundert, das Ende aber nach einem Berichte der Staabskeller über den Stand der Weinberge in das Jahr 1758 zu setzen.

Wie wenig ergiebig sowohl in Beziehung auf Quantität als Qualität die hiesigen Weinberge, sowie die des ganzen Würmthales waren, erhellt aus einzelnen Einträgen in die Verwaltungsrechnungen. In der hiesigen Kellereirechnung von 1715—16 heißt es: An Zehenten ist gefallen, weil die Revier zum Weinbau nicht tüchtig, 1 Maas. Von 1719—20 fiel an Zehenten, weil wiederum mehrere Stücke in Bau gebracht, 3 Imi 7¾ Maas.

Zu Merklingen

wurden die Weinberge im Jahr 1803 mit einem Zehent-Surrogat belegt, der Weinbau dauerte aber noch im Kleinen fort, indem im Jahr 1811 noch Wein zu 54 fl. pr. Eimer verkauft wurde, und hörte erst nach den ungünstigen Weinjahren von 1813—16 gänzlich auf, wo die letzten 1¾ Morgen ausgehauen wurden.

Zu Münklingen

hörte der Weinbau um's Jahr 1788 auf und wurden die vormaligen Weinberge von diesem Jahr an mit einem Zehent-Surrogatgeld belegt. In den Rechnungen der geistlichen Verwaltung ist in Beziehung auf den hiesigen Zehentertrag bemerkt: Von 1716—17, weil die Hasen das Rebwerk im ferndigen Winter meistens abgefressen, das Uebrige in der Herbstzeit erfroren, daher —0—. Von 1732—33 ist wegen Gefröhre von solch' schlechter Beschaffenheit, daß beim Aufstreich den Zehentwein Niemand begehrte, daher ich Rechner solchen zum Besten gnädigster Herrschaft, ehe er vollends versauert, genommen, 9 Imi 5 Maas à 2 fl. pr. Eimer für 1 fl. 11½ kr.

Zu Weil der Stadt

solle der Weinbau im Jahr 1407 seinen Anfang genommen haben. Im Jahr 1629 wurden aus dem dortigen Stein- oder Spitalkeller 2 Eimer Wein hiesigen Gewächs um 200 fl. (leichtes Geld) verkauft. Nach dem Inhalt der Kellereirechnungen war von 1714—15 kein Herbst, weil die Trauben nicht zeitig und weich geworden, daher die 2 Butten Zehenttrauben verkauft wurden für 1 fl. 15 kr. Von 1730—31 und 31—32 wurden, weil die Trauben zu keiner Zeitigung gekommen, sondern wegen zeitlich eingefallener Kälte gänzlich erfroren, die Zehenttrauben an das Spital verkauft zu einem

Läuregetränk für das Gesinde. Von 1733—34 sind die Trauben wegen eingefallener strenger Kälte, hartem Gefrör und noch nicht gehabter Zeitigung sehr übel zugerichtet und die zur Kellerei gefallenen 7 Butten verkauft worden für 1 fl. 45 kr. Von 1740—41 wurden die Trauben als vollkommen erfroren gar nicht abgeschnitten. Ebenso von 1792—93 und von 1805—6.

Zu Ende des vorigen und zu Anfang dieses Jahrhunderts kam der Weinbau nach und nach in Abgang. Im Jahr 1804 wurde die Kelter auf den Abbruch verkauft, im Jahr 1807 waren nur noch 3 Morgen Weinberge vorhanden, in den Jahren 1813 und 1814 wurden aber die letzten Weinberge vollends ausgehauen und in Kleefelder verwandelt. Im Jahr 1828 ist zwar wieder ein neuer Versuch mit der Anlage von 5½ Morgen Weinberge gemacht worden, derselbe hatte jedoch, als wenig nutzbringend, keinen weiteren Fortgang.

Zu Schaffhausen

waren im Jahr 1468 noch keine Weinberge, dagegen sagt das Lagerbuch von 1653, daß die an einem südlichen Abhange gegen das Würmthal befindlichen Weinberge schon seit 20 Jahren wüste liegen. Nach einem Dekret vom 26. September 1769 wurden sie als mit Futterkräuter angepflanzt, mit einem Zehent-Surrogatgeld belegt.

Zu Ostelsheim

wurde aus den vormaligen Weinbergen schon ums Jahr 1700 ein Surrogatgeld bezahlt, weil „die Weinberge seit unfürdenklichen Zeiten mit allerlei Fruchtsorten angepflanzt worden".

Zu Magstadt
(in einem Seitenthal der Würm)

wurden die Weinberge schon 1593 ausgehauen,

Zu Ehningen

im obern Würmthal die letzten 17 Morgen im Jahr 1771. Auf dem Schloßgute Mauren befanden sich bei der Landesvermessung wieder ¼ Morgen neu angelegte Weinberge.

Zu Altdorf

unfern des Ursprungs der Würm lagen nach Berichten vom Jahr 1652 5½ Morgen Weinberge wüst, mithin muß dort noch während des dreißigjährigen Krieges Weinbau stattgefunden haben.

Zu Hildrizhausen

am Ursprung der Würm befanden sich Weinberge in den sogenannten Reutenen, die jedoch schon vor mehr als 300 Jahren abgiengen.

Zu Deufringen und Aidlingen
(beide in dem Seitenthal der Aid)

muß nach den Benennungen einiger Halden: „Weinberg, Wingertsberg" gleichfalls Weinbau getrieben worden sein.

Desgleichen in einem weiteren Seitenthal der Würm, dem Maisgraben.

Zu Renningen und Warmbronn

führen noch einzelne Güterstücke den Namen „alte Weinberge“ und „unter den Weinbergen“. Auch befand sich dort 1624 noch eine Kelter und später bezog das Hospital Stuttgart als Zehentherr von den ehemaligen Weinbergen ein Zehent-Surrogatgeld. Zu Warmbronn sei der Weinbau seit 60—70 Jahren abgegangen.

Zu Malmsheim im Renkbachthale

hat der Weinbau an dem nördlich vom Ort gelegenen Berge längst aufgehört. Ferner

in dem Schwippethale zu Dagersheim,

wo eine bewaldete Halde in der Nähe der Bärenklinge „im Weingartsberg“ genannt wird.

Zu Böblingen

befanden sich schon zur Hohenstaufen Zeit im zwölften und dreizehnten Jahrhundert Weinberge.

Das Gewende, auf dem Weinbau getrieben wurde, hieß die Mulde und ist jetzt zu Baumgütern angelegt. Dieselben bestanden in 60—70 Morgen und wurden 1738 und 1765 meistens ausgereutet, doch müssen 1786 noch einzelne bestanden haben, da hier im gedachten Jahr der Eimer Wein zu 8 fl. verkauft wurde.

In Sindelfingen, wo früher gegen das Schwippethal an den Frostbergen und in den obern und untern Halden 60 Morgen Weinberge waren, wurden in den Jahren 1754 und 1771 gegen 30 Morgen und später der Rest ausgereutet. Im Jahr 1801 sind aufs Neue wieder 3 Morgen angelegt worden, die 1811 einen Ertrag von 10 Eimern gewährten, 1820 aber wegen Wildschadens wieder eingiengen. Der Sindelfinger Wein soll übrigens früher dem Stuttgarter gleich geschätzt worden sein.

Auch in das

Nagoldthal,

wahrscheinlich von dem angrenzenden Ammer- und Würmthale (§. 38) und selbst in den tiefern Schwarzwald solle sich früher der Weinbau verirrt haben, indem die Benennungen einiger Halden zu Calw auf den Betrieb des Weinbaues schließen lassen; noch jetzt heißt der Steg, der vom Innern der Stadt über die Nagold führt, der Weinsteg. In Wildberg, wo es noch eine Halde „im Weingarten“ gibt, muß aus derselben nach dem Lagerbuch früher Bodenwein gegeben worden sein, auch stand nach den Acten des Kameralamts Reuthin der Herrschaft an einigen Orten der Weinzehenten zu. In Wildberg wurden sogar im Jahr 1809 neue Versuche mit einer Weinberganlage gemacht, die jedoch, weil der Frost die Hoffnungen stets zernichtete, 1815 wieder aufgegeben wurde. In der neuesten Zeit hat man sich mit der Anpflanzung von Weinreben sogar im tiefern Schwarzwald abgegeben, indem im Oktober 1834 von Schramberg aus gemeldet wird, daß dort von zwei Einwohnern Weinberge angelegt worden seien, die ein gutes Erzeugniß versprechen.

f) Auf den Höhen des Enzthales und an den Abdachungen gegen das Rheinthal.

Das Kraich-, Krieg- und Salzathal,

in welchem die Orte Maulbronn und Eilfingerhof liegen, und Derdingen, Großvillars und Knittlingen die Grenze des württembergischen Weinbaues bilden.

Eilfingerhof.

Im Jahr 1138 erwirbt das Kloster Maulbronn unter dem Gründer des Klosters, Bischof Günther von Speyer, den Eilfinger Berg durch Tausch von Graf Ludwig von Württemberg (Cleß, II. Theil, I. Abth. S. 248).

Dieser Berg soll ums Jahr 1159 von Speyerer Laienbrüdern mit Reben bestockt worden sein, und als die Mönche des Klosters die Vorzüglichkeit des Produkts erprobten, sollen sie zu dem Ausrufe veranlaßt worden sein, nach dem sollte man nicht bloß mit zehen, sondern mit eilf Fingern lecken, was dem Berg seinen Namen gegeben habe.

Derdingen.

Den 13. Januar 1278 verkauft Hiltebrand, genannt Brendelein von Brettheim, seine Höfe mit aller Zugehör, worunter auch Weinberge an das Kloster Herrenalp, um 170 Pfund Heller. (Mone, Zeitschrift, II. Band S. 113.)

Den 31. Mai 1332 übergibt Ritter Bernhard v. Göler, genannt Ravensburg, sein Lehengut an Aeckern, Wiesen, Weingarten 2c. dem Kloster Herrenalp zu freiem Eigenthum. (Mone, VI. Band S. 208.)

Den 11. Januar 1339 verkauft Bürger Albrecht Liebener von Pforzheim an das Kloster Herrenalp alle seine Weingärten zu Derdingen an dem Berge Kypfenhelden, Mumenklingen, Schutt, Kirchberg 2c. (Mone, Zeitschrift, VI. Band S. 224.)

Den 11. Dezember 1354 verkauft die Bürgerin Else Wetzelerin zu Speyer ihren 2½ Morgen großen Weingarten am Kirchberg dem Herrenalper Conventbruder Kraft Logelin. (Mone, VII. Band S. 77.)

Ruith,

jetzt zum Großherzogthum Baden gehörig, an der württembergischen Grenze bei Knittlingen.

Hier sollen schon im achten und neunten Jahrhundert Weinberge vorgekommen und zu Unteröwisheim (bei Bruchsal)

kauft 1442 das Kloster von Maulbronn den Eberstein'schen Weinzehenten für 2500 fl. (Cleß, I. Thl. S. 121, II. Thl. II. Abth. S. 55.)

In dem Pfinzthale,

auf den westlichen Höhen ob Pforzheim beginnend, wird in den Grenzorten gegen Baden und des Schwarzwaldes, Ober- und Unterniebelsbach, Gräfenhausen, Ottenhausen, Arnbach und Birkenfeld, Oberamts Neuenbürg, der Weinbau lebhaft betrieben, doch hat er im letzteren Ort gegen früher bedeutend abgenommen, indem nach dem dreißigjährigen Kriege nur allein an wüstliegenden Weinbergen 153½ Morgen vorhanden waren, während jetzt die ganze Fläche bloß noch 57 Morgen beträgt. (Acten des Staatsarchivs.)

Auch auf der westlichen Abdachung des Schwarzwaldes, zu Loffenau, Oberamts Neuenbürg, waren nach dem Inventar- und Theilungsbuch von 1616 alle Weinberge vorhanden, die noch jetzt gebaut werden, doch wurde zu Ende des vorigen Jahrhunderts ein bedeutendes Stück, der Schöllkopf, in Ackerland verwandelt. (Württ. Jahrbücher 1850 II. S. 59.)

7. Das Kocherthal.

§. 48.

Ueber den Weinbau in diesem Thale liegen wenige Urkunden vor, auch kommen in Urkunden über Güteraustauschungen mit Abt Hanno in Fulda zu Züttlingen, Oberamts Neckarsulm, vom Jahr 846, und im Kochergau zu Oberroth und Westheim vom Jahr 848 noch keine Weinberge vor; doch geht aus andern hervor, daß

a) **in dem Kocherthale**

schon im Jahr 1037 bei Sindringen, im eilften und zwölften Jahrhundert bei Ingelfingen, 1332 in Steinkirchen ob Künzelsau, und bei Hall nach einer Theilungsurkunde vom Jahr 1444 Weinbau getrieben wurde.

Den 13. Januar 1292 gibt das Kloster Lichtenstern (im Weinsberger Thale) dem Conrad Mothengeil in Weilersbach bei Steinkirchen 4 Jauchart Weinberge zu Erblehen. (Mone, Zeitschrift V. Bd., S. 204.)

Der Weinbau erstreckte sich von der Einmündung des Kocherthales in das Neckarthal bei Kochendorf bis über Gaildorf hinaus bei Münster, Bröckingen und Schmiedelfeld, sowie in die Seitenthäler des obern Kocherthales, der Bühl, Fischbach, Biber und der Roth, wo er noch vor einem Jahrhundert auf allen besser gelegenen

Bergen stattfand. Jetzt ist der Weinbau in dem obern Kocherthale und den Seitenthälern, namentlich in dem Oberamtsbezirke Gaildorf längst eingegangen, und in dem Oberamtsbezirke Hall kommt er nur noch in den im Kocherthale gelegenen Orten Hall, Gelbingen, Untermünkheim, Enslingen und Geißlingen vor, wo derselbe, des geringen und unsichern Ertrags wegen, aber auch immer mehr abnimmt und andern Culturen Platz macht.

Namentlich wurde in dem eigentlichen Kocherthale Weinbau getrieben in Michelbach, Oedendorf, Spöck, Eutendorf, Kleinaltdorf, Gaildorf, Münster und Bröckingen; auch finden sich am Schmiedelfelder Schloßberge bei Sulzbach Spuren von Weinbergen, ebenso zu Gailenkirchen und Eltershofen, in kleinern Seitenthälern des Kochers unterhalb der Stadt Hall, doch hat auch dort der Weinbau schon lange aufgehört. (Oberamtsbeschreibung von Hall S. 189 und 199.) In Eutendorf gieng der Weinbau im Jahr 1766 ein, die ehemaligen Weinberge heißen jetzt Keltergärten. In Kleinaltdorf begann der Weinbau nach einem alten Lagerbuch der Pfarrei Eutendorf im Jahr 1542, wovon der Zehente an die Pfarrei Eutendorf und zwar in der Gaildorfer und Eutendorfer Kelter entrichtet wurde. Nach den ertragsreichen Jahren von 1680—88 wurde in den Jahren 1689, 1692, 1713, 1716, 1740—42 gar keine Kelter geöffnet, worauf die Weinberge vom Jahr 1766 an nach und nach eingiengen. Zu Gaildorf hatte Limpurg den Weinzehnten und eine vor circa 90 Jahren eingegangene Kelter; an Zehent- und Kelterwein fielen von 1715—34 103 Eimer 10¾ Maas, wovon der hallische Eimer, deren 10 gleich 1½ württembergische Eimer waren, zu 52 kr. geschätzt wurde.

Zu Münster und Bröckingen wurde nach amtlichen Berichten noch in der Mitte des vorigen Jahrhunderts Wein gebaut, und der Berg, der zwischen beiden Orten liegt, heißt noch heute der „Weinberg". Auch sollen die Gaildorfer Herrschaften ehemals ihren Tischwein von dem sogenannten „guten Berge" zwischen jenen Orten bezogen haben, und die geistlichen und weltlichen Beamten der Herrschaft Limpurg meist mit Kocher- und Erlenbacher- (im Weinsberger Thal) Zehentwein, sowie mit Schlechtbacher Kelterwein salarirt worden sein.

Auch auf den Markungen Michelbach, Buchhorn, Hirschfelden und Glachtenbretzingen hatte Limpurg den Weinzehenten, der von 1715—1734 627 Eimer 7 Maas (Haller) oder 31 Fuder 7 Eimer 4 Maas ertrug. (Oberamtsbeschreibung von Gaildorf S. 59.)

In Michelbach an der Bilz hörte der Weinbau, nachdem schon Weinberge während des dreißigjährigen Krieges eingiengen, zu Anfang der zweiten Hälfte des vorigen Jahrhunderts auf und die Kelter wurde verkauft. Es muß aber ein gar schlechter Wein gewachsen sein, weil man den Kindern drohte: „Wenn du nicht brav bist, so mußt du Michelbacher trinken.“

1540 am Mittwoch nach Petri und Paul vergleichen sich die Herrschaften Limpurg und Hohenlohe über den Zehentwein im Herrenweinberg zu Michelbach.

Im Bühler= und Fischachthal wurde 1352 und 1399 Weinbau zu Kröpfelbach und Hopfach getrieben, auch erstreckte sich derselbe bis Engelhofen, Mittelfischach, Rappoltshofen und Oberfischach, wo ein Berg, der schon seit Jahrhunderten mit Waldbäumen besetzt war, in der letzten Zeit aber in Ackerland verwandelt wurde, noch den Namen „öde Weinberge“ führt. In Kröpfelbach standen im Jahr 1402 zwei Keltern und ebenso zu Hopfach im Jahr 1399. (Oberamtsbeschreibung von Hall S. 319 und 321.)

1578 vergleichen sich die Herrschaften Ellwangen und Limpurg über den Novalzehenten zu Herlebach, Rappoldshofen und Oberfischach.

Im Biberthal wurde zu Rieden Wein gebaut, wo früher eine Kelter vorhanden war. (Oberamtsbeschreibung von Hall S. 237.)

In dem Roththale fand Weinbau statt zu Vichberg und Ober= und Unterroth und selbst zu Bubenorbis auf dem Mainharter Walde solle Weinbau getrieben worden sein. 1278 verkauft Schenk Walter von Limpurg die Hälfte einer Mühle und alle seine Besitzungen zu Bubenorbis, mit Ausnahme von zwei Weinbergen und der lehenspflichtigen Leute, an das Kloster Gnadenthal. (Oberamtsbeschreibung von Hall S. 187.)

Zu Oberroth wird ein Berg von 8 Morgen der „Weinberg“ genannt, dessen Gewächs zu den besseren Sorten gezählt worden sein muß, da Abt und Convent des Klosters Murrhardt sich bei einem Zehenttausch zwischen dem Kloster und dem Schenken von Limpurg sich den Weinzehenten von Oberroth vorbehielten.

Gegenwärtig kommen nur noch einzelne kleine, mehr aus Liebhaberei entstandene Rebpflanzungen zu Gaildorf, Hausen und Vichberg vor, von deren Erzeugniß aber dasselbe zu sagen sein wird, was in einem alten Gaildorfer Lagerbuch steht: „und ist ein saurer, saurer Wein, Kocherwein genannt.“ Ja sogar bis in das obere Leinthal, das bei Abtsgmünd in das Kocherthal einmündet, muß früher der Weinbau gedrungen sein, indem zu Schlechtbach (bei Gschwend) und zu Pfahlbronn (auf dem Welzheimer Wald §. 41) Wein gepflanzt wurde, auch sollen sich Spuren bei Frickenhofen zeigen, indem 1674 von einem Acker, genannt „der Weinberg“, die Rede ist. (Oberamtsbeschreibung von Gaildorf S. 59. 137. 179. 189. 200. 211. 223. 220.

Einzelne Versuche mit der Anpflanzung von Weinreben sind früher in Aalen im Stadtgraben und neuerlich zu Wasseralfingen gemacht worden, die jedoch als nicht gelungen wieder aufgegeben wurden. (Württemb. Jahrbücher 1850. II. Heft S. 59 und 69.)

b) Brettach- und Ohrthal.

Auch in den Seitenthälern des untern Kocherthales, namentlich in dem Brettach- und Ohrthal kommt schon sehr frühzeitig Weinbau vor, und namentlich solle derselbe zu Verrenberg, Oehringen und Michelbach schon vor dem eilften Jahrhundert betrieben worden sein.

Wie ausgedehnt früher auch im Kocherthale der Weinbau war, das beweist die nach dem dreißigjährigen Kriege 1652 vorgenommene Aufnahme der wüstliegenden Weinberge, indem damalen das Flächenmaß aus allen diesen Weinbergen betrug:

Zu Neustadt	151	Morgen,	jetzt 51	Morgen,
„ Gochsen	108	„	„ 47	„
„ Kochersteinsfeld	180	„	„ 97	„
„ Lampoldshausen	40	„	„ 0	„
Im Brettachthale:				
Zu Brettach	300	„	„ 138	„
„ Cleversulzbach	109	„	„ 76	„

(Akten des Staatsarchivs.)

8. Das Jagstthal.

§. 49.

Aus diesem Thale findet man Urkunden vom Jahr 976 über den Weinbau zu Jagstfeld, an der Ausmündung des Jagstthales in das Neckarthal, und zu Möckmühl, Ober- und Unterkessach (vgl. §. 29), und da die beiden Thäler der Jagst und des Kochers von ihrer Ausmündung in das Neckarthal in ihrem Laufe aufwärts häufig nur durch schmale Gebirgszüge geschieden und namentlich da, wo Weinbau getrieben wird, nur 1—2 Stunden von einander entfernt sind, so wird in ältern Zeiten auch der Weinbau in beiden Thälern gleichen Schritt gehalten haben. Derselbe erstreckt sich noch bis in das Oberamt Gerabronn bei dem Städtchen Kirchberg. Dort fand er schon vor 500 Jahren statt, indem es in dem Gültbuche der Grafschaft Hohenlohe vom Jahr 1357 heißt: „Item Raban v. Kirchperg hat einen Weinberg daselbst, der gibt 10 Schilling Heller.“ Auch in dem Kirchberger Gültbuch vom Jahr 1399 kommt Weingült vor. Nach der Kirchberger fürstlichen Amtsrechnung von 1640 wird von den dortigen fürstlichen Weinbergen gesagt: „Obwohl große Kosten uff Erbauung und Ausreutung hiesiger Weinberge gewendet, so ist es doch vergeblich, sondern die Mißjahre gar zuwider, des Stehlens, wenn etwas geräth, zu groß, gerathet der Wein insgemein, trage es die Kosten, so mit Fremden zu bestellen, nit aus, thut derselbe erfrieren, sind die hiesigen Berge die ersten, also schlechte Hoffnung." Jetzt sind die fürstlichen Weinberge in Privathände übergegangen und betragen nur noch wenige Morgen. Im Jahr 1533 werden 14 Weinberge sammt Gült davon an der Altenburg ob Kirchberg zwischen Mistlau und Lobenhausen angeführt, wovon aber schon damals 10 wüste gelegen und nur noch vier im Bau waren, die schon längst abgegangen sind. Gleichfalls abgegangen ist der Weinbau in dem zum Oberamt Gerabronn gehörigen obern Jagstthale:

Zu Eichenau, wo nach dem Gültbuche von 1533 Weinberge waren, zu Diemboth, wo Benennungen von Halden „der kleine Weinberg", auf früher betriebenen Weinbau hinweisen, sowie zu Elpershofen, Binselberg und Atzenroth.

Dagegen wird er noch in Forst, Bächlingen, Ober- und Unterregenbach und Langenburg getrieben, in letzterem kamen nach dem fürstlichen Gültbuch von 1412 schon Weingülten vor.

Der Weinbau in dem Jagstthale kommt übrigens wie in dem Kocherthale immer mehr in Abgang und macht einträglicheren Culturen Platz; so solle derselbe im untern Jagstthale zu Assumstadt ganz aufgehört, zu Züttlingen zu $^4/_5$, und zu Widdern zur Hälfte eingegangen sein. (Württemb. Jahrbücher 1850. II. Heft S. 62.)

Zu Reichertshausen und Büttelbronn, in Seitenthälern der Jagst bei Möckmühl, wo noch während des dreißigjährigen Krieges Weinbau getrieben wurde, hat derselbe gleichfalls aufgehört, und zu Roigheim im Seckachthale lagen damalen nur allein 122 Morgen wüst, während gegenwärtig der ganze Weinbergbesitz 56 Morgen beträgt. (Akten des Staatsarchivs.)

9. Das Tauberthal.

§. 50.

Auch in dieses für den Weinbau so günstig gelegene Thal muß derselbe schon frühzeitig gedrungen sein; zwar enthält eine Urkunde von 1045, wornach der Bayernherzog Heinrich seine Besitzungen zu Creglingen und Rimbach der Kirche zu Bamberg überläßt, keine Weinberge; ebensowenig eine Urkunde von 1054, in der Kaiser Heinrich II. seinen getreuen Emehard mit Güter im Tauber- (Markelsheim) und Jagstgau belehnt; dagegen werden bei der Gründung des Klosters Comburg ums Jahr 1079 demselben von dem Dienstmann Wignand von Monig 20 Jauchert Weinberg zu Igersheim übergeben, und Graf Heinrich schenkt der Kirche zu Comburg all sein Gut zu Rottenburg an der Tauber und in andern Orten, worunter auch Weinberge begriffen sind. (Württemb. Urkundenbuch, I. Bd. S. 268. 272. 391 und 392.)

Im Jahre 1219 tritt Andreas von Hohenlohe an seinen Bruder 30 Morgen Weinberge ab bei Weikersheim und Schönbühl. Um die gleiche Zeit kommen Weinberge bei Laudenbach vor (Stälin, S. 553 und 778), und in einer Urkunde von 1224 werden 7 Morgen Weinberge bei Mergentheim erwähnt. (Volz, S. 203.)

1220 schenken die Grafen von Hohenlohe dem Deutschorden 30 Morgen Weinberge zu Weikersheim.

Nach einer Urkunde vom Jahre 1286 ertheilt Papst Honorius dem deutschen Hause zu Mergentheim die Erlaubniß, seinen Wein abgabenfrei an den Bischof Hartimanus zu Augsburg verkaufen zu dürfen. (Mergentheimer Archiv-Acten.)

Nach den Spitalrechnungen von Mergentheim kaufte 1571 der Spitalmeister Liedlein im Land Württemberg, zu Murr, Botwar ꝛc. 4000 gute, auserlesene Elbner, Krystaller und Reyßlingstöck (Rießling oder Reuschling?), das Hundert zu 9 Batzen und 200 rothe Welsche à 2 Gulden und ließ sie von einem württemberger Weingärtner, Hans Krieg, in die Spitalweinberge setzen. Damals mußten also die rothen Welsche (wahrscheinlich Trollinger) noch selten und wenig verbreitet gewesen sein.

Weinbau wird in dem ganzen zu Württemberg gehörigen Tauberthale getrieben. In dem in das Tauberthal einmündenden Vorbachthale erstreckt sich der Weinbau bis Oberstetten; derselbe ist auch in diesem Thale sehr alt, indem schon ums Jahr 1150 Weinberge vorkommen. (Württ. Jahrbücher 1850. II. Heft S. 63.)

Derselbe muß übrigens in dem Tauberthale, so wie in den Seitenthälern in alten Zeiten weit ausgedehnter gewesen sein, als im gegenwärtigen Jahrhundert, indem noch wirklich sichtbar und aus älteren Lagerbüchern nachweisbar ist, daß manche mehr nördlich und östlich gelegenen Thalwände mit Reben bepflanzt waren, die nunmehr in Saat- und Kleefeldern oder in Waldungen bestehen.

10. Das Donauthal.

§. 51.

In dem Donauthale von Ulm bis gegen Tuttlingen scheint in älteren Zeiten der Weinbau hie und da in ziemlicher Ausdehnung getrieben worden zu sein und schon frühe begonnen zu haben.

In einer Urkunde vom 6. April 811 bestimmt Carl der Große dem Abt Hatto vom Kloster Reichenau von den Orten Dürmentingen, Offingen, Unlingen, Altheim, Oberamts Riedlingen, neben andern Naturalien ein situlum Wein, wenn man solchen haben kann, mithin muß der Weinbau in der dortigen Gegend nicht unbekannt gewesen sein. (Württ. Urkundenbuch, I. Bd. S. 72.)

Der Michelsberg bei Ulm solle schon unter den Karolingern mit Reben besetzt und die Mönche von Reichenau, welche in Ulm im Besitze eines reichen Klosters und der meisten Güter um die Stadt waren, die Ersten gewesen sein, welche Reben anpflanzten; sie besaßen den Michelsberg bis 1183; auch kommen in einer Urkunde des Hospitals Ulm von 1255 Weinberge vor. (Württ. Jahrbücher 1850. II. Heft S. 63.)

Jedenfalls waren dort in den Jahren 1250—1648 die südlichen Abhänge der Alp von Söflingen an bis an den Ausfluß des Blau-Armes in die Donau, der Michels- und Safranberg, der Eselsberg 1462, der Kuhberg, die Gärten bis zum Ruhethal, sowie die südlichen Abhänge bei dem Dorfe Söflingen (½ Stunde ob Ulm) und bei Böfingen mit Reben besetzt.

In einem Stiftungsbrief, Sonntag vor Cantate 1465, hatte Matthäus, unser Freund Schmid, aus seinem Baum- und Weingarten im Kreuzthal eine jährliche Theodoruskerze vermacht. Nach einer Kaufurkunde vom 2. Mai 1471 verkaufte Einer sein Aeckerlein vor unser Frawenthor an der vrtheil zwischen Hans Hermanns Weingarten. Am 30. April 1551 verkauft Christoph Dahnmüller von Ulm seinen halben Morgen Weingarten vor dem neuen Thor im obern Kreuz (Ruh-) Thal. Das Kloster zu den Wangen, das im Besitze des Michelsberges war, weil es ehemals dort stand, hatte ein Kelternhaus in der Stadt, das 1707 der Magistrat in Ulm kaufte. (Staatsanzeiger 1855, S. 2169.)

Bei Söflingen gibt es gegenwärtig noch eine Halde, die man „Weingarten" nennt. (Oberamtsbeschreibung von Ulm, S. 229.)

Auch weiter oben im Donauthal zu Nasgenstadt, Mittenhausen, Oberamts Ehingen, Zwiefaltendorf, Riedlingen, wurde in älteren Zeiten Wein gebaut. Im Jahre 1434, wo der Wein schlecht gerathen ist, bekam man zu Zwiefalten, in einem Seitenthal der Donau, nur 2 Eimer. (Oberamtsbeschreibung von Ehingen, S. 53 und 151.)

Am längsten scheint der Weinbau zu Mittenhausen getrieben worden zu sein, denn 1826 lebte in Zwiefaltendorf noch eine Person, welche in den Weinbergen zu Mittenhausen hütete.

Ferner heißt noch heute bei Landauhof, Oberamts Riedlingen, eine Halde die Weinhalde.

Bei Scheer führt noch jetzt ein Gut der Namen Rebgarten und im Lagerbuch von 1541 kommt noch ein Baumgarten am Baldenstein sammt einem Weinwachs vor. (Württ. Jahrbücher 1850, II. Heft S. 57.)

1313 hatte Graf Heinrich von Vehringen einen Weingarten zu Langen-Enslingen, im Sigmaringischen, im Besitze. (Oberamtsbeschreibung von Riedlingen, S. 40.)

Sogar bei Tuttlingen im sogenannten Mohrentobel soll ein Weingarten angelegt gewesen sein, doch ist dieses eine bloße Sage.

Nach einer Beschreibung des Wiblinger Klostergartens von 1697 solle außer den noch bestandenen Rebgeländen längs der Klostermauer früher ein eigener Rebgarten bestanden haben, der mit Rebstöcken bepflanzt war, die aus Welschland beschrieben wurden. Zu Harthausen, Oberamts Wiblingen, heißt noch jetzt die südliche Abdachung eines Berges „die Weinhalde". In Biberach (Stadt) wurde im Jahre 1386 ein Versuch mit einer Rebanlage an einem günstig gelegenen Berg von 8—9 Morgen gemacht, der noch den Namen Weingartenberg führt, der Bau wurde aber, weil der Wein nicht gerieth, bald wieder aufgegeben. (Württ. Jahrbücher 1850, II. Heft S. 66.)

Dagegen wurde neuerlich zu Winterstetten-Stadt, im Rißthal, Oberamts Waldsee, ½ Morgen mit Clevner, Ruländer und Elblingen von dem Besitzer Schwarz angelegt, der nicht nur in gewöhnlichen Weinjahren einen ganz trinkbaren, sondern im Jahre 1834 sogar einen vorzüglichen Wein lieferte, indem der Clevner 98, der Ruländer 95 und der Elbling 90 Grade wog. (Schwäbische Chronik 1834, S. 1043.)

In dem bei Lauingen (Königreich Bayern) in das Donauthal einmündenden Brenzthal scheint zu Brenz und in der ehemaligen Reichsstadt Giengen vor dem 30jährigen Kriege gleichfalls Weinbau getrieben worden zu sein, indem auf der Markung des ersteren Orts eine Anhöhe von ungefähr 200 Morgen noch den Namen „Weingarten" führt und der südliche Theil derselben Terrassen hat, wie man sie gewöhnlich in Weinbergen antrifft. In Giengen finden sich ähnliche Terrassen, die noch heute den Namen Weinberge führen (Württ. Jahrbücher 1850, II. Heft S. 66 u. 69), und bei Hohenmemmingen ein Wald mit der Benennung, Weingarten, übrigens ohne alle urkundliche Spur von Weinbau. (Oberamtsbeschreibung von Heidenheim, S. 55.)

Auch an der Abdachung der Alp gegen das Donau- und Brenzthal in den Orten Heldenfingen und Heuchlingen, sowie in den Brenzorten Brenz und Sontheim findet man noch viele Rebgelände vor den Häusern, die auf früheren Weinbau in dem untern Brenzthale hindeuten.

Bei Ulm wurde weißer und rother Wein gebaut, der beste solle am Michelsberg gewachsen sein, und von den rothen Weinen wurde besonders der von den Söflinger Bergen gerühmt. In den Jahren 1274, 1432, 1482, 1484, 1511 ꝛc. gab es viel und guten Wein; 1484 war er in so großer Menge und von solch seltener Güte gerathen, daß man für ein leeres Faß gern einen Eimer Wein gab. 1540 reiften die Trauben so zeitig, daß man schon an Bartholomä neuen Wein verkaufen konnte, die Maß kostete 6 Pfennige. 1603 wurde der Eimer für 24—28 Pfund Heller bezahlt und war so gut, daß man ihn dem Elsässer gleichschätzte und ein kleiner Becher voll schon berauschte. Der Rath der Stadt Ulm scheint auf den Weinbau ein großes Gewicht gelegt zu haben, denn er munterte dazu dadurch auf, daß er die Anlegung von Weingärten und deren Betrieb auch den Nichtbürgern völlig frei gab und für Beaufsichtigung des Weinbaues eigene Weinbaupfleger aufstellte, die noch 1468 ihr Amt versahen.

Der 30jährige Krieg machte dem Weinbau bei Ulm ein Ende. Die Weinberge wurden verwüstet und viele Menschen kamen durch Krankheiten und das Schwert ums Leben, so daß es an Arbeitern fehlte und Niemand mehr vorhanden war, der den Wein trank. Später fand man es für vortheilhafter, die Weinberge in Gärten, Baumgüter und Ackerfeld umzuwandeln.

In anderen Theilen des Donauthales und der Seitenthäler scheint der Weinbau als ungeeignet und wenig vortheilhaft mit oder schon vor dem 30jährigen Kriege aufgehört zu haben, so daß seit 200 Jahren nirgends mehr Weinbau im Großen getrieben wird.

Zwar sollen im Jahre 1824 einige Gartenbesitzer zu Ulm Versuche, wieder Wein am Michelsberge zu bauen, gemacht und zu zu diesem Behuf Weinreben aus dem Elsaß verschrieben haben, dieselben haben jedoch keinen weiteren Fortgang gehabt. Doch trifft man in der Stadt Ulm und deren Umgebung noch viele Rebgelände an, welche die Wände der Häuser bekleiden und gute und schmackhafte Trauben liefern. (Beschreibung der Stadt Ulm von Dietrich 1825, S. 8. 11. 12. Correspondenzblatt 1830, 18. Bd. S. 236.)

11. Die Bodenseegegend.

§. 52.

Wenn auch gleich in dem untern Neckarthale der Weinbau vielleicht früher begonnen hat (§. 29) als in der Bodenseegegend, so besitzen wir doch aus der letztern die ältesten urkundlichen Nachrichten über den Betrieb des Weinbaues, indem den dort errichteten Klöstern St. Gallen und Reichenau nicht nur frühzeitig Schenkungen an Weinbergen und Weingefällen gemacht, sondern auch von diesen selbst auf den ihnen gehörigen oder zinsbaren Gütern, sowie auf den in der Bodenseegegend gelegenen Kammergütern der deutschen Könige und Kaiser, namentlich zu Ermatingen am untern See, sehr frühe Weinbau getrieben wurde.

Auf der Schweizer Seite

finden wir, wie schon oben (§. 10) angeführt wurde, zuerst Weinbau 670 in Turgau und 724 zu Ermatingen. (Cleß, I. Th. S. 94 und 357.)

779 kommen Weinberge bei Romanshorn vor. (Volz, S. 190.)

827 mußte Hatto von Richenbuh sich verbindlich machen, jährlich einmal mit 4 Ochsen von dem Hofe Berg Wein nach St. Gallen zu führen.

850 wurde auf dem zum Kloster St. Gallen gehörigen Hofe Goldbach, im Arboner Zehenten am Bodensee, zum Theil von freien Zinsleuten Weinbau getrieben.

892 baute man zu Berwang,

893 zu Mittershausen und im Turgau Wein.

897 gibt ein Priester Pero Güter zu Goldbach an das Kloster St. Gallen, wobei auch ein Weinberg vorkommt. (Württ. Urkundenbuch, I. Bd. S. 200.)

896 trieb das Kloster St. Gallen zu Steinach, wo es eine Capelle hatte, Weinbau. (Arx, I. Th. S. 129. 130. 131 u. 150.)

Auch in Chur findet man im neunten Jahrhundert Weinberge und bei einem Gütertausch zwischen Kaiser Otto und dem Bischof zu Chur 960 kommen daselbst Weinberge vor. (Württ. Urkundenbuch, I. Bd. S. 213.)

Bei dem unter dem fränkischen Hofmayer Carl Martell errichteten Kloster auf der Insel Reichenau ist im neunten Jahrhundert die Rede von Weinbau und im Jahre 1065 kommen eigene Rebleute vor.

Nach einer Urkunde vom 1. September 843 bestimmt Abt Walfred von Reichenau, daß jedem Klosterfischer ein Stopus (?) Wein gegeben werde, wenn er in solchem Ueberfluß wachse, daß man geben könne. (Volz, S. 190. Schwab, der Bodensee 1840, II. Th. S. 91. Württ. Urkundenbuch, I. Bd. S. 124.)

Auf der deutschen Seite

kommen 812 in Manzell, Oberamts Ravensburg, und aus Veranlassung einer Schenkung von Kaiser Ludwig an einen Priester Balding 875 Weinberge zu Ailingen, Oberamts Tettnang, sowie zu Happenweiler und Trutzenweiler, Oberamts Ravensburg, vor. (Württ. Urkundenbuch, I. Bd. S. 177. Volz, S. 190. Stälin, I. Theil S. 396—397. Oberamtsbeschreibung v. Tettnang, S. 55. Oberamtsbeschreibung von Ravensburg, S. 40.)

Um Ravensburg wurde im eilften und zwölften Jahrhundert ausgebreiteter Weinbau getrieben (Stälin, II. Th. S. 778), besonders zu Weingarten, worauf schon dessen Name hindeutet, muß der Weinbau sehr frühzeitig eingeführt worden sein, indem er schon 1055 vorkommt. Ja es sollen nach einer von Baccius vorhandenen Geschichte des Weins von 1596 die sonnigen Abhänge bei Weingarten mit edlen Reben aus Italien bepflanzt und daraus die besten Weine, Muskateller, Sabiner und kretische Weine, erzeugt worden sein, die sogar an den kaiserlichen Hof verführt wurden.

Im Schussenthal gieng der Weinbau bis Baindt, indem die Cisterzienser Nonnen daselbst den südlichen Abhang eines Berges von 10 Jauchert zwischen Baindt und Baienfurth (der Annaberg) mit Reben bepflanzt hatten. Das ganze Rebgut mit der darin befindlichen Kelter wurde erst in der ersten Hälfte dieses Jahrhunderts verkauft und die Reben ausgehauen. (Württemb. Jahrbücher 1850, II. Heft S. 68.)

1246 verkauft Johannes von Lowenthal sein Gut Aschach (vermuthlich Obereschach im Schussenthal) und alle seine Leute an das Kloster Weißenau um 203 Mark und 19 Karren Wein. (Oberamtsbeschreibung von Ravensburg, S. 192.)

Uebrigens sind zu Ende des vorigen und zu Anfang des gegenwärtigen Jahrhunderts hie und da auch Weinberge eingegangen, wie denn in einem Seitenthal der Argen zu Rappersweiler und Wittenberg, Oberamts Tettnang, wo man im vorigen Jahrhundert noch auf 11 Jauchert Wein baute, derselbe von 1771—77 eingestellt und die Kelter zu Rappersweiler im Jahre 1777 verkauft wurde. Auch zu Flunau im Argenthal wurden bei der Landesvermessung in den 1830er Jahren nur noch $^1/_8$ Morgen Weinberge vorgefunden. Zu Langenargen, wo in Folge der Hungerjahre von 1816 und 1817 24 Morgen Rebland in Ackerfeld verwandelt wurden, verschwand der Weinbau im Jahre 1818 fast ganz, indem bei der Landesvermessung nur noch $^2/_8$ Morgen vorhanden waren. Dagegen wurden in einem Seitenthal des obern Schussenthales zu Unterurbach, Oberamts Waldsee, im Jahre 1818 Versuche mit Weinberganlagen gemacht, die jedoch neuerlich wieder eingegangen sein sollen.

Vergleichen wir nun den namentlich vor dem dreißigjährigen Kriege bestandenen Weinbau mit dem gegenwärtigen, so finden wir, daß derselbe vom Schwarzwald und der Alp in allen von der letztern nördlich gelegenen Gegenden und Thälern, dem milderen Theile Württembergs, mit wenigen Ausnahmen getrieben wurde, und auch in den südlich von der Alp gelegenen Gegenden, dem sogenannten Oberschwaben, muß besonders in dem Donauthale, wo er längst ganz aufgehört hat, ein ziemlicher Weinbau stattgefunden haben. Besonders blühend muß derselbe im sechszehnten Jahrhundert gewesen sein, indem man zur Zeit Herzog Christophs berechnete, daß seit dem Tübinger Vertrage 1514 bis zur Regierung Christophs 40,000 Morgen Weinberge neu angelegt worden seien. (Württ. Jahrbücher 1850. II. Heft S. 69.)

Auch in der Bodenseegegend wurde der Weinbau möglichst ausgedehnt betrieben, doch scheint derselbe sich seit mehreren Jahrhunderten ziemlich gleich geblieben zu sein, und wenn er sich in der neuesten Zeit in einzelnen Orten auch verminderte, so hat er doch bis auf wenige Orte nirgends ganz aufgehört.

Untersuchen wir den Grund dieser großen Ausdehnung des Weinbaues, namentlich in Gegenden, wo er schon seit langer Zeit gänzlich aufgehört hat, etwas näher, so finden wir, daß, wie hienach näher ausgeführt werden wird (§. 121), früher der Wein fast ausschließliches Getränke und der erste Handelsartikel Württembergs war, daß die Anpflanzung frühreifender Traubensorten sehr weit verbreitet war (§. 55—58), und daß der damalige ausgedehntere und dichtere Stand der Waldungen nicht nur in Württemberg, sondern auch in entfernteren Gegenden den Weinbergen durch Abhaltung der kalten Winde ꝛc. weit mehr Schutz als gegenwärtig gewährte (§. 103). Fast all dieses veränderte sich mit und durch den dreißigjährigen Krieg, viele Weinberge waren verwüstet und ein großer Theil der Einwohner gestorben, es fehlte an Händen und Capitalien, um die Weinberge neu anzulegen, die Weinconsumtion und der Weinabsatz verminderte sich bedeutend und der Weinhandel nahm zum Theil eine andere Richtung (§. 136), auch wurden neue Culturen (Kartoffeln und Klee ꝛc.) eingeführt und manche andere (wie z. B. der Obstbau) weit mehr ausgedehnt, so daß durch deren Anbau die vormaligen Weinberge einen sicheren und höheren Ertrag als früher gewährten, daher wir es in nationalwirthschaftlicher Beziehung durchaus nicht bedauern dürfen, daß der Weinbau aus Gegenden und einzelnen Lagen verdrängt wurde, wo er nur selten ein angenehmes Getränke lieferte.

III. Anlage der Weinberge.

1. Anlage.

§. 53.

Auf welche Weise bei der Einführung des Weinbaues bei uns die Anlage der Weinberge stattgefunden hat, ist nicht bekannt; da jedoch der Weinbau aus den früheren römischen Provinzen zu uns kam, so dürfen wir um so mehr annehmen, daß das dort bestandene Verfahren auch bei uns in Anwendung kam, als die Beschreibungen des altrömischen Weinbaues von Columella und anderen römischen Schriftstellern mit der gegenwärtigen Behandlung unserer Weinberge noch vielfach übereinstimmt.

Nach diesen Schriftstellern war den Römern das ordentliche Rotten der anzulegenden Weinberge, die Anlegung von Rebländern und die Bestockung der Weingärten mit Blind- oder Wurzelreben wohl bekannt, auch wird von denselben die Auswahl der Lage und des Bodens, sowie insbesondere der zu setzenden Reben sehr empfohlen und die Anpflanzung von einerlei Sorten in die gleichen Weingärten als zweckmäßig gerühmt, so daß manche Arbeiten mit mehr Umsicht als gegenwärtig vorgenommen wurden.

Das Erneuern der Weingärten durch Verlegen (Vergruben) der Stöcke, das Propfen der Reben kannten dieselben gleichfalls, sowie die verschiedenen, zum Theil noch gegenwärtig gebräuchlichen Erziehungsarten mit Pfählen, mit Rahmen und eine niedere Erziehung ohne Pfähle, woraus wir schließen können, daß bei denselben der Weinbau mit vieler Intelligenz betrieben wurde. (Mone, Urgeschichte des baden'schen Landes S. 52. 54. 60. Schmid, Practischer Weinbau der ältesten Zeiten S. 9.)

Bei uns finden sich die ersten Vorschriften über die Anlegung von Weinbergen in der Wirthschaftsverordnung Karl des Großen, indem den Beamten der herrschaftlichen Maierhöfe befohlen wurde, Weinsenker (Fechser) einzusenden, so daß anfänglich neue Weinberge hauptsächlich durch Fechser oder Einleger angelegt worden sein mögen. (Anton, I. Theil S. 185. 409—414.)

Später, als der Weinbau sich mehr ausdehnte, scheint die Anpflanzung der Weinberge hauptsächlich mit Blindreben erfolgt und die Erhaltung derselben durch Einleger in der Art bewirkt worden zu sein, daß, wenn einzelne Stöcke abgängig werden wollten, entweder der ganze Stock oder einzelne Reben eingelegt (vergrubt) und dadurch wieder ein neuer kräftiger Stock gezogen wurde. Jedenfalls ist so viel gewiß, daß die Weinberge nicht so oft wie neuerlich ausgereutet und neu angelegt und daß der Boden durch die Anlegung von Fütterkräutern und Düngung nicht so fett gemacht wurde wie gegenwärtig, sondern man ließ einen abgegangenen und ausgehauenen Weinberg einige Jahre wüst liegen, so daß er sich mit Gras überzog und dadurch eine kräftige Narbe erhielt, worauf er wieder gereutet wurde, was hauptsächlich zu der Erzielung dauerhafter Weinberge beitrug, indem es eine bekannte Sache ist, daß diejenigen, welche wegen des fetten Bodens in den ersten Jahren allzuüppig treiben, bald altern, abgehen oder untragbar werden. Auch ließ man, um feine Weine zu erzielen, die Weinberge gerne sehr alt werden, weil es gleichfalls Erfahrungssache ist, daß alte Weinberge zwar nicht so viel, aber sehr guten Wein geben.

§. 54.

Eine ordentliche Abtheilung oder Vermessung der Güter und insbesondere auch der Weinberge muß schon frühzeitig stattgefunden haben. Sie waren eingetheilt in Mansus, Huba, woraus später Hube entstand.

Ein Mansus begriff eine zum Unterhalt einer Familie bestimmte Strecke Güter in sich,*) eine Hube, Hufe, eine Anzahl Güter, die jedoch kleiner war, als ein Mansus, daher letztere mehrere Hufen Güter haben konnten. (Anton, I. Theil S. 105, II. Theil S. 115. 121 u. 283, III. Theil S. 66. 298.

Beiderlei Güter waren wieder abgetheilt in Juchert, später Jauchert, Joche, was ein Joch Ochsen täglich bebauen konnte, und in Mannwerk, Tagwerk, Arbeit für einen Mann in einem Tag; auch kommen schon frühzeitig (1265 §. 32) Morgen, halbe und Viertelsmorgen vor. In dem württembergischen Urkundenbuch I. Bd. von 680—1137 wird hauptsächlich von Mansus, Mancipien und Jauchert, und in St. Galler Urkunden von 716, 720 und 731 von Jauchert und Tagwerken gesprochen. Ein Jauchert, Mannwerk oder Tagwerk enthält 1½ Morgen. (Landesordnung von 1567 S. 150.)

Der Betrieb des Weinbaues mag übrigens, so lange er noch von den leibeigenen Leuten auf Rechnung der Grundeigenthümer besorgt wurde, im Allgemeinen schlecht gewesen sein, denn es kommen schon frühzeitig viele wüstliegende Weinberge vor, im Einzelnen aber, namentlich von Seiten der Klöster, ist derselbe mit vieler Intelligenz betrieben worden, wovon besonders die Weinberge zu Maulbronn ein entsprechendes Zeugniß geben, indem diese durch hohe Mauern und schiefe Terrassen möglichst der Sommerseite zugekehrt wurden, was das Weinerzeugniß sehr verbessern mußte.

Obgleich übrigens Württemberg sich rühmen kann, die ältesten Schriftsteller über den Weinbau zu besitzen, so beginnen die Aufzeichnungen der einzelnen Weinbergarbeiten doch erst mit dem fünfzehnten Jahrhundert.

Im Jahr 1400 wurde für die Weingärtner in Stuttgart eine Satzung und Ordnung über die Arbeiten in den Weinbergen gegeben. (Pfaff, Stuttgart I. Theil S. 275.)

In einer handschriftlichen Urkunde von 1425 wird der Lohn der Weingärtner bestimmt.

1644 wird die Weingärtnerordnung von Stuttgart erneuert. (Handwerksordnungen des Herzogthums Württemberg S. 4019.)

---

*) Die Eintheilung in Mansen wird von einzelnen Schriftstellern von der Benennung der römischen Soldatengüter abgeleitet. (Mone, Urgeschichte des baden'schen Landes II. Theil, S. 49.)

Auch die Weingärtner zu Tübingen besaßen über die Weinbergbauten eine Ordnung vom 11. August 1656; ebenso zu Eßlingen vom Jahr 1598, und zu Heilbronn vom Jahr 1631.

Ueber das Anlegen der Weinberge enthalten jedoch diese Ordnungen keine specielle Vorschriften, doch ist in einer im Lagerbuch des Klosters Kaisersheim vom Jahr 1534 enthaltenen Weinbauordnung für die Burgweinberge zu Eßlingen vorgeschrieben, daß, so man Traminerstöcke in die Burg setzen wollte, sie 2 Fuß, die Elbenestöcke dagegen 2½ Fuß von einander gesetzt werden sollen. Man hat also in älteren Zeiten, wenigstens in den Bergen, weit enger als gegenwärtig gestockt.

In einer Weinbauordnung für das Amt Ingelfingen im Kocherthale vom 12. Dezember 1614 §. 23 wird verordnet, daß die Stöcke, wo nicht vor Winter, doch zur Frühlingszeit bei gutem, schönem, trockenem Wetter im abnehmenden Mond und auf allweg 3 Schuh hoch und weit und in rechter Tiefe gesetzt werden sollen bei Strafe von 2 fl. Eine ähnliche Weinbauordnung für das Amt Michelbach, Oberamts Oehringen, vom 10. März 1616 bestimmt, daß das Reuten im Frühling (weilen es viel besser als vor dem Winter oder um Martini) nur 2 Schuh tief geschehen, der Satz aber 3½ Schuh nach der Länge und 3 Schuh nach der Breite, im April oder Maien, sonderlich 3 Tag vor oder nach dem Neuen (Neumond) vorgenommen werden solle. Nach der Weinbauordnung für das Orengau vom 29. Januar 1617 solle das Reuten im Frühjahr geschehen, wobei die Gräben, weil nicht sonderlich hohe Berge, nicht über 1½ Schuh tief gemacht werden sollen. Zu Ende des Maien, 3 Tage vor dem Neuen, doch nicht im Kreps oder Scorpion, seie mit möglichst gestürzten (angetriebenen) fein zugelaufenen Reben oder Gräßling, mit Stelzen und 3 Schuh tief in der Vierung (Quadrat) zu setzen.

Auch die Erneuerung der Weinberge, nicht allein durch das Reuten und das Verlegen der Rebstöcke, sondern auch durch das Propfen war schon in früherer Zeit bekannt, namentlich wußte man dadurch geringere Stöcke zu veredeln, indem man edlere Reben auf dieselben propfte. Nach älteren Schriftstellern propfte man

a) in den Spalt und zwar in die Stange, in zweijähriges Holz des Schenkels und in einjähriges Holz;

b) mit dem Bohrer;

c) durch Copuliren,

(Rössig, II. Theil S. 177) wie dieses zum Theil auch schon den Römern bekannt war und von Columella ausführlich beschrieben ist.

Erst die Schriftsteller des achtzehnten Jahrhunderts geben nähere Nachrichten über die damalen gebräuchliche Anlage neuer Weinberge, wobei sie

a) hinsichtlich der Lage diejenige gegen Morgen oder Mittag andern Lagen vorziehen, weil bei jenen der Tau und die Reifen durch die Sonnenstrahlen am schnellsten aufgetrocknet werden. Auch solle der Weinberg vor den kalten Nordwinden geschützt sein und weder auf hoher Ebene noch gar zu niedrig, sondern an Abhängen und Bergen liegen, wobei die in der Mitte gelegenen Höhen als die besten und tauglichsten bezeichnet werden.

b) Der Boden solle aus gutem gemengten Boden von Kies, Sand, Lehm, Thon bestehen, wogegen ein roher Boden von lauter Lehm, Thon, Kies oder ein todter Sand verworfen wird. Eine genaue Untersuchung des Bodens, ob er kalt oder warm oder beim Kosten und Anwässern sauer oder süß schmecke, wird empfohlen.

c) Die Weinberge sollen nicht von Morästen, Mooren oder wasserhaltigen Gründen umgeben sein, weil hier mehr Nebel, Mehlthau aufsteigen und die Weinberge dadurch, sowie durch Erfrieren Schaden nehmen können; auch sollen sie entfernt sein von Kiefern- und Tannenholz, weil von solchem die meisten Reifen und Mehlthaue aufziehen.

d) Das Roden, Reuten, Umgraben des Bodens solle 1¾ Ellen tief geschehen.

e) Die Bestockung der Weinberge könne mit Knot- (Schnittlinge) oder mit Fäserholz (Würzlinge) geschehen, doch wird dem Knotholz, sowie der gemischten Bestockung der Vorzug gegeben, weil ersteres sicherer und dauerhafter und bei letzterer die Weinberge weniger ungünstigen Witterungseinflüssen ausgesetzt seien. Bei dem Setzen wird eine gute Setzerde oder Compost von Holzspänen, Dünger und Erde empfohlen. (Kurze Beschreibung und Unterricht des Weinbaues 1711. S. 65.)

f) Eine besondere Erneuerungsart der Weinberge durch alte Rebstöcke wurde in der zweiten Hälfte des vorigen Jahrhunderts als sehr vortheilhaft und erprobt durch Hauptmann Gaupp und den bekannten Weinzüchter Prälat Sprenger in Maulbronn angerühmt. Man macht dabei Gräben von 2 Schuh Tiefe und 3—3½ Schuh Breite, je nachdem man den Stöcken Entfernung geben will, gräbt sofort alte Weinstöcke mit ihren Wurzeln sorgfältig aus, reinigt sie von den Thau- und Nebenwurzeln und läßt nur diejenigen Reben stehen, die man zu der Heranziehung neuer Stöcke verwenden will. Hierauf wird der Stock in die Mitte des Grabens gelegt, an den beiden Wänden desselben die Reben, welche neue Stöcke geben sollen, senkrecht hinaufgezogen und der Stock sofort mit der ausgeworfenen Erde bedeckt und letztere um den Stock festgetreten, damit derselbe festliegen bleibt. Die über den Boden hervorragenden Reben werden auf 2—3 Augen abgeworfen. Ein auf solche Art angelegter Weinberg soll schon im ersten Jahre hie und da Samen treiben, im zweiten Jahre aber einen halben und im dritten Jahre einen vollen Ertrag geben, es wird jedoch besonders angerathen, die Kopferziehung als schädlich und ungeeignet ganz zu beseitigen. (Der verbesserte Weinbau, Stuttgart 1776. S. 33.)

2. Rebgattungen.

§. 55.

a) Ursprüngliche Rebgattungen im Neckarthal und den Seitenthälern.

Von den in Süddeutschland angepflanzten Traubengattungen wissen wir bloß, daß schon unter Carl dem Großen die Orleantraube in Rüdesheim und wahrscheinlich auch die Burgundertraube zu Ingelheim im Rheingau angepflanzt wurde (§. 14). Aus dessen Wirthschaftsverordnung ist jedoch ersichtlich, daß bei der Anlage der Weinberge hauptsächlich auf gute Sorten gesehen werden solle.

Eine der ältesten Traubengattungen, besonders auch in Würtemberg, ist übrigens unser Elbling, der albuelis der Römer, und wir dürfen deßwegen mit Zuverläßigkeit annehmen, daß derselbe schon durch die Römer nach Deutschland gekommen ist. Denn er wird noch jetzt am Rheine Alben, Elben genannt. Auch beweist der Umstand, daß der Elbling in Frankreich häufig Allemand genannt wird, daß er eine alte deutsche Traube ist und von Deutschland nach Frankreich verpflanzt wurde.

Wie allgemein dieselbe in den ältesten Zeiten angepflanzt war, ist aus einem Schreiben von Bürgermeister, Gericht und Rath zu Güglingen vom 14. August 1567 ersichtlich, indem der geringere Ertrag des Weinzehentes entschuldigt und angeführt wird: Zur Zeit der Altvordern seien die Weinberge gemeiniglich mit Grab- und Elbenstöcken besetzt gewesen, welche ganze Läst mit Wein gegeben, doch weil solche Weine im Zabergäu nicht verkäuflich gewesen, so habe man oftmals Hunger und Mangel erleiden müssen, deßwegen nach begegnetem Hagel und Mißjahren man bedacht habe, solche Grab- und Elbenstöcke auszureuten und anstatt derselben gut Traminer und Muskateller zu pflanzen. (Klunzinger, Zabergäu II. S. 77.)

Der Elbling scheint daher in den ältesten Zeiten in manchen Gegenden fast die einzige oder wenigstens die vorherrschende Traubengattung gewesen zu sein und wahrscheinlich erst gegen das Ende des fünfzehnten und im Laufe des sechszehnten Jahrhunderts, wo überhaupt eine wesentliche Verbesserung des Weinbaues vorging, durch edlere Traubengattungen, namentlich den Traminer, Muskateller, Velteliner, Clevner theilweise ersetzt worden zu sein. Neben dem Elbling ist auch die Heunisch-, Hünsch- oder ursprünglich Hunnentraube eine der ältesten Traubengattungen. Diese Traube solle nach einigen Schriftstellern durch die während der Heerzüge unter Attila auf dem Hundsrücken angesiedelten Hunnen angepflanzt und verbreitet worden sein (§. 6), nach anderen wahrscheinlicheren Angaben kam die Rebe aus Ungarn mit den Sarmaten zu uns, welchen die Römer im vierten Jahrhundert Güter auf dem Hundsrücken gaben. Diese Colonisten brachten den Samen dieser Rebsorte aus Pannonien, dem jetzigen Ungarn mit, und weil Pannonien später von den Deutschen Hunnenland genannt wurde, als Attila dort seinen Sitz hatte, so hieß man jene Ansiedler Hunnen, ihren Landstrich Hundsrücken, die Traubensorte Hunnentraube. Möglich ist es, daß dieselbe auch erst später im zehnten oder zwölften Jahrhundert Anpflanzung und Verbreitung fand, wo die ersten deutschen Ansiedlungen in Ungarn begonnen haben und also mancher Verkehr zwischen Deutschland und Ungarn stattfand. Sie gleicht viel dem Elbling, liefert aber einen geringeren Wein, muß jedoch sehr verbreitet gewesen sein, da nach ihr die geringeren Weine (hünischer Wein §. 98) genannt wurden.

In der von Graf Philipp Ernst zu Hohenlohe-Langenburg für die Grafschaft und besonders das Amt Ingelfingen im Kocherthal erlassenen Weingartordnung vom 12. Dezember 1614 wurde ausdrücklich verordnet, den hünnischen Stock, roth und weiß, in den Weinbergen gänzlich abzuthun und auszureuten und dagegen sich eines guten Zeugs, als: Muskateller, Traminer, roth und weiß Fränkisch, Junker, Gutedel, Rißling, Reuschling und Elbling zu befleißen, und für das hie und da anzupflanzende rothe Gewächs sich um Cleb- oder Augstroth (Clevner), Gänsfüßler oder Hudler, dessen man im Lande Württembnrg etlicher Orten bauen thut, zu bewerben.

In der Weinbauordnung für das Amt Michelbach vom 10. März 1616 werden als guter Zeug zur Anpflanzung empfohlen: Muskateller, Gutedel, Velteliner, Rothfränkisch; die Weißfränkischen sollen aber in den dortigen Gebirgen keinen Fürgang haben. Nach der Weingartbauordnung für das Orengau vom 29. Januar 1617 sollen die heunischen Stöcke, die kleinen Römer und weiße Röhrfranken, weil letztere in dieser Landesart nicht gut thun wollen, ausgehauen werden. (Oehringer Archivalakten.)

In Steiermark, früher vielleicht theilweise zu Pannonien gehörig, wird noch jetzt die Heunischtraube unter dem Namen Mehlweiß häufig angebaut, und ist in den dortigen hitzigen Weingebirgen sogar eine geschätzte Traube.

Auch bei anderen unserer Traubengattungen will man nach der Schilderung römischer Schriftsteller den römischen Ursprung erkennen, namentlich:

Vitis aminea, Gutedel,
Vitis apiana, Bienentraube, der Muskateller,
Vitis rhaetica, der Veltelíner,
Vitis duracina, der Krachgutedel,
Vitis praecox, die frühe Burgundertraube,
Vitis nomentana, der Traminer.

Jedenfalls gehören diese Traubengattungen, sowie insbesondere auch die Clevnertraube zu denjenigen, welche schon in den ältesten Zeiten bei uns und namentlich im Neckarthale und den dort einmündenden Seitenthälern angepflanzt wurden.

Die Clevner- oder Burgundertraube kommt schon in den ältesten Urkunden unter dem Namen fränkische, französische, öfters vor, doch wird unter der roth- und weißfränkischen Traube hie und da auch der Traminer verstanden.

In der württembergischen Herbstordnung vom Jahr 1607 werden zu den edleren Traubengattungen besonders Muskateller, Traminer, Gutedel und Veltelíner gerechnet.

Bis gegen die Mitte des siebenzehnten Jahrhunderts bestand das Rebholz hauptsächlich in Elbling, Veltelíner, Gutedel und Muskateller, und in einzelnen Gegenden auch in Traminer und Clevner. Im Remsthal und andern Gegenden kam auch der Fütterer (Futterling), eine der ältesten Traubengattungen, vor. Der Veltelíner soll aus dem Veltelin in der lombardischen Provinz Sondrir stammen, von wo aus er in den Jahren 1583—1592 in die Gegend von Heidelberg kam und von dort aus wahrscheinlich auch in Württemberg verbreitet wurde. Es waren dies lauter Traubengattungen, durch welche in guten Jahren ein vorzüglicher, in mittleren und geringen Jahren aber ein angenehmer, selten ganz saurer Wein erzeugt wurde. Auch wurden die edleren Gattungen häufig nicht gemischt, sondern nach Gewenden gepflanzt, indem in einzelnen Urkunden des Mittelalters die Benennungen Franzisgewend, Henschgewend und sogar Franzenherbist vorkommen, woraus geschlossen werden darf, daß auch die Lese der einzelnen Gattungen besonders stattfand.

Nach einer Urkunde des Klosters Bebenhausen aus der Mitte des fünfzehnten Jahrhunderts verkaufte dasselbe zu Stuttgart 1 Morgen 1 Viertel Weinberg im Kriegsberg an einige Stuttgarter Bürger um 96 Pfund Heller und 5 Schilling unter der Bedingung, dem Kloster jährlich den vierten Theil alles dessen, was dort wachse, zu reichen, und besonders in die Weingarten in ir yeder (in ihr jeder) nit ander Stockh setzen, denn ytel gut gesund frensch und Traminer Stöck, nemlich unter dem Weg das Dritteil albin und ob dem Weg die zwei Dritteil frensch und Traminer und das Dritteil Elbinen, wornach hier nur dreierlei Rebgattungen vorkommen, die auf eine sehr zweckmäßige Weise in dem Weinberg vertheilt waren. (Moser, die bäuerlichen Lasten der Württemberger S. 325.)

In den herrschaftlichen Weinbergen zu Untertürkheim wurden nach den hofkammerlichen Rechnungen hauptsächlich angepflanzt:

Muskateller, Velteliner, Gutedel, Fütterer, Sylvaner, Rothwelsche, Clevner, sowie gemeine Stöck (Elbling, Heunisch ꝛc.). Ueberhaupt wurden früher mehr weiße als rothe Traubengattungen angepflanzt, indem in gedachten Weinbergen das Erzeugniß des rothen Gewächses früher bloß in 18 Procent bestand, während es neuerlich 38 Procent beträgt.

§. 36.

b) Vorzügliche weiße Traubengattungen.

Zu den vorzüglicheren Traubengattungen, welche einen weißen Wein geben, gehörten die Muskateller, Traminer und Velteliner. Dieselben wurden hauptsächlich in großer Menge, manchmal ganze Weinberge von einer Sorte, in der Gegend von Heilbronn und im Zabergau gebaut. Namentlich war es der Ort Stockheim im Zabergau, wo fast durchgehends Traminer gepflanzt wurden.

In dem Lagerbuch des Klosters Kaisersheim vom Jahr 1534 ist über die Bebauung des Burgweingartens zu Eßlingen verordnet: „Zu Stockheim bei Brackenheim seien wieder die Traminer Stöcke erforscht, in Heilbronn werden sie auch mit geringer Mühe zu bekommen sein.“ Stockheim gab früher jährlich 34 Eimer Traminer Boden- und Erbwein (Pfaff, Eßlingen S. 173), und nach dem Kellereilagerbuch von Brackenheim hatten in Haberschlacht ein Morgen Weingart und Acker 1 Aymerlein Traminerwein, zwei Morgen Weingart und Acker 2 Aymerlein Traminerwein zu entrichten.

In dem Orte Frauenzimmern, Bezirks Brackenheim, heißt noch jetzt eine Weinberghalde „im Traminer“. (Correspondenzblatt von 1846, II. Heft S. 177.)

Aehnliche Benennungen sollen auch zu Eßlingen, Besigheim, Hohenhaslach, Güglingen ꝛc. vorkommen. Zu Großbotwar kommt in dem Lagerbuch der geistlichen Verwaltung Großbotwar von 1565 (Blatt 25) ein halber Morgen „Traminer Weingart“, im Lagerbuch der Kloster Murrhardt'schen Pflege ebenfalls ein halber Morgen „Traminer Weingarten“, und im Kellereilagerbuch von 1568 in Lembach ein Morgen „Traminer“ vor. Zu Tübingen war nach Gock S. 16 (der Weinbau am obern Neckar) die sogenannte Pfalzhalde neben dem Schlosse, die beste Lage auf der dortigen Markung, vor noch nicht gar langer Zeit mit Clevner und Traminer bepflanzt, von welchen ein edler Wein gewonnen wurde, und von dem schon ältere Schriftsteller schreiben, daß er ein sehr bitterer Wein und vor die Kolik eine gute Arznei seie, so daß man um dieser Seltenheit willen denselben im Schloßkeller zu Tübingen besonders verwahre. (Sattlers Beschreibung von Württemberg 1752. II. Thl. S. 2.)

Muskatellertrauben scheinen vorzüglich zu Brackenheim und Lauffen, sowie auch zu Heilbronn gepflanzt worden zu sein.

In einem Schreiben Herzog Christophs an die Rentkammeräthe vom 2. November 1566 heißt es: „Sodann wöllendt auch darob und daran sein, daß der Neubrackenheimer Muskateller uns fürderlich auch zugebracht werde."

Ferner in einem Schreiben vom 23. September 1568: „Und nachdem der Römischen Kaiserlichen Majestät, unserem allergnädigsten Herrn, der Muskateller, auch der alt brackenheimer Wein ferndiges Jahr gar anmuthig gewesen sein soll, so wollendt Verordnung thun, daß man desselben Gewächs von Muskateller und auch alten Wein wieder so viel zuwege bringen thue."

Zu Lauffen waren hauptsächlich die Lauerberge mit Muskatellerreben bestockt, von welchen der Wein nach den Kellereirechnungen bis zum Jahr 1678 jedesmal für Rechnung der fürstlichen Hofhaltung erkauft und in doppeltem Betrage der gemeinen Weinrechnung bezahlt wurde. Von jener Zeit an scheint sich dann der Anbau der Muskatellerreben mehr verloren zu haben.

Ums Jahr 1538 tranken Tübinger Studenten Extrawein die Maas zu 12 kr., alten Brackenheimer Muskateller. (Klüpfel, Beschreibung von Tübingen II. Thl. S. 127.)

Den 2. Februar 1622 betranken sich zu Heilbronn Tylly'sche Reiter in Muskatellerwein.

1649 waren zu Heilbronn die Muskatellertrauben nicht gehörig reif geworden, und in einem Untergangsurthel vom 17. März 1706 ist von Weinbergen die Rede, die lauter Muskateller und Velteliner hatten. (Correspondenzblatt von 1846. II. Heft S. 144.)

Die Traminerrebe wollen manche Schriftsteller aus Tramin an der Etsch in Tyrol abstammen lassen, nach einer von dem bekannten Oenologen, Oekonomierath Bronner in Wiesloch, an Ort und Stelle angestellten Untersuchung kommen aber in den dortigen Weinbergen keine Traminerstöcke vor, dagegen will derselbe den bei uns und in Rheinbayern als gewöhnliches Rebholz vorkommenden rothen Traminer als eine Varietät des schon seit Jahrhunderten in Franken, Böhmen, Oesterreich und Mähren gebauten weißen Traminers ableiten. (Bronner, die Bereitung der Rothweine 1855. S. 136 und 156.)

Welche Gattung bei uns in älteren Zeiten gepflanzt wurde, müssen wir, da hierüber keine Nachrichten vorliegen, unentschieden lassen, doch scheint die rothe Traminertraube die vorherrschende gewesen zu sein, da noch zu Anfang dieses Jahrhunderts in alten Weinbergen viele rothe Traminerstöcke zu finden waren.

Im Allgemeinen wurden in ältern Zeiten weit mehr weiße als rothe Traubengattungen gebaut, wie wir hienach näher nachweisen werden. Auch die Rißlingtraube muß besonders in dem Kocher- und wahrscheinlich auch in dem Tauberthale schon früher bekannt gewesen sein, da deren Anbau mit dem Muskateller und Traminer schon in der oben erwähnten hohenloh'schen Weingartordnung vom 11. Dezember 1614 §. 55 empfohlen wurde.

§. 57.

c) Vorzügliche rothe Traubengattungen.

Zu den rothen Weinen wurde hauptsächlich die Clevner- (Burgunder-) Traube verwendet, auch scheinen noch andere rothe Trauben, wie die Gansfüßler oder Hudler und der Römer, der nur noch selten in unsern Weinbergen vorkommt, häufig angepflanzt worden zu sein. (Correspondenzblatt von 1830. XVIII. Bd. S. 175.)

Die Clevnertraube wurde in verschiedenen Bezirken und Orten des Landes angebaut, namentlich in dem Oberamt Cannstadt, und hier vorzugsweise in Wangen, im Remsthal zu Beinstein, wo im Jahr 1687 noch viele Clevnerstöcke vorkommen, im Enzthal zu Roßwag, am Traufe der Alp zu Metzingen; besonders waren die rothen Weine von Wangen, Beinstein, Neckarrems und Metzingen bis zum siebenzehnten Jahrhundert berühmt und wurden häufig in das Ausland versendet (§. 88 und 108). Der gute rothe Wein zu Beinstein wird 1575 und 1605 sehr gelobt, und in einem Erlaß des ehemaligen Kirchenraths vom 24. September 1687 an die Stiftungsverwaltung Stuttgart, der der Zehenten theilweise daselbst zustand, wurde deßhalb verordnet, daß auf bevorstehenden Herbst in berührtem Beinstein die ganz schwarzen Trauben absonderlich, die übrigen halb gesprengten oder etwas gefärbten aber sämmtlich unter das Weiße gelesen werden mögen. Dieser rothe Wein wurde als Nachtmahlwein in der Stiftskirche zu Stuttgart gebraucht, auch ist aus jener Anordnung ersichtlich, daß man häufig auf sorgfältige Auslese des rothen und weißen Gewächses, sowie der reifen und unreifen Trauben drang.

Auch zu Endersbach, namentlich im Gewende Beutelstein, wo jetzt ein sehr geringer Wein wächst, wurden Clevner, Fütterling Gutedel angebaut und ein vorzüglicher Wein erzeugt.

Ein Sebastian Kalb in Heilbronn erzeugte 1636, 1639 2c. als etwas Besonderes rothen Wein und verkaufte die Maas zu 6 kr. (Oberamtsbeschreibung von Waiblingen S. 115 und 137.)

In Metzingen heißt noch jetzt wie schon 1554 eine Halde in der besten Lage „im Klevner“, ein Beweis, daß dort diese Traubensorte im Großen angebaut worden sein muß.

In Wangen wurden noch zu Ende des vorigen (achtzehnten) Jahrhunderts häufig Klevner gebaut und der Wein von denselben war so berühmt, daß er wie die besten sonstigen Landweine, oder nicht selten als Burgunder bezahlt wurde. Dasselbe war auch bei dem rothen Wein von Mühlhausen am Neckar der Fall. Von Oberstlieutenant Boger in Stuttgart, der viele eigene Weinberge am Neckar besaß, wurde in Wangen der Ertrag der Klevnertrauben maas- und schoppenweise aufgekauft, dies betrug von 77 Weinbergbesitzern 1784 21 Eimer 13 Imi 7 Maas, 1792 von 78 Weingärtnern 5½ Eimer, und als im Jahr 1784 die Ortsvorsteher zu Wangen sich über das Auslesen und Ausschneiden der Klevnertrauben beklagten, weil es dem Kredit des Weines schade, erging von Herzog Karl die Resolution:

„Was maßen die meisten Inwohner zu Wangen sich dahin geäußert, daß man es bei der alten Gewohnheit, den Klevnerwein besonders herbsten zu dürfen, auch in der Zukunft bewenden lassen möchte, so wollen wir gnädigst geschehen lassen, daß jeder Weingarteninhaber die Lees nach seiner Convenienz, jedoch unter Beobachtung unserer herzoglichen Herbstordnung vornehmen und einrichten möge.“ (Württ. Jahrbücher 1850. II. Heft S. 98. Oberamtsbeschreibung von Cannstadt S. 63.)

In den Orten Grantschen und Sülzbach, Bezirks Weinsberg, wurde nach einem fürstlichen Befehl vom Jahr 1557 das rothe Gewächs zehentfrei gelassen, wahrscheinlich um den Anbau edler rother Trauben (Klevner) zu begünstigen. Das rothe Gewächs wurde deßhalb in früheren Jahren immer besonders gelesen, auch war in älteren Zeiten besonders Grantschen wegen seiner vorzüglichen Weine bekannt und berühmt. Später, nachdem die Anpflanzung edler Trauben verlassen und das rothe und weiße Gewächs zusammen gelesen wurde, verglich man sich wegen der Zehentfreiheit des rothen Gewächses über einen bestimmten Theil des Gesammtertrags.

Rothe Trauben wurden früher überhaupt viel weniger gebaut als später, daher auch die rothen Weine sehr geschätzt und gesucht waren.

Das Hausbuch des Klosters Blaubeuren sagt, daß man zu einer Kirschensuppe rothen Wein nehmen solle, „so man rothen Wein gehaben mag“. Da es Ehrensache war, zweierlei Wein zu geben, Ehrwein alten und neuen, oder rothen und weißen, so half man sich durch künstliche Mittel, deren im Hausbuche viele angeführt werden, um den weißen Wein entweder schon im Herbst in der Bütte oder im Keller, oder kurz vor Tisch zu färben.

Aus einem Bericht vom Jahr 1514 ist ersichtlich, daß der Amtmann zu Bietigheim neben andern Einkommenstheilen von dem herrschaftlichen Weinzehenten den rothen Wein zu beziehen hatte, der zu gemeinen Jahren, so Wein erwachset, bei einem halben Eimer betrug, während das Gesammtgefäll nicht unbeträchtlich war. Jetzt ist das dortige Gewächs fast ganz roth. (Reyscher, Statutarrechte S. 266.)

Der Rebsatz in dem Donauthale, besonders in der Gegend von Ulm bestand gleichfalls zum großen Theile aus rothen, frühreifen, wahrscheinlich Klevnertrauben, da die dortigen rothen Weine besonders gerühmt wurden (§. 51), auch läßt sich daraus, daß dieselben mit den Elsäßer Weinen verglichen wurden, schließen, daß auch die Reben von dorther stammten.

§. 58.

Die Abstammung der Clevnertraube wollen ältere Schriftsteller nach ihrem Namen aus Chiavenna in Oberitalien, zu deutsch Cläven, ableiten und auch neuere Schriftsteller sind dieser Annahme gefolgt. Nach den von den tüchtigsten Oenologen an Ort und Stelle angestellten Untersuchungen hat sich jedoch gezeigt, daß in Chiavenna die Clevnertraube gar nicht bekannt, sondern dort eine andere derselben ganz unähnliche Traubensorte, die Chiavenasc (Tschiavenask) gebaut wird, die groß, lang und walzenförmig ist, mittelgroße, schwarze, runde Beere und ein fünflappiges Laub hat, ziemlich tief eingeschnitten und unten etwas filzig ist. (Die Wein- und Obstproduzenten, S. 17. Bronner, die Bereitung der Rothweine, S. 110.)

Damit stimmt auch ein Bericht des Hofdomänenraths v. Weckherlin vom Jahr 1832 über eine Reise in Oberitalien und eine Erfahrung, welche die Centralstelle für Landwirthschaft bei Beschreibung von Reben im Jahr 1824 machte, überein. (Correspondenzblatt des württembergischen landwirthschaftl. Vereins 1831. 20. Bd. S. 288, 1833 1. Bd. S. 20.)

Dagegen gleicht die Clevnerrebe fast ganz den in Burgund und in der Champagne angebauten Burgunderreben (Noirien, Pineau) (Bronner, Rothweinbereitung S. 97), so daß wir um so mehr mit Zuverlässigkeit annehmen dürfen, unsere Clevnerrebe stamme aus Burgund, als der Weinbau überhaupt von Frankreich aus, mithin auch die dort angepflanzten Reben, zu uns gekommen sind und später viele Reben aus Burgund zur Anpflanzung nicht nur in Württemberg, sondern auch in andern Theilen Deutschlands beschrieben wurden, wie z. B. nach Böhmen, wo aus Burgunderreben der bekannte rothe Melnecker gewonnen wird. (Weinproduzenten S. 74.)

Auch der Umstand, daß früher manche unsrer rothen Weine auf Burgunderart bereitet und dieser Ausdruck für sorgfältig behandelte rothe Weine gebraucht, sowie daß die rothen Trauben häufig fränzische (fränkische, französische) genannt wurden (§. 55), beweist, daß dieselben von Burgund aus bei uns eingeführt wurden.

In den in dem Lagerbuch des Klosters Kaisersheim vom Jahre 1534 enthaltenen Vorschriften über die Bebauung der Burgweinberge zu Eßlingen heißt es ausdrücklich, daß die fränzischen (französischen) Stöcke, wie die Traminer in Heilbronn zu bekommen sein werden. (Pfaff, Eßlingen, S. 173.)

Jedenfalls war unser damaliger Rebsatz sowohl in weißen als rothen Traubengattungen ein sehr guter, zum Theil ausgezeichneter, daher die Reben auch im Ausland gesucht waren.

1576 bezog ein Graf von Neustadt an der Hardt in der Pfalz, den man den Winzer hieß, edle Reben aus der Umgegend von Stuttgart, namentlich von Uhlbach. (Württ. Jahrbücher 1850, II. Heft S. 103.)

In dem gleichen Jahre sendet Herzog Ludwig 3000 Rebstöcke von den besten Sorten an Markgraf Carl von Baden und 1599 Herzog Friedrich 400 gute rothe und 200 Stück weiße Würzlinge an Herzog Wilhelm in Bayern, wofür derselbe sich aufs verbindlichste bedankte. (Staatsarchiv-Manuscript von Regierungsrath Günzler, württemb. Regenten- und Culturgeschichte Nr. 38.)

Ueberhaupt scheint Württemberg früher andern Ländern als Musterschule des Weinbaues gedient zu haben, denn es wurden nicht selten württembergische Rebleute in andere Länder zur Einführung des württembergischen Rebbaues berufen. Im sechszehnten und siebenzehnten Jahrhundert wurden die Costebauder Weingebirge an der Elbe zwischen Meißen und Dresden mit württembergischen Reben bestockt und württembergische Winzer dahin berufen, um den dortigen Winzern die Art des württembergischen Baues in Zeilen zu lehren der zum Theil noch jetzt dort zu finden sei. (Rössig, Geschichte der Oekonomie, II. Th. S. 152.)

§. 59.

d) Veränderung der Traubengattungen.

Mit dem 30jährigen Kriege und den nachherigen Kriegen mit Frankreich zu Ende des siebenzehnten und Anfang des achtzehnten Jahrhunderts änderte sich nach und nach der Rebsatz. Nicht nur giengen während desselben durch Verwüstungen viele Reben zu Grunde (§. 24 u. 25), die man schnell wieder ohne Rücksicht auf die Sorte und ob sie für das Clima paßten oder nicht, zu ersetzen suchte, sondern man hatte auch während dieser Kriegsjahre, wo die Weinconsumtion durch die Kriegsvölker sich sehr mehrte, die Weinproduction aber abnahm, gefunden, daß man auch geringen Wein gut anbringen konnte, man verließ daher nach und nach den alten guten Rebsatz und suchte Sorten anzupflanzen, welche mehr als jener ausgaben, d. h. man baute mehr auf Quantität als auf Qualität.

Um diesem entgegen zu arbeiten, verordnete die württembergische Regierung schon in dem Generalrescript vom 24. Mai 1663, daß man aller Orten, wo Weinwachs ist, die Stöck so geringen Wein geben, nach und nach aushauen und an deren Stell guten Samens, nach Gestalt es jeder Boden erfordert, sich befleiße und die Weinberg nicht zu dick stocke, welches öffentlich bei gesetzter Strafe verkündet werden solle. (Reyscher, württ. Gesetzsammlung, XIII. Bd. S. 446.)

In diese Periode fällt die Einführung der Trollingertraube, des Sylvaners und des Tokayers oder der Putscheere. In der Zollordnung vom 28. Juli 1661 heißt es:

Von Malvasier, Rheinfall, Wippacher, Trollinger und anderem köstlichem Getränk, was in Legeln geführt wird, ist zu entrichten in oder durchs Land von jedem Pferd 34 Schilling 4 Pfennige = 1 fl. 44 kr.

Hier wurde also der Trollinger, der aus Tyrol kam, noch zu den köstlichen fremden Weinen gerechnet; es scheint daher, daß man, um auch bei uns ein solches Getränk zu gewinnen, Trollingerreben aus Tyrol zur Anpflanzung kommen ließ, daß man aber dabei zu wenig auf die klimatischen Verhältnisse Rücksicht nahm, indem die Traube bei uns nur in den besten Weinjahren, mithin alle 10 Jahre vollkommen reif wird. Dagegen fand ihre Ergiebigkeit großen Beifall, so daß sie in manchen Gegenden Württembergs nach und nach den Hauptrebsatz bildet.

Ums Jahr 1660 pflanzte man zu Eßlingen, neben Eblingen Clevner, Velteliner, Gutedel und Muskateller bereits Welsche (Trollinger) in die Weinberge. (Pfaff, Eßlingen S. 655. [Vgl. §. 50.])

In einem Gutachten zu einer neuen Weinbauordnung zu Heilbronn von 1711 wird auch des Trollingers gedacht. (Correspondenzblatt 1846, II. Heft S. 146.)

Ein Bericht des Stadtraths in Stuttgart vom Jahre 1828 sagt: die großen Weinbedürfnisse und Weinpreise in den 1790er Jahren haben den ertragreichen welschen Trauben, der nur für ganz gute Weinberge taugt, mehr als wünschenswerth ist, einheimisch gemacht. (Württ. Jahrbücher 1850, II. Heft S. 174.)

§. 60.

Woher der Sylvaner stammt, ist ungewiß, da er jedoch am Rheine, in der Pfalz neben dem Elbling in vielen Orten den Hauptrebsatz bildet und dort Oestreicher genannt wird, auch in verschiedenen Theilen Oesterreichs sehr häufig vorkommt, so werden wir wohl annehmen dürfen, daß derselbe von Oesterreich aus zu uns gekommen ist.

Nach Heilbronn kam der Sylvaner im Jahr 1700 durch einen Weingärtner aus Nußdorf mit Namen Joh. Martin Böhringer. (Correspondenzblatt 1846, zweites Heft S. 177.)

Diese Traubengattung verbreitete sich, weil sie nicht nur vielen Wein gibt, sondern auch gegen die Frühjahrsfröste nicht sehr empfindlich ist und sich gerne durch Kopfausschlag wieder erneuert, besonders nach den kalten Wintern von 1783—84, 1784—85 und 1788—89, wo viele Reben zu Grunde giengen und sogar die Feldhühner erfroren, fast in allen Gegenden des Landes, besonders aber in dem Neckarthale und seinen Nebenthälern, so daß der Magistrat in Stuttgart sich veranlaßt sah, der aufgestellten Weingartvisitation den 18. Mai 1791 zu befehlen, dafür zu sorgen, daß die Sylvaner weniger als bisher gebaut werden, weil sie „in einer unverhältnißmäßigen Proportion oder gar im Uebermaß gepflanzt, einen geistlosen, unhaltbaren und besonders zum Verführen gar nicht brauchbaren Wein liefern.“ (Pfaff, Stuttgart II. Theil S. 372.)

Auch in anderen Landesgegenden und namentlich im Kocherthale wurde vor der allzustarken Anpflanzung des Sylvaners gewarnt, indem derselbe einen geringhaltigen, schwachen Wein gebe und die Stöcke nicht halb so lange dauern, als andere. In einer Verordnung des Fürsten Heinrich August zu Hohenlohe-Ingelfingen vom 23. März 1789 wurde in Folge von verschiedenen Gutachten weinbauverständiger Personen die allgemeine Ausreitung des Sylvanerstocks anbefohlen und in dem Amt Ingelfingen eine besondere Commission von Sachverständigen aufgestellt, welche sämmtliche Weinberge zwischen Johannes und Jakobi zu besichtigen und die nach der Publikation dieser Verordnung angepflanzten Sylvanerstöcke ohne Weiteres abzuschneiden hatten. Es wird dabei ausdrücklich gesagt, daß die Sylvanertraube die frühere gute Qualität des Kocherweins verdorben habe, indem derselbe ehemals dem Tauberweine vorgezogen worden sei, jetzt aber demselben nachstehe. (Oehringer Archivalacten.)

Dessen ungeachtet fand der Anbau des Sylvaners in manchen Gegenden in Verbindung mit dem Tokayer (Putzscheere), besonders während der französischen und Napoleon'schen Kriege von 1796—1815, wo man nur viel Wein verlangte und weniger nach der Qualität fragte, immer mehr Anklang; um jedoch den Wein haltbarer zu machen, kam auch die Anpflanzung des Trollingers immer mehr in Aufnahme, wodurch in vielen Orten und Gegenden nach und nach unsere sogenannten Schillerweine entstanden, die den Weinhandel in entferntere Gegenden vollends ganz zu Grunde richteten. So waren zu Korb im Remsthale, einem der besten Weinorte, noch im Jahr 1771 der Muskateller, Gutedel, Velteliner, Elbling, Clevner, Syl-

7*

vaner und Trollinger die gewöhnlichen Rebsorten, während jetzt der Sylvaner den Hauptrebsatz bildet und neben demselben noch Elbling, Trollinger und Gutedel gebaut werden. Damalen wurde der Ertrag in guten Herbsten auf 4 Eimer geschätzt, jetzt solle derselbe 9—10 Eimer per Morgen betragen.

§. 61.

Die Tokayerrebe, auch Putzscheere oder Elender genannt, und in einigen Gegenden des Unterlandes mit dem Spottnamen Bettscheißer belegt, weil die Traube nach dem Genusse, wegen ihres Säuregehalts, häufig Abweichen verursacht, solle zu Anfang des vorigen Jahrhunderts, um unsere Weine zu verbessern, aus Ungarn zu uns gebracht worden sein, weil dort die gleiche Traubengattung (unter dem Namen Furmint an dem Tokaygebirge) gebaut wird, aus der der bekannte edle Tokayerwein gewonnen werden solle. (Babo, der Weinstock und seine Varietäten 1844. S. 349.)

Zwar wird von anderer Seite behauptet, die Tokayerrebe stamme aus Oberitalien und komme dort unter dem Namen Cibebo bianco vor, da jedoch dieselbe nicht nur bei uns, sondern auch noch in anderen Weinbaugegenden Deutschlands unter dem Namen Tokayer oder Unger vorkommt, auch der bekannte ungarische Oenologe Schems mehrere ihm bei uns vorgezeigte Tokayerstöcke für den ungarischen Furmint erkannt haben will, und bei der Einführung dieser Rebe die Absicht einer Weinverbesserung zu Grunde lag, mithin dieselbe aus einer berühmten Weinbaugegend entnommen worden sein wird, so dürfte ihr Name auch die richtige Abstammung anzeigen. *) Jedenfalls stammt dieselbe nach ihrer ganzen Beschaffenheit und vermöge ihres filzigen Blatts aus südlichen Gegenden.

Diese Traubengattung, welche viele, große und saftreiche Trauben liefert, fand wegen ihre Ergiebigkeit in vielen Gegenden des Neckarthales und dessen Umgebung großen Beifall und wurde deßwegen häufig, besonders aber am Traufe der Alp in der Gegend von Metzingen und Reutlingen, wo sie schon 1719 und 1730 vorkommt, in großer Menge angebaut. Statt aber einer Weinverbesserung wurde eine bedeutende Weinverschlechterung herbeigeführt, indem die Traube bei unseren klimatischen Verhältnissen nie so vollständig zur Reife kommt, wie in Ungarn, und daher in der Regel einen wässerigen, säuerlichen und gehaltlosen Saft gibt, so daß, wie wir hienach sehen werden (§. 70. 71), öfters strenge Verbote gegen deren Anpflanzung erlassen wurden, die jedoch bei der immer

*) Siehe Gock, die Weinrebe und ihre Früchte, wo Vergleichungen zwischen unserer und der ungarischen Tokayerrebe angestellt und genaue Abbildungen enthalten sind.

mehr zunehmenden Vorliebe der Weingärtner für die Anpflanzung ergiebiger Weinsorten von keinem oder geringem Erfolg waren.

Doch scheinen aus Tokayertrauben auch schon bessere Weine erzeugt worden zu sein, indem nach einem Manuscript des Klosterverwalters Conrad Nast zu Maulbronn vom Jahr 1766 derselbe über Weinverbesserung mittheilt:

„Ein gutes Exempel gibt auch der Klosterküfer zu Steinheim an der Murr, der aus Rebstöcken von Tokay, die er von daher bekommen, fernd anno 1765 solch guten Wein erhalten, der völlig den Tokayer-Gout hatte und den er um mehr als den doppelten Werth verkaufte."

Was jedoch dieses für eine Traubensorte war und ob dieselbe längere Zeit angebaut wurde und das Erzeugniß seine gute Qualität beibehalten hat, konnte nicht in Erfahrung gebracht werden.

§. 62.

e) Verbreitung und Anpflanzung vielerlei Traubengattungen im achtzehnten Jahrhundert, besonders Anpflanzung nach Quantität.

Während die Anpflanzung der edleren Traubengattungen, wie bereits erwähnt, immer mehr ab, und diejenigen der geringeren und vielausgebenden immer mehr zunahm, fehlte es doch auch nicht an patriotischen Männern, die sich des gesunkenen Weinbaues mit Eifer annahmen und demselben, namentlich durch Einführung besserer Traubensorten, aufzuhelfen suchten.

Eine besondere Epoche in dem württembergischen Weinbaue machte in jener Beziehung die in der Mitte des vorigen Jahrhunderts (1748—1750) von dem Geheimenrath Bilfinger an dem Dorschenberge auf der Prag bei Cannstadt angelegte große Sammlung von Rebsorten, wozu er Reben aus Burgund, dem südlichen Frankreich, aus Spanien, Portugal, Italien, Ungarn, Griechenland, Cypern, selbst aus Persien und manchen andern Gegenden kommen ließ, in der Hoffnung, durch die Anpflanzung von Sorten, aus welchen in andern Gegenden vorzügliche Weine producirt werden (Bordeaux, Burgunder, Tokayer), auch bei uns ähnliche Weine zu erzielen oder wenigstens unsere bisherigen Weine dadurch wesentlich zu verbessern.

Nach dem Tode Bilfingers (1750) kaufte Herzog Carl den noch jetzt der königlichen Hofkammer gehörigen Weinberg und stellte ihn unter die Aufsicht des Botanikers Martin, nach dessen Mittheilungen (1786) 144 Traubensorten in den herrschaftlichen Weinbergen vorhanden waren. (Sprenger, württembergischer Weinbau 1766 III. S. 297.)

Zu gleicher Zeit wurde die bilfinger'sche Sammlung durch seinen Zögling, den nachherigen Feldmesser Joh. Michael Sommer in Cannstadt, auch in einem zu Mühlhausen am Neckar angelegten Weinberg verpflanzt und durch Verzeichnisse darüber von 1782, sowie durch eine 1786 und 1791 herausgegebene Schrift, Anleitung, ausländische Weinstöcke in Württemberg vortheilhaft zu pflanzen, die dort empfohlenen Reben, mit welchen Sommer einen förmlichen Handel trieb, allgemein zu verbreiten gesucht.

Die hauptsächlichsten Gattungen dieser Reben bestanden in folgenden Sorten:

a) Aus Burgund.

1) Der schwarze Burgunder. Traube groß, engbeerig; Beere länglichrund, schwarzblau.

2) Der weiße Clevner. Traube engbeerig; Beere klein, rund, weißgelb.

3) Auvernas noir, rouge. Traube mittelmäßig groß, engbeerig; Beere länglich, grauschwarz. Reife September.

4) Morillon noir oder Pineau. Traube klein, engbeerig; Beere rund, schwarzroth.

5) Der August-Clevner. Traube mittelmäßig groß; Beere rund, roth.

6) Die Müllerrebe. Traube groß; Beere rund, schwarz. Reife September.

b) Aus der Champagne.

7) Die Jakobstraube (Precoce), wegen ihrer frühen Zeitigung so genannt. Traube zottig, klein; Beere rund, schwarz. Reife Ende Juli oder August.

8) Chardenet. Traube groß; Beere rund, mittelmäßig groß, weißgelb, Geschmack säuerlich. Reife Ende September. (Nach Bronner, die Bereitung der Rothweine, S. 107, der weiße Burgunder.)

9) Rothe Gutedel. Traube groß, gedrungen; Beere rund, groß, schwarzroth.

10) Der schwarze Gutedel. Traube groß, gedrungen; Beere rund, mittelmäßig groß, schwarzblau. Starkes Wachsthum, trägt reich, zu Spalier zu empfehlen.

11) Rother Malvasier. Traube groß, engbeerig; Beere rund, mittelmäßig groß, dünnhäutig, blaßroth. Reife Mitte September. Trägt reichlich, besonders in starkem Boden, man kann 6—8 Bogen schneiden, d. h. auf einem Schenkel mehrere Bogen.

12) Rother Traminer. Beere mittelgroß, blaßroth.

13) Die Farbtraube. Traube groß und gedrungen; Beere rund, schwarz, Geschmack säuerlich, kurzer Schnitt.

c) Aus der Provence im südlichen Frankreich.

14) Blauer Weihrauch (Muscat violet noir). Traube groß, gedrungen; Beere breit, schwarzblau. Reife Ende September. Gehört in Berge mit Mauern, hält sich in der Blüthe gut. Uebertrifft alle andern Sorten an gewürzhaftem Geschmack und ist mit der folgenden die Grundlage der besten Muskateller-Weine.

15) Malvasier-Muskateller. Traube groß, zottig; Beere groß, breit, weißgelb mit stark gewürzhaftem Geschmack. Reife Ende September. Hält in der Blüthe gut aus.

16) Petersilientraube. Traube groß, zottig; Beere rund, groß, weißgelb.

d) Aus Italien.

17) Die weiße Zibebe. Traube groß und gedrungen; Beere länglich, groß, fleischig, weißgelb.

18) Die weiße Rosine, ohne Kern. Traube groß, engbeerig; Beere rund, klein, weiß. Reife Mitte September.

19) Die schwarze Rosine, ohne Kern. Traube groß, zottig; Beere klein, rund, schwarz. Reife Anfangs September. Behält nicht bälder Trauben, als bis der Stock alte Schenkel hat. In der Jugend fallen die Trauben ab, wenn sie halb gewachsen sind.

20) Rother Weihrauch. Traube groß, gedrungen; Beere rund, schwarzroth mit starkem Muskatellergeschmack. Reife Anfangs September.

21) Weißer Weihrauch. Traube groß, engbeerig; Beere rund, groß, gelb mit süßem Geschmack. Reife Anfangs September.

e) Aus der Türkei.

22) Weiße türkische Zibebe. Traube groß, zottig; Beere groß, länglich, weißgelb. Reife Ende September.

f) Aus Ungarn.

Aus Oedenburg.

23) Augster blauer. Traube groß, zottig; Beere groß, länglich, schwarzblau.

24) Der Silberweiß. Traube groß, zottig; Beere rund, weiß. Reife Anfangs Oktober.

Aus Tokay.

25) Die weiße Gaißdutte. Traube groß, zottig; Beere mittelgroß, länglich, weiß. Reife Ende September. Seie kaum weich schon süß.

26) Die blaue Gaißdutte. Traube groß, zottig; Beere eiförmig und süß.

27) Der grüne Muskateller ohne Muskatellergeschmack. Traube groß, zottig; Beere rund, groß, grün, gefleckt und sehr gewürzhaft. Reife Mitte September.

28) Furmint. Traube mittelgroß, gedrungen und zottig; Beere groß, länglich, weißgelb mit Tokayergeschmack. (§. 61.)

29) Der blaue Scheuchner. Traube groß, gedrungen; Beere groß, rund, schwarzblau.

30) Der rothe Reisler. Traube groß, gedrungen; Beere rund, mittelgroß, hell blaßroth.

31) Der kleine Gutedel vulgo Ungerlein. Traube groß, gedrungen; Beere mittelmäßig groß, rund, weißgelb. Reife Ende September.

32) Schwarz-Elbling, weil das Laub dem Elbling gleicht. Traube groß, gedrungen; Beere groß, rund, schwarzblau, färben bald.

g) Aus Portugal.

33) Weißer Portugieser. Traube groß, engbeerig; Beere rund, groß, gelb.

34) Rother Portugieser. Traube klein, zottig; Beere rund, mittelgroß, hellroth, fallen gerne in der Blüthe ab.

h) Aus Spanien.

35) Alicante mit ganz großen Blättern. Traube groß, zottig; Beere breit, eckig, schwarz. Reife Mitte September.

36) Blaue Cibebe. Traube groß, gedrungen; Beere länglich, schwarzblau. Reife Mitte September.

37) Weiße Cibebe oder Malvasier. Traube mittelgroß, gedrungen; Beere länglich, weißgelb. Reife Mitte August.

38) Rother Gutedel. (In Spanien Muskateller ohne Muskatellergeschmack.) Traube sehr groß von 6—8 Pfund; Beere roth. Reife Ende September. Blüthe besonders haltbar.

39) Schwarzer Spanier. Traube sehr groß, gedrungen; Beere lang, schwarzblau. Reife Mitte September.

i) Aus der Schweiz.

Aus Morges, in Pais de Vaud.

40) Schwarzer Weihrauch oder Muskateller. Traube mittelgroß, gedrungen; Beere mittelgroß, schwarz. Reife Mitte September.

k) Aus einzelnen Gegenden Deutschlands.

41) Der kleine Rißling aus dem Rheingau. Traube klein, engbeerig; Beere rund, klein, weißgelb.

42) Weißer Orlean aus dem Rheingau. Traube mittelgroß; Beere rund, weißgelb.

43) Schwarzer Orlean (wahrscheinlich ebendaher). (Babo, Weinstock, kennt aber keinen schwarzen Orlean.) Traube groß, gedrungen; Beere rund, schwarz. Reife Ende September.

44) Ortlieber aus dem Breisgau (vulgo Rißling, gelber Mosler). Traube mittelgroß, gedrungen; Beere rund, weiß und braun gefleckt. Kann das Beziehen nicht leiden. Gleicht dem Fütterer.

45) Krachmost (Gutedel), ebendaher. Traube groß, gedrungen; Beere rund, groß, weißgelb.

46) Affenthaler (wahrscheinlich gleichfalls aus dem baden'schen Oberlande). Traube mittelgroß; Beere länglich, schwarz. Reife Mitte September.

47) Weißer Scheuchner aus Wedinburg. Traube groß, gedrungen; Beere rund, weiß. Reife Ende September.

48) Blauer Zierfanler, ebendaher. Traube groß, zottig; Beere rund, schwarzblau. Reife Ende September.

49) Aschgrauer Muskateller aus Reichenweiher. Traube groß, gedrungen; Beere groß, rund, roth mit aschfarbenen Streifen. Reife Mitte September.

50) Roth Urbe. Traube groß, zottig; Beere rund, hellroth.

51) Schwarzer Sylvaner (wahrscheinlich vom Bodensee). Traube mittelgroß; Beere rund, schwarzroth.

Durch diese fast ein halbes Jahrhundert fortgeführte Sammlung wurde in Württemberg eine Menge Traubensorten verbreitet, unter welchen sich zwar einige bessere, aber auch manche geringe, dagegen sehr tragbare Sorten befanden, wodurch der Wein nicht verbessert, sondern wesentlich verschlechtert wurde, und viele Weinberge ein buntes Gemisch von verschiedenartigen früh- und spätreifenden Traubengattungen darboten, die in den wenigsten Jahren ein gutes, nie aber ein charakterfestes, zum Handel taugliches Erzeugniß liefern konnten. Sommer gibt in seiner Anleitung sogar förmliche Anweisung, welche Traubensorten zu der Erzeugung vorzüglicher ausländischer Weine (Burgunder, Champagner, rother und weißer Tokayer) besonders tauglich seien, obgleich es eine bekannte Sache ist, daß Klima- und Boden auf die Erzeugung des Weins einen außerordentlichen Einfluß ausüben und daß man bei uns durch die Anpflanzung des Furmint keinen Tokayer, des Karmenet keinen Bordeaux, von Cyperntrauben keinen Cyperwein erzeugen wird.

Außerdem wurde durch die Verbreitung von vielerlei Rebsorten der frühere einfache edle Rebsatz immer mehr verdrängt und statt der Erzeugung edler, meistens gemeine, zum Großhandel untaugliche Weine producirt.

Dieses wurde auch von den damaligen rationellen Oenologen (Sprenger und anderen) wohl eingesehen, und wenn auch die gute Absicht des Geheimenraths Bilfinger nicht mißkannt worden ist, so wurde doch schon der Vorschlag zu der Errichtung einer allgemeinen Landes-Weinbauschule gemacht, wo alle Gattungen von Trauben anzupflanzen, zu untersuchen, zu beschreiben und sofort diejenigen auszuwählen wären, welche wirklich zur Verbesserung unseres Weinbaues taugen. (Sprenger I. Theil S. 297.)

Außerdem wurde die Anlegung von örtlichen Rebschulen empfohlen, für welche jeder Weingartbesitzer von der besten Gattung Stöcke die Schnittlinge zu sammeln und an die unter Aufsicht eines Obermeisters der Weingärtner zu stellende Rebschule abzuliefern, der solche unter obrigkeitlicher Autorität zu verwalten, ein Verzeichniß darüber zu führen und sofort bei der Anlegung neuer Weinberge die Reben nach Bedürfniß abzugeben hätte, weil der aus dem Betrug bei erkauften schlechten Reben entstehende Schaden so beträchtlich seie, daß zur Beförderung und Verbesserung des Weinbaues Einrichtungen zur Nachzucht guter Rebstöcke sehr nothwendig erscheinen.

§. 63.

Diese Vorschläge blieben jedoch unbeachtet, indem durch die starke, oft fast ins unermeßliche gestiegene Weinconsumtion während der Kriege zu Ende des vorigen und zu Anfang des gegenwärtigen Jahrhunderts die Nachfrage nach Weinen sich so stark vermehrte, daß man nach und nach daran gewöhnt wurde, bei dem Einkaufe nicht mehr wie früher auf feine und abgelagerte Weine Rücksicht zu nehmen, sondern befriedigt war, wenn man nur Wein zu billigen Preisen bekam; auch hatte durch die Aufhebung der Klöster in Oberschwaben und in Bayern der Absatz der ältern feinen Weine einen bedeutenden Stoß erlitten (§. 126), die alten Handelswege hörten auf und zugleich wurde der Genuß des neuen Weines immer mehr zur Modesache, so daß die ältern Weine weit weniger als früher Abnahme fanden. Es war daher kein Wunder, daß das Bestreben, nur nach Quantität, nicht nach Qualität zu bauen, immer mehr zunahm, und es hatte zu jener Zeit wirklich den höchsten Grad erreicht, so daß diejenigen, welche eine bessere Qualität erkaufen wollten, sich in manchen Orten genau erkundigten, wer noch Weinberge mit den alten Sorten bestockt (Gewächs) besitze, indem in solchen in der Regel ein weit besserer Wein als in den neu bestockten Weinbergen erzielt wurde, wo Sylvaner, Putzscheeren und Trollinger nicht selten den Hauptsatz bildeten.

Die Traubensorten, die zu jener Zeit hauptsächlich gepflanzt wurden, bestanden:

Im Neckarthale und den Seitenthälern.

Weißer und rother Elbling, der grüne und rothe Sylvaner, Trollinger, Tokayer (Putzscheere), Affenthaler; in minderer Anzahl Velteliner, Fütterer, der weiße und rothe Gutedel, der weiße, rothe und schwarze Muskateller, Clevner, Ruländer, Schwarzurban, Rothurban, Ungerer (der kleine Tokayer), Färber, Hängling, Heunisch, Hubler, Zettelwelscher, Römer, wozu später in einzelnen Gegenden, wie z. B. Heilbronn, der Ortlieber (seit 1810), die Müllerrebe (seit 1824) (fälschlich schwarzer Rißling), der Krachgutedel, der weiße Clevner (seit 1827) und der Süßrothe (seit 1835) kam.

Im Kocher- und Jagstthale.

Sylvaner, Gutedel (Junker), Velteliner (Fleischtraube), Muskateller, Elbling, in minderer Anzahl Trollinger, und in einigen Seitenthälern gegen das Tauberthal Süßroth und Grobschwarz.

Im Tauberthale.

Sylvaner, Gutedel (Junker), Velteliner (Fleischtraube) und hie und da Elbling und für den rothen Wein Süßroth und Grobschwarz.

In den drei letztern Thälern, in welchen die Anpflanzung von verschiedenartigen gemischten Sorten weniger Nachahmung fand, und der Verkauf des Weinmostes während des Herbstes, wo die Qualität nicht genau beurtheilt werden kann, nicht so allgemein wie im Neckarthale eingeführt war, wurde die ältere Bestockung weniger geändert, vielmehr dieselbe auch in der neuern Zeitperiode beibehalten, woher es kommt, daß diese Thäler bis auf den heutigen Tag noch einen weit charakterfestern Wein als im Neckarthale erzeugen, der zum Theil stark gesucht und theuer bezahlt wird.

Das Bestreben, nur viel Wein zu erzeugen, hatte, nachdem die Kriegsjahre vorüber waren und die Weinconsumtion bedeutend abnahm, auch noch den weitern Uebelstand herbeigeführt, daß die unverhältnißmäßig starke Produktion in keinem richtigen Verhältniß mehr zur Consumtion stand, was auch auf den Absatz des Weins und den Weinhandel einen nachtheiligen Einfluß übte.

3. Rebgattungen in der Bodenseegegend.

§. 64.

Die in der Bodenseegegend angepflanzten Traubengattungen bestehen nach früheren Schriftstellern hauptsächlich in dem Weißelbling (Dünnelben oder Burgauer), dem grünen Sylvaner oder Dickelben, auch weißem Lindauer und dem blauen Sylvaner (blaue Traube), dem Burgunder ähnlich. Woher diese Traubengattungen stammen, ist nicht genau bekannt, nicht unwahrscheinlich ist es aber, daß die ersten Weingärten auf den Kammergütern der fränkischen Hausmaier und Könige angelegt wurden, und daß solche die dazu erforderlichen Reben von ihren Kammergütern am Rhein oder aus Burgund kommen ließen (§. 16). Bei den vielen und reichen Klöstern, die in der Bodenseegegend nach und nach entstanden und bei dem bedeutenden Weinverbrauch derselben *) dürfen wir übrigens annehmen, daß auch hier im Laufe der Zeit sehr auf die Verbesserung des Weinbaues hingewirkt wurde, wie denn namentlich gegen das Ende des vierzehnten Jahrhunderts auch am Bodensee der Weinbau veredelt und eine bessere Qualität als gegenwärtig producirt worden sein solle. (Vergl. §. 52.)

Worin die frühere Veredlung bestanden hat, finden wir nirgends angegeben, doch sollen kleinere und edlere Trauben als gegenwärtig gepflanzt worden sein; nur so viel wissen wir mit Bestimmtheit, daß der gegenwärtige Rebsatz schon seit einigen Jahrhunderten fast unverändert fortbesteht, und daß derselbe zwar einen gesunden, aber in der Regel etwas säuerlichen Wein gibt, der nur durch längere Ablagerung vorzüglicher Jahrgänge nach und nach sich in ein feines, geistiges Getränke verwandelt.

Die blaue Sylvanertraube (auch der Blaue genannt) solle nach Dr. Anton Burkhardts Bemerkungen über den Weinbau in der Gegend des Bodensees (Constanz 1817) aus Oedenburg in Ungarn stammen, und werde auch Zierfahnler und blauer Oesterreicher genannt und seie am Bodensee allgemein verbreitet, während Gock einen Unterschied zwischen dem blauen Sylvaner und dem blauen Clevner oder Burgunder macht, und den letzteren als diejenige blaue Traube bezeichnet, die am Bodensee am häufigsten vorkomme. Der erstere unterscheide sich von letzterem durch das Blatt, das mehr dem grünen Sylvaner gleiche und oben und unten fast unbehaart und bis zur Traubenreife ganz grün bleibe, auch seie die Färbung des blauen Sylvaners nicht so stark wie beim Clevner, und mit dem Innern der Beerenhaut so wenig verbunden, daß sie öfters an einzelnen Beeren ins weißliche übergehe. (Gock, Bodensee S. 43.)

In der Rebbauordnung der Stadt Ravensburg vom Juli 1835 wird neben dem dort allgemein gebauten Burgunder oder Clevner für weißen Wein auch der blaue Sylvaner empfohlen.

Bronner dagegen behauptet, daß der blaue Sylvaner nichts

---

*) Der jährliche Weinverbrauch in den beiden Reichsabteien Salem und Weingarten solle sich über 600 Fuder belaufen haben und in sämmtlichen Klöstern am Bodensee jährlich mindestens 2000 Fuder Seewein verbraucht worden sein. (Gock, Bodensee S. 59.)

anderes als eine Varietät der blauen Burgundertraube seie und daher aus Burgund abstammen müsse, und daß einzelne Abweichungen, wie die von Gock angegebenen, lediglich durch die Bodenart und verschiedene Culturweise veranlaßt worden seien. (Bronner, Rothwein S. 131.)

Von Babo führt die Traube als besondere Gattung auf und gibt ihr den Namen Bodenseetraube. (v. Babo, der Weinstock und seine Varietäten. S. 256.)

Nach meinen genauen Untersuchungen gehört der Dickelbling, auch Burgauer, dem Elblinggeschlecht, der Dünnelbling dem Räuschlinggeschlecht und die blaue Traube dem Burgundergeschlecht an.

Einen ausgezeichneten, von der gewöhnlichen Bestockung abweichenden Rebsatz findet man auf der Insel Reichenau, welcher in weißen Traminern besteht und durch die Erbschenken der Aebte des Klosters Reichenau, die Keller v. Schleitheim, aus der Rheingegend, namentlich vom Johannisberg dahin verpflanzt wurden, daher auch Reben und Wein Schleitheimer genannt werden.

4. Neuere Bestrebungen in der Weinverbesserung.

§. 65.

Bei dem unter dem Weingärtnerstande allgemein verbreiteten Drange, nur nach Quantität zu bauen, ließ es übrigens die württembergische Regierung an Ermahnungen und Verordnungen, die ganz schlechten Weinberge und die geringen Rebsorten auszurotten und letztere durch bessere zu ersetzen, nicht fehlen (§. 61), auch fehlte es nicht an einzelnen Bestrebungen, durch Anpflanzung edler Rebsorten auf die Verbesserung unserer Weine hinzuwirken. Unter diesen zeichnen sich vorzüglich die durch Schriften veröffentlichten Vorschläge des Hauptmanns Schiller (des Vaters unseres berühmten Dichters Schiller), von der Mitte des vorigen Jahrhunderts aus. Von den damalen bei uns angepflanzten Rebsorten empfahl er zur Anpflanzung:

a) Für die besten Weingebirge.

Ruländer, Burgunder, Velteliner, Trollinger, Traminer, Fürterer, Muskateller, Färber.

b) Für mittlere Berge und bergansteigende Ebenen.

Ruländer, Burgunder, Velteliner, Gutedel, Sylvaner, Elbling, Hängling, Färber.

c) Für ganz niedrige Felder, wo der Frühlingsfrost gern Schaden thut.

Ruländer, Burgunder, Gutedel, Sylvaner, Elbling.

Was den Erdboden anbelange, so wären mit Nutzen anzubauen:

d) In starkem braun röthlichem Weingrund oder mit solchen Erden vermischtem steinigen Boden.

Zwar alle Gattungen, doch vorzüglich Velteliner, Trollinger, Gutedel, Elbling, Muskateller.

e) In grauem kiesigen Grund.

Ruländer, Burgunder, Velteliner, Traminer, Sylvaner.

f) In Lehmboden.

Ruländer, Burgunder, Gutedel, Sylvaner, Elbling und Hängling. (Schiller, Hauptmann, Manuscript, ökonomische Beiträge von 1766.)

Von der Ruländerrebe sagt Schiller, dieselbe gebe einen starken und köstlichen Wein, welche dem Würzburger Steinwein im Geringsten nichts nachgebe, besonders wenn er in guten Bergen erzeugt werde. Diese Art Weinstöcke sind zwar noch nicht lange in diesen Landen bekannt, doch fast aller Orten mit dem besten Fortgang und Nutzen gepflanzt worden.*)

Ums Jahr 1770 ließ der Stadtgerichtsassessor Johann Christian Müller in Heilbronn einen ganzen Weinberg am Leimenberge mit Ruländerreben anlegen.

Derselbe durfte nach dem Rathsprotokoll vom 3. Oktober 1772 einen andern Weinberg früher lesen, weil er ihn mit lauter Burgunderreben bestockt hatte, welche in den 1760er Jahren in Heilbronn häufig angepflanzt wurden. (Correspondenzblatt von 1846, II. Heft S. 177.)

In Heilbronn wurde überhaupt sehr viel auf gute Rebsorten gehalten, indem die meisten Rathsherrn Weinbau und Weinhandel trieben und daher die allgemeine Anpflanzung guter Sorten in ihrem Interesse fanden. Man pflanzte daselbst im vorigen Jahrhundert hauptsächlich Elbling, Velteliner, Clevner, Rißling, Trollinger, Muskateller. Namentlich war der kleine Rißling daselbst schon 1775 bekannt, woraus hervorgeht, daß derselbe nicht erst neuerer Zeit bei uns eingeführt wurde und solle derselbe schon früher in der Gegend von Heilbronn, sowie zu Weiler, Freudenthal und in andern Orten, jedoch hie und da unter anderem Namen angepflanzt worden sein, zu Mundelsheim als Grünelben, zu Heslach bei Stuttgart als weißer Burgunder, zu Winnenden als grüner Fürderling, zu Vaihingen an der Enz als Dürensteiner. (Göriz, der kleine Rißling 1828, S. 39.)

---

*) Die Ruländerrebe stammt aus Speier von einem Handelsmann Ruland, der sie nach der Verwüstung von Speier durch die Franzosen 1689 in einem von einem früheren Beisitzer des Kammergerichts erkauften Garten vorfand, ihre Brauchbarkeit zur Weinbereitung erkannte und sie weiter verbreitete. (Babo, der Weinstock S. 269.)

Auch in der Taubergegend ist die Rißlingtraube schon längst bekannt.

In den 1780er Jahren ließ Hof- und Legationsrath Abel in Stuttgart, eine beträchtliche Anzahl Rießlingreben aus dem Rheinthale kommen und in seinem Weinberge anpflanzen. Sie hielten auch in widriger Blüthezeit gut aus und hatten in dem so kalten Winter von 1783/84, in welchen andere Sorten so viel gelitten, auch nicht an einem Auge Schaden genommen.

Auch die Burgunderrebe muß in der Mitte des vorigen Jahrhunderts nicht nur in Heilbronn, sondern auch in andern Orten öfters angepflanzt worden sein. Nach einer handschriftlichen Nachricht von Mundelsheim vom Jahre 1772 wurden daselbst hauptsächlich Muskateller, Gutedel, Velteliner, Traminer, Roth- und Weißelbling, Trollinger, Sylvaner und seit einigen Jahren nicht ohne Nutzen Burgunderreben gepflanzt.

§. 66.

Zu den vorzüglichsten Oenologen in der zweiten Hälfte des vorigen Jahrhunderts gehörte, neben dem Geheimenrath Bilfinger (§. 62), der Prälat Sprenger in Maulbronn, der nicht nur durch eigenes Beispiel, sondern besonders auch durch sehr belehrende Schriften (Sprenger, der Weinbau, 3 Theile, 1766 und 1778) auf die Verbesserung des Weinbaues einzuwirken suchte. Nach seinen Mittheilungen bestanden die damalen in Württemberg am häufigsten angepflanzten Rebsorten in Sylvanern, Fürterern, Weiß- und Rothelblingen, Gutedeln, Welschen (Trollingern), Clevnern, Muskatellern, Ungerlein (Putzscheeren), Traminern, Veltelinern, Hansen (kleiner Velteliner). An einigen Orten sollen einzelne Weinberge ganz oder doch zum größten Theile mit Ruländern, Burgundern, Trollingern, Rießlingen 2c. bestockt gewesen sein.

Bei solchen Bestrebungen einzelner Privaten, auf die Verbesserung unseres Weinbaues einzuwirken, blieb auch die Regierung mit entsprechenden Anordnungen nicht zurück, sie stellte im Jahre 1775 eine eigene Weindeputation auf, deren Hauptaufgabe die Verbesserung des Weinbaues und Beförderung des Weinabsatzes war. Nach den von derselben in dieser Beziehung nach zuvor eingeholtem Gutachten der herzoglichen Rentkammer, des Kirchenraths und des Prälaten Sprenger, im Jahre 1787 gemachten Vorschlägen sollen:

a) Die Weingärtner durch Prämien und öffentliche Bekanntmachungen zu Verbesserungen aufgemuntert werden.

b) Damit keine schlechten Sorten bei neuen Anlagen verwendet und die Weinberge überhaupt zweckmäßig bestockt werden, sollen in jedem Ort 3 bis 4 rechtschaffene des Weinbaues verständige Männer aufgestellt werden, welche die Weinberge zu beaufsichtigen und besonders darnach zu sehen hätten, daß nur die für jedes Ort oder für jede Gegend für tauglich bezeichneten Rebsorten und keine andere angepflanzt werden.

c) Das Anlegen von Weinbergen in ungeeigneten Lagen solle nicht gestattet und auf die Ausrottung unpassender Weinberge durch Zuspruch hingewirkt werden.

d) Das Einpflanzen von Bäumen in die Weinberge solle untersagt und die Feldsteußler gestraft werden, wenn sie eine ordnungswidrige Baumpflanzung nachsehen.

e) Sollten Mittel und Wege ausfindig gemacht werden, wodurch die Weingärtner zur Erwerbung derjenigen Kenntnisse gelangen können, welche zur Ausführung eines verständigen Weinbaues erforderlich sind, wobei die Errichtung neuer Weingärtnerzünfte, die Austheilung besonderer Belehrungen über zweckmäßigen Weinbau an die Magistrate und Feldsteußler vorgeschlagen werden, damit diese dadurch auf die Weingärtner einwirken können. Ferner Aussetzung von außerordentlichen Belohnungen für die Feldsteußler, welche sich der Sache besonders annehmen.

f) Es sollen Rebschulen angelegt und an arme Weingärtner die Reben unentgeltlich abgegeben und

g) in jedem Orte Preise für diejenigen ausgesetzt werden, welche ihre Weinberge das ganze Jahr hindurch am besten bauen. (Acten des königl. Staatsarchivs.)

Zur Ausführung scheinen jedoch diese Vorschläge, so zweckmäßig sie auch waren, wahrscheinlich wegen der bald nachher ausgebrochenen französischen Revolutionskriege, nicht gekommen zu sein.

Diese Bestrebungen der württembergischen Regierung fanden auch bei andern benachbarten Regierungen Nacheiferung, indem namentlich in dem früheren Fürstenthume Hohenlohe-Ingelfingen durch eine Verordnung vom 23. März 1789 nicht nur auf die Anpflanzung guter und das Aushauen schlechter Rebsorten gedrungen, sondern auch denjenigen Weinbergbesitzern, welche sich durch Fleiß und Ordnung, sowie durch angebrachte Verbesserungen mittelst Anpflanzung vorzüglicher Sorten oder auf andere Weise in ihren Weinbergen auszeichnen, die Verleihung einer besondern Denkmünze in Aussicht gestellt wurde.

§. 67.

Auch zu Anfang dieses Jahrhunderts wurde unerachtet der Last fortwährender Kriege die Verbesserung des Weinbaues nicht aus den Augen verloren. Im Jahr 1810 sandte die Regierung Johannes Haußer, Feldmesser in Plochingen, der durch Reisen in die Rheingegenden seine Kenntnisse im Weinbau erweitert hatte, in die Weingegenden des Landes mit dem Auftrag, auf die Ausrottung schlechter Weinstöcke einzuwirken und ein Gutachten über die Hebung des Weinbaues abzugeben. In dem erstatteten Bericht bestätigt auch Haußer, daß vor mehr als 100 Jahren in Plochingen, wie im ganzen Lande, viele Clevner gepflanzt und in den 1760er Jahren ganze Weinberge mit Ruländerreben angelegt wurden, an deren Stelle später Welsche (Trollinger) getreten seien, die bei weitem nicht den guten Wein liefern, wofür ihn die Weingärtner ausgeben. Besonders hält er es für einen großen Fehler, daß Rebstöcke bei einander in einem Weinberge gepflanzt werden, die frühe, mittel und spät reifen. (Württembergische Jahrbücher 1850, II. Heft S. 171.)

Die Weinverbesserungsversuche der Privaten dauerten gleichfalls fort. In den ersten Jahren dieses Jahrhunderts ließ Apotheker Buttenmeister in Großbottwar in den Harzbergen einen Weinberg mit lauter Burgunderreben anlegen.

Doch erst nach eingetretenen Friedensjahren war es hauptsächlich der Regierung König Wilhelms vorbehalten, wie auf alle Zweige der Landwirthschaft, so namentlich auch auf die Hebung des Weinbaues wohlthätig einzuwirken. In einem Erlasse an das Finanzministerium vom 19. Dezember 1817 erklärte er ausdrücklich, daß er den indirekten Mitteln zur Verbesserung des Weinbaues (durch Aufmunterung und Beispiele) vor den direkten (Ge- und Verbote) den Vorzug gebe.

Die eigenen königlichen Weinberge zu Stetten, Untertürkheim, Mundelsheim und Freudenthal wurden zum Theil mit den edelsten Rebsorten, Rißling, Traminer und Clevner angelegt, was auch bei Privaten einen regen Eifer für Verbesserungen hervorrief und zu manchen neuen Anlagen mit edlen Rebsorten, wie z. B. diejenige des Bürgermeisters Weckherlin in Cannstadt mit Rißlingen in den sogenannten Zuckerlen, Veranlassung gab, wo, nachdem sie auch in andre Hände übergegangen ist, noch bis auf den heutigen Tag einer der vorzüglichsten Weine Württembergs produzirt wird.

Rechtsconsulent Christian Zeller in Heilbronn führte bei seinen auf dortiger und Weinsberger Markung liegenden Weinbergen die Rheingauer Erziehungsweise (gestreckte und niedrige) ein und ließ 1824 einen Morgen am Stiftberg mit Traminer, andere Weinberge aber mit Rißling und Clevner unvermischt bestocken.

Aehnliches geschah auch in dem Weinsberger Thale bei den Gutsherrschaften von Weiler zu Weiler, v. Uexküll und v. Hügel zu Eschenau, den Fürsten von Hohenlohe-Oehringen zu Verrenberg und an andern Orten. Diese einzelnen Versuche, unsern Weinbau zu heben und zu verbessern, würden übrigens wahrscheinlich zu keinem ausgebreiteten Resultate geführt haben, wenn nicht durch die in den Jahren 1824 und 1828 gebildeten patriotischen Vereine die

Weinverbesserungsgesellschaft und der Weinbauverein (§. 28) Millionen edler Reben unter die Weingärtner von Profession unentgeltlich, an andre Weinbergbesitzer aber gegen billigen Kostenersatz vertheilt und durch Anlegung von Musterweinbergen gezeigt worden wäre, wie solche zu erziehen sind.

Die Rebsorten, welche die beiden Vereine zu verbreiten suchten, bestehen hauptsächlich in dem blauen Aßmannshäuser Clevner, dem Traminer, dem kleinen Rißling und Krachgutedel vom Breisgau, welchen neuerer Zeit auch noch der weiße Burgunder und die blaue Limburgertraube angereiht wurde. Namentlich fand die Clevnerrebe, besonders wegen des raschen und guten Absatzes der Trauben an die im Lande entstandenen Fabriken moussirender Weine, eine große Verbreitung. Auch die Anpflanzung der Rißlingrebe ist in den bessern Weinbaugegenden wegen ihrer Dauerhaftigkeit und ihres fast nie fehlenden Ertrags, sowie wegen der vorzüglichen Qualität ihres Erzeugnisses im raschen Zunehmen begriffen, während die Traminerrebe, als sehr empfindlich und wenigen Ertrag gewährend, auch nicht in alle Lagen und Bodenarten tauglich, bis jetzt weniger verbreitet ist.

§. 68.

Das Bestreben zur Weinverbesserung drang auch in die Bodenseegegend, indem neuerlich dort gleichfalls einzelne Weinberge mit bessern Rebsorten, namentlich mit der dort schon einheimischen Clevnerrebe, sowie mit Ruländer und Traminer angepflanzt wurden.

Die Stadtbehörde zu Ravensburg suchte den Zweck der Weinverbesserungsgesellschaft dadurch zu unterstützen, daß sie sehr auf Einführung besserer Traubensorten drang und die Veranstaltung traf, daß diejenigen Rebbauer in dem Intelligenzblatt öffentlich genannt wurden, die sich die Veredlung des Weinbaues besonders angelegen sein ließen.

Namentlich sind es aber die Weinberganlagen Seiner Hoheit des Herrn Markgrafen von Baden zu Meersburg und andern Orten, welche mit edlen Rebsorten auf sehr vorzügliche Weise bestockt sind und sowohl dadurch als durch ihre Bewirthschaftungsweise als wahre Musteranlagen auf die Verbesserung des Weinbaues in der Bodenseegegend einwirken. Von Seiten der Regierung suchte man die Bestrebungen der Weinverbesserungsgesellschaft möglichst zu unterstützen und nachdem schon in einem Erlasse des Ministeriums des Innern vom 16. Oktober 1824 denjenigen Weinbergbesitzern, welche ihre Weinberge mit guten, edlen Rebsorten bestocken wollen, die unentgeltliche Abgabe solcher Rebsorten, die Bewilligung temporärer Zehentfreiheit, Befreiung vom Kelterbann ꝛc. ꝛc. zugesichert worden war, wurde durch Erlaß vom 23. Januar 1829 den Oberämtern und Ortsvorstehern empfohlen, die Weinbergbesitzer über die Vortheile einer bessern Bestockung der Weinberge und einer zweckmäßigen Weinbereitung zu verständigen und den Wünschen der Weinverbesserungsgesellschaft möglichst überall zu entsprechen.

Der Erlaß vom 13. März 1834 ordnete aber die Bildung von aus erfahrenen und thätigen Männern zusammengesetzten Lokal- und Bezirkscommissionen (das frühere Institut der Feldsteußler) an, welche als Mittelglieder zwischen der Weinverbesserungsgesellschaft und den Weinbergbesitzern dem Gange des Weinbaues und der Weinbereitung genau zu folgen, ihren Mitbürgern mit Rath und That an die Hand zu gehen, besonders auf richtige und zweckmäßige Verwendung der von der Weinverbesserungsgesellschaft abgegebenen edlen Rebsorten zu sehen und Aufsicht darüber zu führen haben, daß keine schlechten Rebsorten mehr angepflanzt werden. Zugleich wurde die Anlegung von Musterweinbergen und von Rebländern mit edlen Rebsorten sehr empfohlen.

5. Verbot der Anlegung von Weinbergen in ungeeigneten Lagen und der Anpflanzung von schlechten Sorten.

§. 69.

Mit der Zunahme und dem früheren Emporblühen des Weinbaues (§. 22) kam der Fall nicht selten vor, daß Weinberge entweder in allzugroßer Zahl oder an ungeeigneten Orten angelegt wurden, was beides theils wegen allzugroßer erzielter Quantität, theils wegen zu geringer Qualität dem Weinbau zum großen Nachtheil gereichte. Es war deßwegen ein stetes Bestreben der württembergischen Regierung, sowie der Behörden einzelner Städte, namentlich der früheren Reichsstädte, demselben entgegenzuwirken, zu welchem Behuf von Zeit zu Zeit verschiedene Anordnungen getroffen wurden, die aber leider selten von gehörigem Erfolg waren.

Schon nach einer wegen der damaligen Theuerung zwischen mehreren Herrschaften zu Eßlingen geschlossenen Uebereinkunft vom 17. April 1531 wurde bestimmt, daß, da aus vielen guten Aeckern und Baufeldern Wyngärten gemacht, zu merklichem Nachtheil und Abgang der Früchte und Verderbung des gemeinen armen Mannes, solle hinfüro kein fruchtbares Gut, Allmand 2c. zu Weingarten von neuem gericht werden, es beschehe denn mit der Ortsobrigkeit Erlaubniß und Zulassung.

Die General-Rescripte vom 11. Juni 1554 und 28. Juli 1565, sowie die Landesordnung von 1567 Tit. XXI. schreiben gleichfalls vor, daß kein Boden, der gut zu Aecker, Wiesen, Gärten oder zu Holzgewächsniß (Wald) tauge, zu Weingart angelegt werden solle,

8*

absonderlich an und gegen die Alp, weil allda zuversichtlich nit guter Wein erzogen, auch gar leichtlich und bald von Gefröst und anderem Schaden empfahen mag, alles bei einer Strafe von 10 fl. Nur Dornbüsche, Hecken und ungeschlachtete Wildniß, wenn sie zu sonst nichts, wohl aber zu Weingart taugen, können dazu, jedoch nur mit obrigkeitlicher Erlaubniß angelegt werden.

Diese Anordnungen wurden durch die Rescripte vom 11. Januar 1627, 23. November 1729 und 28. August 1737 wiederholt zur genauen Nachachtung eingeschärft. Daß übrigens die Weingärtner früher hie und da selbst zur Erkenntniß kamen, daß Weinberge in schlechten Lagen nichts taugen, beweist die Nachricht, daß zu Eßlingen schon 1611 die Weingärten auf dem Schulzwasen ausgestockt wurden, weil sie doch nicht viel Schatzes werth seien.

Solche einzelne Beispiele fanden jedoch keine allgemeine Nachahmung; es wurde daher durch das Genenalrescript vom 23. September 1751 unter Berufung auf die Landesordnung und der Rescripte vom 11. Januar 1627, 5. Dezember 1718, 11. Dezember 1722 weiter verordnet, daß, weil eine allzugroße Menge schlechter und niederer Weinberge neuerlich angelegt worden, künftig in den Gegenden, wo absolut schlechter Wein wachse, ohne herrschaftliche Erlaubniß kein Weinbau mehr gestattet, wegen der bereits angelegten schlechten Weinberge aber solle von den Beamten der ernstliche Bedacht genommen werden, daß solche wieder zum Fruchtbau, Wieswachs oder zu Waldungen gerichtet werden.

Von dem Rath der Reichsstadt Heilbronn wurde unterm 24. September 1754 eine Verordnung gegen die Anlegung neuer Weinberge in bisherigen Ackerfeldern erlassen, auch ist früher von den reichsstädtischen Behörden wegen des bedeutenden Weinhandels, der in den Reichsstädten getrieben wurde, nicht selten weit strenger auf einen sorgfältigen und zweckmäßigen Rebbau gesehen worden, als von der württembergischen Regierung. So hatte in Heilbronn der reichsstädtische Senat sehr darüber gewacht, daß weder in den Niederungen noch in der Waldregion des Keupersandsteins Weingärten angelegt wurden; als aber nach der Vereinigung mit Württemberg die K. Beamten darüber zu verfügen hatten, wurden viele Erbengerechtsame und Aecker mit Reben bepflanzt und im Jahr 1815 sogar oben am Wartberg ein Theil des Stadtwaldes ausgerodet und in dem dortigen magern Sandboden Reben angepflanzt.

In dem Rescript vom 23. April 1798 wurde wiederholt darüber geklagt, daß die Anzahl der Weinberge immer noch nicht in gehörigem Verhältniß mit dem übrigen Baufelde stehe, daher in jedem Orte die Weinberge von den Ortsvorstehern unter Zuziehung einiger Wein- und Feldbauverständigen begangen, die niedern, häufig dem Erfrieren ausgesetzten und zum Weinbau untauglichen Weinberge, welche zu anderen Culturen gerichtet werden können, verzeichnet und die Besitzer zur Ausrottung der Weinberge aufgefordert werden sollen.

Gleiche Anordnungen sind durch die Verfügung des Ministerium des Innern vom 26. Oktober 1852 (Reg.-Blatt Nr. 3) getroffen und wiederholt nicht nur die Anlegung von Verzeichnissen über die zu anderen Culturen tauglichen Weinberge verfügt, sondern auch bestimmt worden, daß jeder Weinbergbesitzer, welcher sein Rebenfeld einer anderen Cultur übergeben will, hievon der Gemeindebehörde eine Anzeige zu machen habe, damit die der Einführung der neuen Cultur (Baumgüter, Hopfenfelder) wegen Benachtheiligung der anstoßenden Grundstücke etwa entgegenstehenden Hindernisse beseitigt werden, und wobei nur zu bedauern ist, daß solchen Anordnungen selten der gehörige Nachdruck gegeben wird, so daß dieselben in den einzelnen Orten häufig gar nicht oder nur mit großer Nachläßigkeit in Anwendung kommen und daher bald wieder vergessen werden.

§. 70.

Große Sorgfalt verwendete man in älteren Zeiten darauf, daß keine schlechten Rebgattungen in den Weinbergen angepflanzt wurden. Besonders waren es die Heunische (Hunnentraube, daher noch in manchen Gegenden Hünsch §. 55), welche viele Aehnlichkeit mit dem Elbling haben, aber einen weit geringeren säuerlichen Wein geben, gegen deren Anpflanzung öfters Verbote erlassen wurden.

Schon in dem Heilbronner Beetbuche vom Jahr 1399 ist eine Rathsverordnung enthalten, nach der Niemand keinen hünischen Stock machen und nachlegen, oder keinen Sohn davon ziehen solle. (Correspondenzblatt von 1846, zweites Heft S. 145.)

In der Weingartordnung für die Grafschaft Hohenlohe-Langenburg vom 12. Dezember 1614 wurde der Anbau des hünischen Stocks bei 10 fl. Strafe verboten.

Auch der Wein aus hünischen Trauben wurde zu den geringsten gerechnet und war so zu sagen verpönt (§. 111).

Um nun solchen Verboten und Anordnungen Nachdruck zu geben, wurden in manchen Städten und Orten eigene Weingart- und Rebenbeschauer aufgestellt; so kommen in der Stadt Kirchheim schon 1406 Meister und Schower (Schauer) der Weingarten vor, die vom Gericht dazu erwählt sind. (Oberamtsbeschreibung von Kirchheim S. 125.)

Zu Eßlingen bestand von den ältesten Zeiten her eine sogenannte Stöckkießordnung, in der bestimmt war, daß, wer Weinstöcke verkaufen wolle, dies nur auf dem Markt thun dürfe, und mußte er sie zuerst von den hiezu aufgestellten Stöckkiesern (Schauer) gehörig kiesen lassen. Vor 12 Uhr Mittags durfte Niemand Reben oder junge Bäume aufkaufen und das hausiren damit war ganz verboten. Diese Stöckkießordnung wurde noch 1785 erneuert.

In Stuttgart waren ähnliche Einrichtungen getroffen; nach der „Ordnung der Rebstöcke halber" ward festgesetzt, daß jedes hundert zum Verkauf bestimmter Reben mit einem Wied oder Band versehen und allein auf dem Markt verkauft werden solle.

Gleiche Anordnungen bestanden auch zu Heilbronn, wo schon 1480 fünf Weingartbeseher und am 17. September 1616, 2. November 1743 und 15. Mai 1769 ein Schauamt für die zu Markt gebrachten Pfähle und Reben bestellt wurde.

In Ravensburg wurde nach dem Beschlusse des Raths vom 9. März 1543, nach dem Beispiel anderer Orte, gleichfalls eine Rebschau eingeführt, welche aus einem Ober- und vier Mitschauer bestand. Nach der im Jahr 1769 revidirten Rebbauordnung wurde das Setzen ungeschlachter Stöcke bei einer Strafe von 10 Kreuzer für jede Rebe verboten. Auch in Ulm hatte der Rath, so lange dort Weinbau getrieben wurde, eine eigene Weingartpflege aufgestellt.

Am 18. Mai 1791 beschloß der Magistrat der Stadt Stuttgart alljährlich im September eine Weingartvisitation vornehmen zu lassen, welche dafür zu sorgen habe, daß bei neuen Bestockungen der Weingärten bessere Rebsorten angepflanzt werden und wobei es hauptsächlich auf die Ausrottung der Putzscheeren und mindere Anpflanzung des Sylvaners abgesehen war.

§. 71.

Dieser Fürsorge unerachtet verbreiteten sich aber geringe, viel ertragende Traubengattungen immer mehr, so daß man sich öfters veranlaßt sah, allgemeine Verbote und besondere Landesverordnungen dagegen zu erlassen.

In einem Generalausschreiben vom 11. Dezember 1622 ist gesagt, daß, da an etlich Orten der Rebbau wenig in Acht genommen, und einem Jeden zugelassen werde, sein Feld zu bauen oder öde zu machen, auch ohne sondern Vortheil schlechten Samen zu gebrauchen, so solle solche Unordnung und dem Lande nachtheilige Vortheilhaftigkeit nicht geduldet, sondern mit allem Ernst abgeschafft werden.

Nach einem über den Weinhandel ergangenen Generalrescript vom 23. September 1751, Punkt 4, sowie nach spätern Rescripten von 1757, 6. October 1763, 15. October 1777 sollen wegen der seit einigen Jahren angepflanzten gar schlechten Gattung Stöck (in der Absicht bloß viel Wein davon zu bekommen), wie Tokayer, Ungarn, Putzscheere, Elender, Rothwelscher, Rauelbinen, Sauerhängling, deren Anpflanzung bei Strafe nicht mehr geduldet, sondern die jeden Orts verpflichteten Feldsteußler fleißig und ernstlich erinnert werden, daß die nichtsnutzigen Stöck ganz ausgeschätzt und den Eigenthümern der Weinberge begreiflich gemacht werde, allezeit auf die zu dem Boden ihrer Weinberge tauglichste und beste Qualität der Traubenstöcke sorgfältig acht zu haben. Aehnliche Anordnungen wurden in dem Herbstgeneralrescript vom 30. August 1783, sowie in dem Generalresctipt vom 18. Mai 1791 getroffen und dort namentlich auch vor der Anpflanzung der Sylvanerstöcke in allzu großer Ueberzahl gewarnt (§. 60).

Im Jahr 1810 erließ die Regierung wiederholt den Befehl, die Putzscheerenstöcke auszurotten und veranstaltete sogar eine genaue Zählung derselben, was zwar in den verschiedenen Theilen des Landes theils eine größere, theils geringere Anzahl solcher Stöcke zu Tage förderte, unerachtet der nachgefolgten mündlichen Belehrung durch ausgesendete Weinbauverständige (§. 67), aber auch nicht den gewünschten Erfolg gehabt hat, doch wurden durch die vielfach ergangenen Warnungen gegen die Anpflanzung schlechter Rebstöcke, sowie durch die Geringhaltigkeit des Products selbst in günstigen Weinjahren, die Weingärtner auf die Unzweckmäßgkeit des eingeführten Weinbaubetriebs immer mehr aufmerksam gemacht.

Der Erlaß des Ministeriums des Innern vom 13. März 1834 enthält Punkt 5 und 6, daß man auf eine zwangsweise Entfernung der schlechten Rebsorten zwar nicht eingehen wolle, weil nicht in allen Weinbergen edle Sorten mit Vortheil angepflanzt werden können und weil man nicht blos edle, sondern auch geringere und zugleich billige Weine zum gewöhnlichen Gebrauch nöthig habe, daß jedoch, wenn neuerlich ganz schlechte Sorten angepflanzt werden sollten, die Eigenthümer damit bedroht werden sollen, daß im Herbst zur Warnung der Weinkäufer öffentlich bekannt gemacht werde, daß sie Putzscheerenstöcke in ihren Weinbergen haben. Außerdem sollen die Namen derjenigen Weinbergbesitzer, welche ihre Weinberge mit lauter edlen Sorten bestockt haben, auf ihr Verlangen veröffentlicht und in einem Verzeichniß in der Kelter mit der Nummer der Bütte niedergelegt werden.

§. 72.

Auch auf die Entfernung der dem Weinbau schädlichen Bäume und sonstiger Gewächse aus den Weinbergen wurde in verschiedenen Verordnungen sehr gedrungen. In den Weinbergen der Stadt Eßlingen war schon von ältern Zeiten her das Grasen in den Furchen, das Abstreifen des Reblaubes, das Anpflanzen von Bäumen, Welschkorn, Kürbissen, Kraut, Rüben, Bohnen 2c. 2c. verboten.

In der Herbstordnung von 1607 §. 35 wird das Anpflanzen von Bäumen, Kraut oder Rüben in den theilbaren Weinbergen untersagt.

Die Generalrescripte vom 23. September 1718, 1. October

1744, 30. August 1783 verbieten wiederholt das Pflanzen von Türken, Bohnen und sonstigen Bau-Gewächsen in den Weinbergen, weil den Weinstöcken dadurch die Kraft entzogen und großer Schaden verursacht werde, auch wird in letzterem, sowie in dem Rescript vom 20. September 1726, vom 18. Juni 1829 die Entfernung der Bäume aus den Weinbergen wiederholt angeordnet (§. 71).

Ferner sollen nach der Bauordnung Kammerzen (Rebgelände), welche in Höfen oder Gärten an des Nachbars Haus oder Scheuern aufgezogen werden wollen, damit die Wandungen keinen Schaden nehmen, zwei Werkschuhe weit von des Nachbars Haus, Scheuer, Stallung, Zaun eingepflanzt, hinangezogen und angeheftet oder gesprießt, und Bandhecken 7 Schuh weit von einem Weingarten gesetzt werden.

IV. Bebauung und Schutz der Weinberge.

1. Eigenthumsverhältnisse der Weinberge, Art der Bebauung.

§. 73.

Die Weinberge, wie das übrige Grundeigenthum, gehörten ursprünglich dem Landesherrn und den adelichen Geschlechtern, welche sie durch ihre leibeigenen Leute unter Aufsicht von Hofmeyern, die gleichfalls zu den Leibeigenen gehörten, bauen ließen, wie denn schon das bayer'sche Gesetz von den Jahren 630—638 von den Arbeiten der Colonnen in den Weinbergen spricht (§. 29).

Bei den vielfachen Arbeiten in denselben, die mit besonderer Kunst und Wissenschaft vollzogen werden mußten, läßt es sich aber wohl denken, daß der Betrieb des Weinbaues schlecht und unordentlich war, daher frühe auch schon manche wüstliegende Weinberge vorkommen. Viele Grundeigenthümer zogen es daher nach und nach vor, die Weinberge ihren leibeigenen Leuten als Fall-, Erb- oder Zinsgut entweder gegen einen bestimmten Theil des Ertrags, der in dem 3ten, 4ten bis 20ten Theil bestehen konnte (§. 55), oder gegen Entrichtung fester jährlicher Weingülten zu überlassen, wobei hie und da noch besonders bestimmt wurde, wie oft der Weinberg gedüngt werden mußte. Schon die Wirthschaftsordnung Carl des Großen erwähnt der Abgaben aus den Weinbergen. Besonders durch die öftere Veräußerung vieler Güter sowie durch die Vergebung von

Weinbergen an die Geistlichkeit, Stifter und Klöster (§. 9) kamen dieselben häufig in fremde Hände, so daß dem Besitzer, der oft weit entfernt davon wohnte und sie daher nicht unter seiner Aufsicht bauen lassen konnte, nichts anderes übrig blieb, als dieselben gegen Entrichtung bestimmter Abgaben erbweise zu verleihen. Ebenso wurde zur Beförderung des Weinbaues den leibeigenen Leuten nicht selten ganze öde Berge oder Halden zum Umbruch und zur Anlegung von Weinbergen überlassen (§. 19) und denselben ähnliche Abgaben (Theil-, Erb-, Zinswein) anbedungen, wie bei der erbweisen Ueberlassung älterer Weinberge.

Durch die Vertheilung des Bodens, wozu im zwölften und dreizehnten Jahrhundert die Kreuzzüge, die Errichtung von freien Städten und das dort erblühte freie Bürgerthum Veranlassung gaben, trat auch eine wesentliche Veränderung der Eigenthumsverhältnisse der liegenden Güter ein; es bildeten sich neue Classen von Landbauern, die zwar noch in gewissen Verhältnissen zu dem frühern Grundherrn standen, aber Grundeigenthümer waren und an den ersteren nur noch gewisse Dienste (Frohnen) und Abgaben zu leisten hatten. Darnach wurden die Güter eingetheilt:

a) in Reichsgut oder Gut des Landesherrn,

b) in Herren (adeliches) Gut und bei beiden wurde hinsichtlich der Bebauung unterschieden

aa) zwischen solchen Gütern, die durch leibeigene Leute und

bb) zwischen solchen, die durch Dienstleute bebaut wurden.

c) In Fall-, Erb- und in Zinsgüter, die von dem Eigenthümer an Dienst- oder freie Leute gegen bestimmte Abgaben verliehen wurden, und

d) in freie bürgerliche Güter.

Insbesondere in Württemberg gieng schon in den frühesten Zeiten ein großer Theil der herrschaftlichen und adelichen Güter und namentlich die Weinberge in bürgerliche Hände über, wie die vielen Klagen der Landleute in den Fehden der Grafen und Herzoge beweisen, daß ihnen vom Feinde die Reben abgeschnitten und die Weinberge verwüstet worden seien. (§. 20 und 22.)

In den Reichsstädten Heilbronn, Eßlingen, Reutlingen, Ravensburg besaßen die ersten Familien (Geschlechter), die in der Regel auch Weinhandel trieben, viele Weinberge in den besten Lagen, die sie durch eigene Weingartbauern um den Lohn bauen ließen und in denen besonders edle Weine erzeugt wurden.

In andern Gegenden wurde zwar der Bau der herrschaftlichen Weinberge durch Frohn- oder Hofarbeiter gegen Abgabe von Speise und Getränk noch beibehalten; sie wurden aber häufig um die Weinberge angesiedelt und erhielten nicht selten einige Weinberge zum erblichen Besitz unter der Bedingung, daß sie und ihre Nachkommen den übrigen herrschaftlichen Weinbergen vorzustehen und für deren gute

Bebauung zu sorgen haben. Diese Einrichtung hatte die Folge, daß die Weinberge weniger als in andern Gegenden vertheilt wurden und daß bis auf die neuesten Zeiten, wie z. B. in Sachsen, die Wohnungen der Weingärtner sich häufig noch am Fuße der Weingebirge befinden.

Auch in Baden, in der Ortenau bei Offenburg, kamen solche Rebgüter vor, die man Rebhöfe, am Rhein und an der Mosel Winzereien nannte, und die nur in Reben und einigen Wiesen bestanden, damit der Rebmann neben Weinbau, behufs der Düngung der Weinberge, auch noch Viehzucht treiben konnte. (Mone, Zeitschrift III. Band Seite 264.)

Hie und da mußten die Dienstleute sogar den Dünger und die Pfähle für die Weinberge anschaffen, die Umzäunungen unterhalten rc., auch konnte denselben bei schlechter Bebauung der Weinberge die erblich verliehenen wieder abgenommen und andern gegeben werden.

Im Jahr 1350 übertrug der Propst von Ravensburg einem Manne und seinen Erben einen Weingarten zu Erbpacht unter der Bedingung, daß sie denselben in den ersten 4 Jahren wohl roden und alle 8 Jahre auf ihre Kosten tüchtig misten und das Drittel des Weins jährlich abgeben. Wenn sie nicht roden und misten, so kann ihnen der Probst den Weingarten nehmen und einem Andern leihen; wenn sie aber das Drittel nicht abführen, so hält ihnen der Probst den Ertrag in folgendem Jahre zurück, bis sie das gebessern; sie dürfen auch nicht die Lese anfangen, als in Gegenwart des vom Probst geschickten Botens. (Württembergische Jahrbücher 1850, II. Heft S. 39.)

§. 74.

Die ersten Anordnungen über den Bau der Weinberge finden wir in der Wirthschaftsordnung Carl des Großen (§. 14), indem in derselben Punkt 8 befohlen wird, „daß unsere Beamten unsere Weinberge, die in ihrem Sprengel liegen, übernehmen und gut besorgen und den Wein in gute Gefässe fassen und genau nachsehen sollen, daß er auf keine Art Schaden leide. Für die von den leibeigenen Leuten zu verrichtenden Arbeiten (Frohnarbeiten) waren nicht selten besondere Wochentage bestimmt. So mußten an einem Orte die Besitzer von 9 Mansus in den Weinbergen vom 1. Februar bis Martini jede Woche 2 Tage, Montags und Dienstags, arbeiten, wofür sie gespeist wurden mit einem Brei von herrschaftlichem Mehl. Ueber die Art des Bebauens der Weinberge finden sich in den ältesten Urkunden nur wenige Spuren; die Rheingrafen besaßen einen Weingarten, bei dem vorgeschrieben war, daß in der Mitte des Aprils die Stöcke geschnitten, aufgerichtet, zu Johannis gepfählt und umgraben (gehackt) sein müssen, widrigenfalls wurden die, welche es unterließen, gestraft.

Nach dem Uebergange des größern Theils der Weinberge in bürgerliche Hände und nach der Ausbildung eines eigenen Weingärtnerstandes, der theils eigene Weinberge besaß, theils die in den Händen sonstiger Privatpersonen befindlichen Weinberge um den Lohn baute, konnten aber die verschiedenen Arbeiten in denselben nicht dem Gutdünken jedes einzelnen Arbeiters überlassen werden, sondern es war Bedürfniß, daß genau bestimmt wurde, wie und wann dieselben verrichtet werden sollen. So entstanden namentlich in den größern Städten einzelne Weingartordnungen, die dann auch für das Land maßgebend waren und später durch herrschaftliche Rescripte ergänzt und bestätigt wurden.

Die erste bekannte Weingartordnung war diejenige der Stadt Heilbronn vom Jahr 1490, in der über den Bau der Weinberge vorgeschrieben wurde:

a) Das erste Felgen und Biegen der Ruthen solle vor dem Sct. Urbanstag (25. Mai) geschehen.
b) Die auf den Bergen liegenden Weinberge sollen vor Sct. Veit (15. Juni), die übrigen vor Sct. Johannes (24. Juni) gebunden und gepfählt werden.
c) Die andere Felge und das übrige Ausrüsten der Weinberge solle vor Jakobi (25. Juli) geschehen.
d) Kein Lehenweinberg solle ohne Bewilligung des Lehenherrn ungetrochen bleiben.

Das Lagerbuch des Klosters Kaisersheim von 1534 enthält über die Bebauung der Burgweingarten zu Eßlingen:

a) Weil die Burg hoch und warm liegt, soll man nicht beziehen oder decken, damit man es auf starke Schenkel richte und bringe, weil es dann viel Trauben gibt. Denn mit dem Decken und Bodenziehen verderbt man die Stöcke und die Augen.
b) Soll man unten am Schenkel 2 Bogen ziehen und daneben 1 oder 2 Ruthen.
c) Wenn man bei 1 oder 2 Schenkel etliche junge Reben findet die soll man bei den alten Schenkeln aufziehen.
d) Man solle Aufsehen haben, daß man in den Weingärten bei trockener und nicht bei nasser Witterung baue und arbeite.
e) Wenn man einen Weinberg feist halten und mit Mist düngen will, das soll und muß um Pfingsten geschehen.
f) So man eine hübsche Cammerz haben will, dazu soll man nehmen Elbinnestöcke, denn sie sind sehr gut und geben starke Schenkel; Muskatellerstöcke mag man darunter ziehen und ist große Acht zu geben, daß man's unten feist (düngend) halte und wohl verwahre, das gibt guten Nachdruck in die Höhe.

Im Jahr 1543 erließ die Reichsstadt Ravensburg die erste Rebbauordnung, in der neben einer Rebschau (§. 70) das Verhältniß zwischen Bauherrn und den Weingartbauern festgesetzt und verordnet wurde:

Wenn ein Baumann dem Lohnherrn um Halb- oder Kübelbau oder um Dingwerk (Miethlohn) Reben schneiden wolle, so solle er dieses zu guter trockener Zeit und nicht bei Regen, Schnee oder Hagel thun. Ebenso solle das Stoßen zu guter Zeit und auf des Lohnherrn Begehr beschaut werden. Es sollen auch die Bauleute um Halb- oder Kübelbau im April graben, die Maienfalg im Mai oder 8 Tage hernach, die Augustfalg im August oder 8 Tage hernach fortwährend bestehen; das Frauenwerk, als Binden, Erbrechen, Heften solle bei gutem, trockenem Wetter vorgenommen werden, damit die Schau auf des Lohnherrn Anrufen damit zufrieden sei.

Auch in andern Gegenden des Bodensees, wie z. B. nach der Meersburger Weinbergordnung von 1536, wurden die Weinberge in der Regel um den halben Theil des Ertrags gebaut, wobei der Baumann Alles, auch Dünger und Pfähle (Stecken) auf seine Kosten anschaffen mußte.

Die einzelnen Arbeiten bestanden in Lösen, Raiten, Ausziehen, Spitzen, Graben, Stechen, Schneiden, Stoßen, Einlegen, Binden, Graben, Maienfalgen, Erbrechen, Heften, Ueberheften, Jetten, Augustfalgen, Lesen (Wimmeln), Traubeneinführen, Drucken, (Keltern), Stecken (Pfähle) aufräumen.

Neuerlich hat der Bau um den halben Ertrag größtentheils aufgehört.

§. 75.

In Stuttgart erhielten die Weingärtner die erste Ordnung am 22. Juli 1578, die den 6. October 1644 erneuert wurde.

In Eßlingen solle eine Weingartordnung vom Jahr 1598 bestanden haben und später vom Jahr 1622. In diesen Weingärtnerordnungen und namentlich in derjenigen von Stuttgart vom Jahr 1644 wurden Vorschriften über die Ausführung der einzelnen Arbeiten, über die Zeit der Vornahme derselben 2c. 2c. ertheilt und Strafen für die nicht rechtzeitige Ausführnng oder sonstigen Vernachläßigungen festgesetzt.

Mit derselben stimmt auch diejenige vom Jahr 1744 im Wesentlichen überein, auch scheinen dieselben als von herzoglicher Regierung confirmirt, auch für das übrige Land maßgebend gewesen zu sein; außerdem wurden dieselben durch spätere Verordnungen ergänzt, namentlich vom 16. Dezember 1710, nach welcher die Bauleute von den Rebstöcken nicht die schönsten Ruthen und Bodenhölzer abschneiden sollen, um Schnittlinge zu jungen Stöcken zu eigenem Gebrauche oder zum Verkaufe daraus zu machen.

Nach der Verordnung vom 27. Februar 1796 wurden die

Weingartbesitzer erinnert, die erfroren scheinenden Reben im Frühjahr nicht unvorsichtig abzuschneiden, sondern jeder Ruthe einige Augen zuzugeben, weil sich die Reben vielleicht bei anderer Witterung wieder erholen können.

Die schon oben erwähnten Weinbauordnungen für einen Theil der frühern hohenloh'schen Lande im Kocher-, Ohr- und Michelbachthale von 1614—1617 (§. 23) zeichnen sich besonders dadurch aus, daß sie auch Vorschriften über die Erziehung der Rebe enthalten.

Nach denselben sollen in Neugereuthen die Stöcke in den ersten Jahren kurz gehalten werden, damit sie im Boden mehr erstarken, zu welchem Behuf man in den ersten drei Jahren zu Frühlingszeiten, wann der Mond klein ist, aufräumt, das Gewächs abwirft, damit der Stock einen feinen, gesunden Kopf gewinnt, und nur, wenn der Weinberg faist ist, läßt man im dritten oder vierten Jahre eine Ruthe schießen, die dann verzwickt, oder, wenn man Gräßling machen will, eingelegt wird. Im fünften oder sechsten Jahre solle dem Stock ein, höchstens zwei Bogreben gegeben und das Uebrige verzwickt werden, damit wieder jung Holz heranwachse, auch die Eberzähne ausgebrochen werden. Im sechsten oder siebenten Jahre, wenn der Stock zuvor erstarkt ist, und einen ziemlichen Kopf bekommen, sollen demselben drei Bogen und nach der Gestalt der Sachen auch ein oder zwei Schnitt gegeben und der Weinberg alsdann wie ein alter gebaut und behandelt werden.

In alten Weinbergen sollen um Lätare oder Gertrauden die getrochenen Reben aufgezogen, aufgeräumt und womöglich im zunehmenden Mond, in guten Zeichen und nicht im Krebs oder Scorpion geschnitten werden, weil die Stöck leicht Schaden nehmen können, wobei man einem gesunden Stock 2, auch 3 Ruthen und 2 Schnitt giebt, wenn ein alter Stock aber kein Holz mehr zu Ziehung von Ruthen hat, 4 oder auch 5 Schnitt.

In dem Amt Ingelfingen (Kocherthal) war das Fechsermachen (Einlegen von Reben in tragbaren Weinbergen) bei 10 fl. Strafe verboten, weil mit überflüssigem Einlegen von Fechsern und Gräßling die Weinberge verdorben werden, es wäre denn, daß Einer seine Weinberge gar aushauen und wieder von neuem anlegen wollte. Auch war das Verkaufen von Stöcken an fremde Orte und das Einlegen der Reben von schlechten Stöcken (Heunisch) gleichfalls bei Strafe untersagt.

Nach dem Herbst wurden die Pfähle ausgezogen, Pfahlhaufen gemacht und um Simonis Juda (28. Oktober) getrochen oder gedeckt, während des Winters aber und bis zum Frühjahr Erde in die Weinberge getragen, auch die Düngung ausgeführt, in die Weinberge geschafft, und in der Hacket bei abnehmendem Mond untergeschafft.

Als Nebennutzung wurden hauptsächlich Rüben in den Weinbergen gebaut, weil viele arme Bürger, welche keine Aecker besaßen, ihrer Nahrung halber die Rüben nicht entrathen konnten. Dagegen wurde Kraut selten angepflanzt, auch war die Anpflanzung desselben theilweise verboten. (Oehringer Archivalakten.)

§. 76.

Nach diesen Ordnungen bestanden die hauptsächlichsten Weinbauarbeiten in dem Rebenaufziehen, Schneiden, Hacken, Biegen, Pfählen, Binden, erstes Felgen, Verbrechen (Zwicken), zweites Felgen, Heften, Verhauen, drittes Felgen, Ueberhauen, Auftrennen, Pfähle ausziehen, Bedecken (trechen), und da dieselben mit der gegenwärtig eingeführten Bearbeitung unserer Weinberge vollkommen übereinstimmen, so dürfen wir um so mehr annehmen, daß der Bau unserer Weinberge schon seit Jahrhunderten der gleiche geblieben ist, als in andern deutschen Ländern, wie z. B. in Sachsen nach der churfürstlichen Weingebirgsordnung vom 23. April 1588, ähnliche Weinbauarbeiten bestehen. (Kurze Beschreibung des sächsischen Weinbaues von 1711. S. 55.)

Doch scheint in Württemberg auch der zeilenweise Bau der Weinberge, wie gegenwärtig im Rheingau, nicht unbekannt gewesen zu sein, da die nach Sachsen berufenen württembergischen Winzer (§. 58) dort den württembergischen Bau in Zeilen lehren sollten.

Bloß das Bedecken oder Beziehen der Weinberge vor dem Winter scheint nicht so allgemein wie gegenwärtig eingeführt gewesen zu sein, indem sonst in den ältern Witterungsbeobachtungen (§. 107) nicht hie und da von dem gänzlichen Erfrieren der Reben während des Winters, so daß dieselben vom Kopfe weggeschnitten werden mußten, die Rede sein könnte; auch deutet der Umstand darauf hin, daß unter dem gewöhnlichen Bauaccord der Lohn für das Beziehen (als nicht überall üblich) nicht begriffen war (§. 77). Die obgedachte sächsische Weingebirgsordnung schreibt gleichfalls vor, daß die obern Weinberge ungedeckt bleiben sollen.

1432 erließen die Grafen Ludwig und Ulrich denen von Schorndorf die Steuer auf sechs Jahre, weil ihnen des vergangenen harten Winters wegen ihre Weinberge gar übel erfroren und sie großen Schaden genommen. (Schorndorf und seine Umgebung von Rösch 1815. S. 78.)

Von 1600 wird gemeldet, daß Berg und Thal übel erfroren, weil gar wenig bezogen gewesen. Nach dem kalten Winter von 1788 auf 1789 erließ der Rath in Heilbronn eine eigene Belehrung an die Weingärtner über das Bedecken der Weinberge ergehen.*)

*) Uebrigens verstanden schon zur Zeit des Kaisers Constantin (324 bis 337) die Einwohner von Paris die Weinstöcke durch die Bedeckung mit Strohmatten gegen die Winterkälte zu schützen. (Volz. S. 124—125.)

In Weinsberg blieben die Weinberge früher in den obern Geländen häufig ungedeckt, erst seit den strengen Wintern von 1827 und 1830 ist das Bedecken allgemein eingeführt, und auf der Markung Stuttgart werden gegenwärtig noch die meisten Weinberge nicht gedeckt. Schon in der Mitte des vorigen Jahrhunderts wird übrigens von einzelnen Schriftstellern das Bedecken der Weinberge empfohlen und die Behauptung bestritten, daß unbedeckte Weinberge, besonders gegen Frühjahrsfröste, ausdauernder seien als diejenigen, welche bedeckt wären.

2. Weinbautaxen.

§. 77.

Der Bau der Weinberge erfolgte bei herrschaftlichen Weinbergen, wie schon erwähnt (§. 73), häufig in der Frohne, wofür in der Regel ein Frohnaz, bestehend in Brod und Wein und hie und da auch in warmer Speise, gegeben wurde. Da jedoch durch die Frohnarbeiten die Geschäfte häufig schlecht besorgt wurden, so ging man schon frühzeitig von dieser Bearbeitungsweise ab und ließ die Weinberge durch bezahlte Arbeiter bauen. Bloß das Lesen der Trauben wurde in einzelnen herrschaftlichen Weinbergen noch bis in die neuesten Zeiten durch Frohnarbeiter besorgt.

Der Bau der bürgerlichen Weinberge, insoweit denselben die Eigenthümer nicht selbst besorgten, geschah theils um einen bestimmten Theil des Ertrags, wie noch gegenwärtig hie und da in der Umgegend von Ravensburg, theils im Accord, theils im Taglohn, daher dieselben in Theil- und Lohnweinberge eingetheilt wurden.

Die Weinberge des Klosters St. Gallen in dem Rheinthale und am Bodensee wurden um die Hälfte oder ein Drittel des Ertrags von den dortigen Bewohnern gebaut. (Arx, II. Th. S. 628.)

Für die Arbeiten im Einzelnen, sowie im Ganzen bestanden obrigkeitliche Taxen, die in den verschiedenen Zeitperioden betrugen:

a) Taglohn.

Nach einer Handschrift im Staatsarchiv vom Jahr 1425 war der Lohn der Weingärtner festgesetzt:

Im Sommer:

Einem Knecht, der gut ist zu der Howen, des Tags 32 Heller und kain kost noch win, oder aber 2 Pfd. Heller und kost ohne win.

Einem guten Knecht zu Hantwerk 2 Pfd. und kain kost oder aber 16 Heller und kost ohne win.

Einem Knaben, der gut ist zum Hantwerk, 18 Heller und kain kost oder ain Pfund und kost ohne win, und ainer Frowen och also.

Im Winter:

Einem Kecht, der gut ist zur Howen, des Tags 2 Pfd. und kain kost oder 16 Heller und kost ohne win.

Einem räter oder stüffer 18 Heller und kain kost oder ain Pfd. und kost ohne win. Pfel uß ziehen, mist tragen, desselben gleichen.

Einer Frowen uff zu ziehen oder reben lesen, 1 Pfd. und kain kost.

Einem Buttenträger in dem Herbst 2 Pfd., 6 truben und kost.

Einem Tretter 1 Pfd., 6 truben und kost.

Einem Leser 6 Heller, 6 truben und kost.*)

Nach Satzungen der Stadt Stuttgart wurden für Geschäfte in den Weinbergen bezahlt:

Von Petri Stuhlfeier (22. Februar) bis Gallus (16. Oktober).	1400	1495	1855	1867
Einem Gesellen mit der Haue .	16 Pfg.	16 Pfg.	48 kr.	1 fl. 12 kr.
(11 Pfennige für einen Batzen.)				
Für das Handwerk ohne Haue	1 Schill.	12 „	44 „	1 fl. —
Einem Knaben oder Frau . .	9 Pfg.			
Von Gallus bis Petri Stuhlfeier				
Für einen Gesellen	2 Schill.	} 12 „	40 „	1 fl. —
Für das Handwerk	9 Pfg.			
Einer Frau	1 Schill.			
Einem Knaben	8 Pfg.			

Zu Heilbronn:		1611	1699	1765	1800	1856		1867
		kr.	kr.	kr.	kr.	kr.		kr.
Zu Trechen	} nebst 2 Schoppen Wein.	16	15	—	26	36		46
Erde zu tragen		16	18	18	24	36		46
Stöcke zu setzen		20	—	20	26	40	} 1 Maas Getränke.	48
Dem Leser		15	—	—	14	20	und Essen.	28
Beim Buttentragen .		20	—	—	18	28—30	dto.	36
„ Treten . . .		18	—	—	16	24	dto.	30

*) Das Verhältniß der Heller zum Pfund ist nicht angegeben, es scheint aber, daß hier Münzen verstanden werden, welche durchaus keinen Feingehalt (Silbergehalt) hatten, sonst hätten hier nicht 12—15 Heller auf ein Pfund gehen können. Nach der württembergischen Münz- und Medaillenkunde von Binder 1846 S. 34 giengen nach der zwischen Württemberg und mehreren Reichsstädten 1423 getroffenen Münzübereinkunft 26 Schilling-Heller oder 13 Schilling-Pfennig auf 1 Gulden, 1 Pfennig hatte 2 Heller und auf 1 Loth giengen $41\frac{1}{2}$ Pfennige bei 8 Loth Feingehalt per Mark, und $43\frac{1}{2}$ Heller bei 4 Loth Feingehalt.

Zu Ravensburg:
Im vierzehnten Jahrhundert

a) von der Zeit als man aus den Torkeln geht bis an Lichtmeß:
Einem Gruber, einem Grubenwerfer, einem Spitzer, einem Schneider, einem Grabenauswerfer 8 Pfennige,
Einem Dünger . . . . 6 „

b) Von Lichtmeß bis an Herbst, da man wimmelt:
Einem Schneider und Spitzer . . . . . . 9 „
Einem Dünger und Graber . . . . . . 6 „
Einem Stoßer (Rebensetzer) . . . . . . 8 „
Einem Binder . . . . 9 „
Einem Leger . . . . 6 „
Vom Erbrechen und Aufbinden . . . . 9 „
Einem Falger . . . . 11 „
Für die erste Falg und Augustfalg . . . 1 Schilling,
und soll Niemand etwas zu essen geben bei Straf für jeden Theil. (Eben, I. Theil S. 460.)

Neuerlich besteht der Taglohn ohne Trunk, Brod und Kost in 40—48 kr. pr. Tag. 1867 1 fl. 12 kr., 1 Sch. Wein und 2 kr. Brod.

b) Einzelne Weinbauarbeiten für den Morgen.

Zu Stuttgart:	1495	1788	1795	1816	1841	1855	1867
	Pfg.	fl. kr.	fl. kr.	fl. kr.	fl. kr.	fl. kr.	fl. kr.
Pfähle anziehen	—	1 8	1 32	1 34	2 17	2 35	3 30
Aus- rüsten (Im Spätjahr vor dem Beziehen d. h. Stöcke ausschneiden bis auf das Tragholz.)	—	1 4	1 19	1 30	1 43	1 43	2 12
Schneiden (bloß das Tragholz.) (Wenn nicht ausgerüstet wird, fürs Scheiden allein, was fürs Ausrüsten und Schneiden gegeben wird.)	12	58	1 6	1 34	1 39	1 47	2 48
Biegen	—	—	—	—	—	—	2 —
Hacken	16	2 22	2 55	3 52	4 28	4 45	7 —
Pfählen und Binden (Binden 12 Pf.)	16	2 12	2 48	3 12	4 22	4 38	5 36
Erstes Felgen	—	1 8	1 57	2 44	2 40	2 46	3 —
Verbrechen (Zwicken)	16	1 —	1 9	1 30	1 32	1 48	3 18
Erstes Heften	12	1 30	1 42	2 12	2 45	3 30	5 —
Zweites Felgen	—	1 28	1 58	2 52	2 40	3 24	3 —
Zweites Heften	—	38	52	1 48	1 4	2 4	2 —
Drittes Felgen	—	32	42	1 2	1 3	1 24	2 36
Beziehen	Gewöhnlich im Taglohn.						
	—	14 —	18 —	23 50	26 13	30 24	42 —
Für Band (Weiden und Stroh)						1 30	5 —

Zu Heilbronn:	1655	1740	1840	1843	1855	1867
	fl. kr.	fl. kr.	fl. kr.	fl. kr.	fl. kr.	fl. kr.
Pfähle ausziehen . . .	30	34	48	48	1 —	1 30
Pfähle auszuspitzen . .	24	20	52	1 —	1 —	1 30
Zu Schneiden	1 30	1 52	2 40	3 —	3 —	3 15
Stöcke aufzuräumen . .	—	—	56	1 —	1 24	1 48
Ruthen zu biegen . . .	40	36	48	48	1 12	1 45
Zu Hacken nebst 5 Ms. Wein	2 —	2 44	2 48	3 40	3 —	3 18
Zu Pfählen	32	40	2 —	2 20	2 —	2 48
Anzumachen (Anbinden) .	30	36	1 —	48	1 24	1 48
Raufelgen	36	40	1 48	1 48	2 —	2 12
Zwicken u. Binden (1s Heften)	2 —	2 22	2 50	3 20	3 —	3 24
Das zweite Felgen . .	48	1 16	2 —	1 28	2 —	2 24
Zweites Heften . . .	30	20	1 30	2 —	2 —	2 48
	10 fl.	12 fl.	20 fl.	22 fl.	23 fl.	28 30
Zu Trechen (beziehen) .	1 20	—	1 52	1 48	2 —	2 24

Außer dieser Belohnung hat der Eigenthümer Weiden und Stroh auf seine Kosten anzuschaffen und dem Weingartsbauer noch weiter zu bezahlen:

1855.

Für das Aufziehen . . . . 12 kr.
Für Hackfleisch . . . . 12 kr.
An Hackwein . . . . 6 Maas.
Für das dritte Felgen, wenn es nöthig ist, 1 fl. 30 kr. — 2 fl. 42 kr.
Für Kleinigkeiten (kleinere Arbeiten) 1 fl.

c) Arbeiten im Accord.

Einen Morgen Weinberg über den Sommer zu bauen, ohne das Beziehen (trechen).

Zu Eßlingen:

Nach der Weingartbauordnung von 1598 zahlte man
für 1 Morgen . 12 Pfd. Heller à 43 kr. = 8 fl. 36 kr.

Ausgehauene Rebstöcke und altes Pfahlholz blieb dem Bauherrn, das gewöhnliche Rebholz und Laub (beim Schneiden, Zwicken und Ueberhauen) durfte aber der Weingärtner für sich verwenden oder 2 Pfd. Heller weiter Bauerlohn anrechnen: 14 Pfd. = 10 fl. 2 kr. Später wurden 10—14 fl. bezahlt, wenn aber der Eigenthümer Laub und Holz für sich behielt, 2 fl. weiter.

Ferner	zu Stuttgart:	zu Heilbronn:
1495	4 fl. 54 kr. . . .	— fl.
1612	— fl. — kr. . . .	10 fl.
1700	11 fl. — kr. . . .	10—12 fl.
1750	12 fl. — kr. . . .	12 fl.

(1780 13 fl., 1790 15 fl.)

Ferner	zu Stuttgart:	zu Heilbronn:
1800 . .	. 20 fl. — kr. . . .	15 fl.
1830 . .	. 24 fl. 22 kr. . . .	16 fl.
1840 . .	26 fl. 30 kr. . . .	20 fl.
1850 . .	28 fl. 16 kr. . . .	— fl.
1855 . .	30 fl. 24 kr. . . .	22 fl.
1867 . .	42 fl. — kr. . . .	28 fl.

Für's Trechen 2 fl. bis 2 fl. 24 kr.

In Ravensburg wurden 1855 wegen der engen Bestockung 40—50 fl. per Morgen bezahlt. 1867 70 fl.

In den kleineren Städten, sowie auf dem Lande waren die Taglöhne und Weinbautaxen gewöhnlich etwas geringer.

Hinsichtlich der letzteren schreibt die Stuttgarter Weingärtnerordnung vom 30. August 1641 vor:

a) Für die Taglöhner und diejenigen, welche die Weingärten im Verding (Taglohn) bearbeiten, solle alljährlich eine Taxe gemacht werden, es solle übrigens keine Arbeit, die in dem ordentlichen Bauerlohn begriffen, im Verding geschehen, bei einer Strafe von 10 fl. für den Geber und Nehmer.

b) Jeder Weingärtner solle sich mit dem festgesetzten Taglohn begnügen, und nicht mehr als dieser beträgt, fordern, bei einer Strafe von 30 kr. für jeden Tag.

c) Der Bauerlohn soll jährlich zweimal und zwar zwischen Galli (16. Oktober) und Georgii (23. April) und zwischen Georgii und Bartholomä (24. August) regulirt, dabei auf theure oder wohlfeile Zeiten gesehen und alles so festgesetzt werden, daß sich kein Baumann darüber beschweren kann.

d) Ueberschreitungen des festgesetzten Bauerlohns werden mit einer herrschaftlichen Strafe von 3 fl. 15 kr. belegt.

e) Der Bezieherlohn ist unter dem ordentlichen Bauerlohn nicht begriffen, sondern muß besonders festgesetzt werden.

f) Außer dem regulirten Bau- und Taglohn darf kein Baumann oder Taglöhner einen Trunk von dem Bauherrn fordern bei Strafe von 1 fl.

3. Aufsicht und Schutz der Weinberge.

§. 78.

Schon nach den ältesten Gesetzen wurden die Weinberge unter den Schutz derselben gestellt. Nach dem salischen Gesetz von Chlodowig im Jahr 480 verfaßt, wurde die Entwendung eines Weinstocks mit 10—15 Schillingen bestraft. (§. 7.)

Die burgundischen und longobardischen Gesetze vom sechsten und siebenten Jahrhundert enthalten verschiedene Verordnungen gegen

9*

das Dieben in den Weinbergen, doch war es nach letzterem erlaubt, aus jedem Weinberge drei Trauben ungestraft abbrechen und essen zu dürfen. (§. 12.)

In Reutlingen war in der ältesten Weinberghutordnung verordnet: „So eine Frau, so großen Leibes oder schwanger wäre, vor einen Weingarten gienge und einen Trauben abschnitte, und der Hüther es gewahr würde, so solle er mit Räuspeln etwas merken lassen und soll sie nit mit rauhen oder harten Worten anfahren oder sie heftig erschrecken, sondern so er sähe, daß sie ob ihm sich entsetze, sie mit freundlichen Worten warnen, auch so sie noch keinen Trauben hätte, er selber einen brechen, ihr geben und sie damit hinschicken." Auch am Bühlersee in der Schweiz durfte nach der Vorschrift über die Huth der Reben ein vorübergehender Fremder Trauben essen so viel er wollte, aber keinen in den Sack stecken.

Unter den Hohenstaufen, welche den Wein- und Obstbau durch strenge Gesetze schützten, stand nach dem Landfrieden von 1187 auf dem Zerstören von Weinbergen und Obstgärten Acht, Bann und Strafe wie auf der Brandstiftung.

Die württembergische Landesordnung von den Jahren 1567 und 1621 S. 208 schreibt vor, daß diejenigen, welche Weinstöcke, Pfähle und Trauben entwenden, strenge gestraft werden sollen, und die Herbstordnung von 1607 §. 45 verordnet hinsichtlich der auf dem Felde befindlichen Zehenttrauben oder des Zehentweins, daß mannbare Personen peinlich beklagt, junge Knaben und Mägdlein aber alsbald auf den Gußübel gesetzt, hinab (ins Wasser) gesprengt, oder mit dem Narrenhäuslein bestraft werden sollen, oder auch wie Herzog Christoph sich auszudrücken pflegte, nach Birkenfeld geschickt, d. h. über den Schragen gelegt und ihnen ein stark Produkt aufgestrichen.

Doch beziehen sich unsere ältere und neuere württembergische Verordnungen hauptsächlich auf die Verhütung schlechter Bestockungen der Weinberge und auf den Schutz der Weinbergbesitzer gegen Uebervortheilungen bei dem Pfahlankaufe. Wie bereits oben §. 70 angeführt ist, bestanden in den Städten nicht nur eigene Stockkieser (Schauer), welche die zu Markt gebrachten Weinstöcke und Reben hinsichtlich ihrer Qualität und Gattung zu untersuchen hatten, sondern dieselben hatten auch, sowie später in Städten und Dörfern die sogenannten Feldsteußler, jedes Jahr die Weinberge ein- bis zweimal zu durchgehen und zu untersuchen, ob dieselben gehörig gebaut, alle Arbeiten zur gehörigen Zeit vorgenommen und nicht zu dicht bestockt werden.

Außerdem hatten sie darauf hinzuwirken, daß alle schlechten Stöcke (Putzscheeren 2c.) aus denselben entfernt und durch bessere ersetzt werden. Das darüber aufzunehmende Protokoll solle jedesmal der Ortsobrigkeit übergeben werden, damit dieselbe die erforderlichen Abrügungen vornehmen kann.

Ueber die Länge und Stärke der Weingartpfähle wurden eigene Ordnungen erlassen. Die Weingartpfahlordnung vom 12. Juli 1540 schreibt vor, die Pfähle sollen 6½ Werkschuh lang (zu Eßlingen 6 Schuh) und am schmalen Ort oder das Spitz 1 Zoll dick sein; die Landesordnung von 1567 dagegen bestimmt neben einer Stärke von 1 Zoll eine Länge von 7 Werkschuhen, was durch die Verordnungen vom 24. Mai 1736 und vom 18. Juni 1788 wiederholt wurde und bis auf den heutigen Tag Geltung hat. Zur genauen Ueberwachung dieser Vorschriften wurden in jedem Orte, wo Pfähle zum Verkaufe kamen, besonders verpflichtete Pfahlbeschauer (gewöhnlich zugleich Stöckkieser) aufgestellt und zugleich verordnet, daß keine Pfähle zum Verkauf gebracht und abgeladen werden dürfen, sie seien denn zuvor von den Pfahlkiesern beschaut und geschätzt worden, worauf der Verkäufer in größern Orten, wie z. B. Stuttgart, ein Zeichen empfing, das ihn zum Verkaufe berechtigte. Der Fürkauf der Pfähle war bei Strafe, zum Theil bei Confiskation der Waare, verboten. Die Pfahlbeschauer erhielten als Belohnung von jedem Fuder Pfähle 2 Pfennige. Nach der Rebbauordnung zu Ravensburg von 1769 wurde, wer zu lange Stecken (Pfähle) heimtrug, mit einer Strafe von 10 kr. für jeden Stecken belegt. Sie durften nicht mehr als 3 Schuh halten und die Thorwarte hatten den Auftrag, die heimkehrenden Rebbauer zu controliren.

In manchen Orten und namentlich in der Reichsstadt Heilbronn war das Arbeiten in den Weinbergen, so lange es reife Trauben gab, verboten, und dieses Verbot wurde noch 1790 wiederholt.

In Ulm war sogar das Gehen durch die Rebgelände das ganze Jahr hindurch untersagt. Des Verbots, in den Weinbergen zum Nachtheil der Weinstöcke keine Bäume und sonstige Gewächse (Kraut, Rüben, Welschkorn) anzupflanzen, ist schon oben §. 72 gedacht worden.

§. 79.

Zum Schutze der Weinberge und der Trauben werden, sobald die letztern der Reife entgegengehen, besondere Weingartschützen aufgestellt, und zu diesem Behuf die Weinberge in einzelne Distrikte abgetheilt, deren jeder einen besonderen Hüter bekommt. Sie haben den Dienst bei Tag und bei Nacht zu versehen und dürfen die Hut nicht verlassen, bis alle Weinberge ihres Distrikts abgelesen sind.

In Ravensburg mußten die Traubenhirten nach der Rebbauordnung vom 20. März 1543 (§. 74) einen Eid ablegen, daß sie Tag und Nacht ob jedem Schaden in den Weinbergen wachen wollen und diejenigen dem Magistrat anzeigen, die gegen die bestehende Ordnung handeln, es sei Freund oder Feind, damit man sie von Rathswegen bestrafen könne.

Zur Verscheuchung und Vertreibung schädlicher Thiere kann den Weinbergschützen mit obrigkeitlicher Erlaubniß ein Feuergewehr behufs des Blindschießens anvertraut werden.

Die Wespen und Hornisse, welche in den Weinbergen bei großer Zahl vielen Schaden anrichten, sollen und besonders deren Nester in der Erde mit Pulver und Schwefel, oder auf andere Weise vertilgt werden, wofür nach den Verordnungen vom 6. September 1723 und 16. September 1738 eine Belohnung von 6—12 kr. ausgesetzt wurde.

Den größten Schaden in den Weinbergen verursachen jedoch die Fröste im Frühjahr oder Spätjahr vor dem Herbst, wenn Trauben und Holz noch nicht vollständig reif sind. Man hat deßwegen schon in ältern und neuern Zeiten Bedacht darauf genommen, die Weinreben vor denselben zu schützen, und daher theils in einzelnen Schriften, theils in besondern Regierungsverordnungen verschiedene Mittel empfohlen.

Schon im Jahr 1607 gab ein württembergischer Geistliche ein eigenes Schriftchen über die Verhütung des Frostschadens in den Weinbergen heraus, in dem er vorschlug, über jeden Pfahl ein rundes Strohhütchen zu streifen, damit der Rebstock vor dem auf ihn fallenden Reif bewahrt werde; es scheint aber nirgends im Großen, wahrscheinlich wegen der Kosten, Nachahmung gefunden zu haben, und auch der Verfasser hat die mit in Theer getränkten Pappendeckeln angestellten Versuche aus jenem Grunde nicht weiter verfolgt.

Als ein vorzügliches, auch im Großen anwendbares Mittel zur Verhütung des Frostschadens wurde das Räuchern der Weinberge, das schon den Römern bekannt war, empfohlen. Namentlich in der Mitte und zu Ende des vorigen, sowie zu Anfang des gegenwärtigen Jahrhunderts wurden den 1. März 1766, 4. April 1769, 2. April 1804 und 4. Mai 1820 Verordnungen erlassen, in welchen zu Versuchen mit dem Räuchern aufgefordert und nähere Vorschriften über die Ausführung desselben mit der Nachricht ertheilt wurde, daß von einzelnen Privatpersonen, sowie von dem badenschen Oberamte Pforzheim bereits gelungene Versuche gemacht worden seien.

Jene Vorschriften bestehen hauptsächlich in Folgendem:

1) Da es vorzüglich darauf ankommt, daß bei eintretendem Froste ein hinlänglich dicker Rauch durch die sämmtlichen Weinberge verbreitet werde, so müssen diese von allen Seiten her mit großen Anhäufungen von brennbaren Materialien umgeben sein.

Zu diesem Behuf bindet man

2) 6 Schuh lange und einige Schuh dicke Wellen aus allerlei,

besonders tannen und forchen Reisach, Hecken und Gesträuch, auch feuchtem Rebholz, in welche man Moos, Sägmehl, Gerberlohe einbringen kann, legt sie etwa 20—30 Schritte weit von einander auf den Boden, deckt sie recht genau mit umgekehrten Rasen zu, und zündet sie dann, wenn es nöthig ist, auf der Seite an, wo der Wind herkommt.

3) Ist ein Weinberg zu groß, als daß der Rauch von den an den Ecken und Seiten angelegten Brennhaufen den ganzen Weinberg durchdringen könnte, so müssen zwischen demselben in den Wegen besondere Brennhaufen angelegt werden.

4) Bei dem Anzünden und der Unterhaltung des Feuers ist hauptsächlich darauf zu sehen, daß die Brennmaterialien nicht in Flamme gerathen, sondern immer nur ein dicker Rauch oder Dampf unterhalten wird.

5) Die Brennhaufen müssen immer in Vorrath angelegt werden, damit sie sogleich angezündet werden können, wenn es nöthig ist.

6) Die Zeit, wenn mit dem Anzünden der Anfang gemacht werden solle, läßt sich nicht genau bestimmen, denn die Kälte ist manchmal so stark, daß die Weinstöcke schon vor oder um Mitternacht erfrieren; in der Regel geschieht es aber gegen Tag, daher die gewöhnliche Zeit des Anzündens auf 2 Uhr Morgens wird festgesetzt werden dürfen.

7) Das Räuchern muß wenigstens bis Morgens 9 Uhr fortgesetzt werden, indem sonst alle Mühe und Arbeit verloren ist.

Ob diese Vorschriften zur Zeit ihrer Erlassung im Kleinen und im Größern in Württemberg in Anwendung kamen und gute Erfolge erzielt wurden, ist dem Verfasser nicht bekannt, er muß es aber, weil keine Nachrichten darüber vorliegen, bezweifeln, doch solle zu Hausen, Oberamts Brackenheim, in den Jahren 1804 und 1805 das Räuchern die vollste Wirkung gethan und diesem Orte damals seinen Herbstsegen gerettet haben.

In Ravensburg wurden schon im Jahr 1796 Anordnungen zum Räuchern der Weinberge getroffen, zu welchem Behuf Motthaufen (Schutthaufen) in einigen Weinberghalden angelegt und bestimmt wurde, daß die zum Anzünden instruirten Rebleute durch Läuten der Rebglocke und durch Trommelschlag herbeigerufen werden sollen. Im Jahr 1819 wurde das Räuchern wieder versucht und die Beschädigung durch den Reifen vom 30. April auf den 1. Mai wirklich zum Theil verhütet; weil aber auf das gegebene Zeichen nur wenige Bürger erschienen, so war der Erfolg nur unvollständig.

Auch nach den Verhandlungen der deutschen Land- und Forstwirthe zu Brünn vom Jahr 1840 solle das Räuchern nicht nur der Weinberge, sondern auch anderer Güter im Salzburgischen, in Kärnthen, in der Gegend von Prag, sowie auf dem Gute des

Fürsten Nikolaus zu Eisenstadt regelmäßig mit gutem Erfolge betrieben werden.

Eine zwangsweise Einführung des Räucherns wurde nach dem Ministerialerlaß vom 4. Mai 1820 nicht für angemessen erachtet.

V. Weinbereitung und Kellerwirthschaft.

1. Die Weinlese.

§. 80.

Wie sehr man schon in ältern Zeiten zu beurtheilen verstand, worauf es bei der Lese zu Erziehung eines guten und gesunden Weins ankommt, beweist ein Eintrag in dem Hausbuche des Klosters Blaubeuren vom Ende des fünfzehnten bis in die Mitte des sechszehnten Jahrhunderts (Familiae Blauburensis monasterii regimen), indem es dort heißt: „Den Wein soll man zu rechter Zeit wimmeln und ablesen, so er wohl und recht zeitig ist; denn so man ihn ablieset, wenn er nit vollkommen zeitig ist, so wird er gerne krank, leicht brüchig und bleibt nicht lang beständig. Aber Weine, die überreif und überzeitig sind, oder nothleidend von Hitz, Frost oder Fäulniß, die sind auch gern brechenhaftig, unbeständig und nit natürlich gesund. Darum soll man den Wein wimmeln bei rechter Zeitigkeit. Solche Zeitigkeit erkennt man, wenn die Trauben süß sind und durchscheinend und kleben an den Fingern, so man sie sammelt, und die Körner schnell uffgehen und die Beere anfangen klein und runzlich zu werden. Es ist auch gut, so man die unzeitigen Trauben davon thut." — Es ist deßwegen einer sorgfältigen und zweckmäßigen Lese der Trauben schon frühzeitig sowohl von den Landes- als einzelnen städtischen Obrigkeiten eine große Aufmerksamkeit geschenkt, und sind zu diesem Behuf theils besondere Herbstordnungen, theils einzelne darauf bezügliche Vorschriften erlassen worden.

Die württembergische Landesordnung von 1567 (Tit. 22) schreibt vor, daß zu Herbstzeiten nicht bälder gelesen werde, es seien denn die Felder zuvor durch Verordnete (Sachverständige) besichtigt und zeitig erkannt worden. Den 30. September 1595 erschien die erste und den 10. Juli 1607 die zweite Herbstordnung; in denselben wurden die Bestimmungen der Landesordnung wiederholt, und hinsichtlich der Ordnung der Lese in den Weinorten bestimmt, „daß solche nach den einzelnen Bännen (Gewenden) vorgenommen und kein Weinbergbesitzer in nicht aufgethanen Bännen bei Strafe von 10 Gulden lesen solle.

Weil jedoch, wenn ein Weinbergbesitzer in mehreren Gewenden Weinberge besaß, welche nicht zu gleicher Zeit gelesen werden durften, dieses einer geordneten Lese und besonders auch dem Keltern sehr hinderlich war, so wurde später die Zeit und Ordnung, in welcher die einzelnen Weinbergbesitzer lesen durften, durch das Loos bestimmt, was namentlich bei ergiebigen Herbsten dringend nothwendig war, indem bei gleichzeitiger Lese das Auskeltern nicht so schnell hätte geschehen können, daß der Wein durch das allzu lange Stehen an den Träbern keinen Schaden genommen hätte.

Den obrigkeitlichen Personen, den Kelterofficianten, den Wittwen und Waisen wurde eine Vorlese, gewöhnlich 1—2 Tage vor der allgemeinen Lese gestattet, jedoch zugleich bestimmt, daß unzeitigem Vorlesen gesteuert werden solle und nur solche dazu berechtigt seien, welchen es durch die herrschaftlichen Beamten und die Gemeindeobrigkeiten erlaubt werde, und die deßhalb öffentlich bekannt gemacht werden. Diese noch jetzt bestehende Anordnung wurde durch das Herbstgeneralrescript vom 6. Oktober 1812 auf alle diejenigen ausgedehnt, welche ihren Wein selbst einkellern; damit aber die betreffenden Personen ihre Treber noch vor jenen Weinbergbesitzern, welche nach ihnen lesen, auspressen lassen können, solle für die Vorlese mehrere Tage bestimmt werden.

In der Reichsstadt Heilbronn mußten in ältern Zeiten (sechszehnten Jahrhundert) alte erfahrene Weinbergverständige alle Weinberge durchgehen und hierauf bei ihrem Eid sagen, ob die Trauben angriffig und zeitig seien, früher durfte nicht gelesen werden, auch war Jedermann verboten, Weißrothes, Unzeitiges oder Faules zu lesen. Später wurden besondere Traubenbesichtigungscommissionen ernannt, welche jeden Herbst sämmtliche Weinberge zu begehen und von jedem Gewende Bericht über den Grad der Zeitigung der Trauben zu erstatten hatten.

Der Anfang der Lese wird nicht nach einzelnen Gemeinden, sondern nach ganzen Bezirken (Oberämtern) und durch den sogenannten Herbstsatz bestimmt, der zunächst durch die Herbstordnung von 1607 eingeführt wurde. Dieser Herbstsatz war früher eine gemeinschaftliche Verhandlung der herrschaftlichen Zehent-, sowie der Oberbeamten und der gesammten Ortsvorsteher über die Zeit und Ordnung der Lese nach vorausgegangener Besichtigung der Weinberge, über das Ablassen, Deihen (keltern) und die Abführung des Weinmostes, sowie wegen anderer zur Kelterpolizei gehörigen Anstalten; jetzt aber nach Ablösung des Zehenten rc. wird derselbe hauptsächlich von dem Oberbeamten geleitet.

Bei heißer Witterung solle, nach beendigter Vorlese nicht geduldet werden, daß die ganze Einwohnerschaft eines Orts an einem Tag zu lesen anfängt, sondern es solle die Lese dermaßen beschränkt werden, daß nicht mehr Weinbergbesitzer zu gleicher Zeit lesen, als die Kelterbäume in 24 Stunden an Trebern abkeltern können, bei mäßiger Temperatur aber nur soviel, als die Keltern in zweimal 24 Stunden zu fertigen vermögen.

Ferner solle Niemand nach der Abendglocke bei Nacht, oder Morgens vor der angezogenen Morgenglocke in die Weinberge fahren, oder Wein oder Treber nach Hause führen.

§. 81.

Das Sortiren der Trauben und des Weins bei dem Lesen und bei dem Keltern wurde dringend empfohlen, auch scheint das Sortiren des rothen und weißen Gewächses früher allgemein eingeführt gewesen zu sein, da die Herbstordnung §. 5 das Zusammenlesen des rothen und weißen Gewächses nur da gestattet, wo nicht viele rothe Trauben wachsen.

In der Herbstordnung (1508) des Klosters Denkendorf heißt es: „Wenn vergönnt würde das Rothe zu lesen und unter den Weingärten zu vertheilen, solle ein Jeder das Seinige ordentlich in ein Züberlein thun, damit die Kelterknechte ihren gebührenden Theil davon empfangen.“

Auch in Eßlingen scheint das weiße und rothe Gewächs abgesondert worden zu sein, da im Jahr 1550 befohlen wurde, wer den rothen Wein besonder lese, müßte ihn wie den weißen verumgelden.

Bei ungleicher Zeitigung der Trauben sollen die Weinbergbesitzer ernstlich erinnert werden, die bessern von den schlechtern abzusondern und zu diesem Behuf eine doppelte Lese zu veranstalten; auch wurde das Raspeln (Beeren) der Trauben sehr empfohlen, weil durch die Absonderung der Traubenkämme von den Beeren, die Qualität der Weine sehr gewinnt und die Gährung bei gebeerten Weinen später eintritt. Dasselbe war übrigens auch schon früher bekannt und wird schon in Schriften vom Jahr 1775 beschrieben und gerühmt. In einem Erlasse des Ministeriums des Innern an das Landes-Oekonomiecollegium vom 19. September 1807 wurde die Spätlese ebenso wie das Auslesen und Beeren (Raspeln) der Trauben dringend empfohlen, besonders aber wird durch die Ministerialverfügung vom 16. Oktober 1824 auf sorgfältige Weinbereitung ernstlich gedrungen und die Weinbergbesitzer dringend aufgefordert, vor der Weinlese die allgemeine Zeitigung der Trauben abzuwarten, bei ungleicher Zeitigung das weiße Gewächs sorgfältig auszulesen, das Erzeugniß der bessern Weinberge nicht mit dem Gewächse aus den schlechteren zu vermischen, die

Traubenkämme abzusondern (raspeln), den Most nicht bis zur eintretenden Gährung an den Trebern zu lassen, Wasser und andere fremdartige Zusätze zu entfernen und bei der Zubereitung des Weins die größte Reinlichkeit zu beobachten.

Das Afterbergen in den Weinbergen (das Durchstreifen nach der Lese durch fremde Personen, um zurückgebliebene Trauben zu suchen) wurde in der Herbstordnung §. 7 bei einer kleinen Frevelstrafe verboten.

In Ravensburg war dasselbe (das Nachsuchen) nach der Rebenordnung von 1543 so lange verboten, bis alles abgewimmelt hatte.

Das Treten der Trauben mit bloßen Füßen untersagte schon Carl der Große in seiner Wirthschaftsverordnung §. 48. — Vielmehr solle alles reinlich und anständig geschehen.

Das Zerdrücken (Treten) der Trauben geschieht in Württemberg nach dem schon längst eingeführten Verfahren in besondern Tretzübern durch eigene Treter mit beschuhten Füßen, oder mittelst hölzerner Stämpfeln und neuerlich hie und da in sogenannten Traubenmühlen.

2. Die Kelterung.

§. 82.

Die Keltereinrichtungen gründen sich aller Wahrscheinlichkeit nach auf römische Muster, indem von den Römern nicht nur das Keltern auf ähnliche Weise wie noch gegenwärtig bei uns betrieben wurde (mit Baumpressen und kleineren Spindelpressen), sondern auch einzelne Benennungen, welche offenbar römischen Ursprungs sind, darauf hindeuten (Kelterhaus Calcatorium, Kelter Torculum, Torkel, eine in Oberschwaben noch gebräuchliche Benennung). (§. 4.)

Mit der Einführung des Weinbaues gieng die Keltereinrichtung Hand in Hand, größere Wirthschaften hatten ihre eigene Kelterhäuser, welche hie und da sogar von den leibeigenen oder frohnpflichtigen Leuten erbaut und unterhalten werden mußten, woher sich die bis in die neuere Zeit (wie z. B. in dem Bezirke Weinsberg) fortgedauerte Frohnpflicht der Gemeinden zu den herrschaftlichen Keltern herschreiben mag.

Carl der Große verordnete in seiner Wirthschaftsordnung §. 48: Die Beamten haben darauf zu sehen, daß die Keltern auf seinen Landgütern gut eingerichtet und der Wein in reine Gefäße gefaßt werde. Die Keltern nannte man Trutta, woher noch jetzt der Name Trotte kommen wird.

Später, nachdem ein großer Theil der Weinberge in bürgerliche Hände übergegangen und viele neue angelegt waren (§. 74), wurden in der Regel von den Orts- und Zehentherrschaften größere

Keltern erbaut, in welchen das Weinerzeugniß der Zehentpflichtigen oder überhaupt der auf bestimmten Distrikten oder auf einer ganzen Markung gelegenen Weinberge, gekeltert werden mußte, d. h. die Weinberge waren dahin keltergehörig und es wurde von dem Kelterbesitzer ein Bannrecht gegenüber den Weinbergbesitzern ausgeübt. Doch wurden auch von einzelnen größeren Weinbergbesitzern eigene Keltern angelegt, sie mußten jedoch dazu besondere Erlaubniß einholen; so besaß z. B. das Kloster Lorch 1290 eine Kelter zu Tunzhofen, einem abgegangenen Weiler unterhalb Stuttgart (Pfaff, Stuttgart I. Thl. S. 96); 12⁵⁶/₅₃ erlaubte Graf Eberhardt, dem Kloster Bebenhausen eine Kelter zu Stuttgart zu erbauen. (Steinhofer II. Thl. S. 185.)

1493 besitzt das Kloster Weil eine Kelter zu Mettingen. (Pfaff, Eßlingen S. 162. 297.)

1585 erhielt der Göppinger Spital Erlaubniß zu der Erbauung einer eigenen Kelter auf dem Osterberg (Osterhof) bei Grunbach, wo er Weinberge besaß. (Oberamtsbeschreibung von Schorndorf S. 140.)

Mit der Ausübung des Kelterrechts war die Verbindlichkeit nicht nur zur ordnungsmäßigen Erhaltung der Keltern und der dazu gehörigen Geräthschaften, sondern hie und da auch der zur Aufbewahrung der Weintreber erforderlichen Kufen (Bütten) und Züber, wie z. B. in Weinsberg, verbunden. Für dieses Recht und für die damit verbundenen Lasten bezog der Berechtigte eine Abgabe unter dem Namen Kelterwein, welche in der Regel in der 21sten Maas vom Eimer bestand und mit dem Zehentwein erhoben wurde, in welchem Falle dann vom ganzen Weinerzeugniß die 7te Maas gegeben werden mußte.

In dem Zinsbuch der Herrschaft Weinsberg von 1477 Bl. 90 heißt es: „Wyngarten zu Granißheim (Grantschen), die meinem gnädigen Herrn im Herbst Kelterwyn und unter syner Gnaden Keltern zu winden, von 20 Eimern Wins Ayn Eimer zu geben verbunden sin. (Mone, Zeitschrift III. Bd. S. 262.)

In den Reichsstädten sowie auch in der Bodenseegegend war das Kelterbannrecht nicht eingeführt, sondern das Keltern als ein freies Gewerbe betrachtet, daher jeder Weinbergbesitzer eine Kelter errichten und darin keltern lassen konnte, wen er wollte; so besaß Eßlingen schon 1300 viele Keltern, namentlich eine solche in der Beutau vor dem Mettinger Thor, und in Heilbronn zählte man 1556 70 Baum- und Trottenkeltern.

In der Stadt Ravensburg wurde 1530 eine eigene Torkel-(Kelter-)Ordnung erlassen, in welcher übrigens bloß verordnet wurde, daß die Torkelmeister sich mit dem ihnen zugesprochenen Essen und Trunk begnügen und weder ihre Weiber noch Kinder dazu in die Torkel nehmen sollen.

In neuerer Zeit wurden in Württemberg viele herrschaftlichen Keltern den Gemeinden oder Weinbergbesitzern entweder unentgeltlich oder gegen mäßige Kaufspreise überlassen und da nach dem Zehentablösungsgesetz vom 17. Juni 1849 die Keltern mit der Ablösung des Zehentens in das Eigenthum der Zehentpflichtigen übergegangen sind, so hat das Kelterbannrecht jetzt gänzlich aufgehört.*)

§. 83.

Nach der Lese hängt die künftige gute Qualität des Weins hauptsächlich von der sorgfältigen Aufbewahrung der Weintreber in den Kufen, und von der rechtzeitigen Kelterung und Einkellerung des Weins ab. Das obengedachte Hausbuch des Klosters Blaubeuren (§. 80) gibt in dieser Beziehung folgende Anleitung:

> „Wenn der Wein wohl zeitig ist, soll man ihn lassen in den Zübern und Geschirren bis die Treber über sich steigen und ein wenig anhebt gähren, daß man den Wein nit mehr sieht, dann soll man ablassen und drücken und den Wein behalten. Wenn aber der Wein sauer und nit wohl zeitig ist, soll man denselben förderlich drücken und fassen dieweil er noch süß ist.“

Für den Zehenthof der Domherren zu Speier bestand eine eigene Herbstordnung vom Jahr 1498. Die näheren Vorschriften über die Geschäfte des Herbstens und über die Belehrung der Arbeiter gibt Mone, Zeitschrift III. Bd. S. 292.

Die württembergische Herbstordnung von 1607 enthält über das Ausrüsten der Keltern und der Herbstgeschirre, über die Ordnung des Kelterns, über die Funktionen der Keltermeister und Kelterknechte ausführliche Vorschriften sowie auch durch spätere Verordnungen das Zudecken der Kufen mit Deckel angeordnet und um das Versauern des Weines an den Trebern zu verhüten, und beim Keltern (Deyhen) eine genaue Ordnung einhalten zu können, solle Jeder, sobald er abgelesen hat, sich beim Kelterschreiber anmelden und aufschreiben lassen, worauf er nach der Reihe der erfolgten Anmeldungen zur Kelter zuzulassen ist. Zur Verhütung von Unterschleifen und Mißbräuchen solle jeden Tag in der Kelter eine ordentliche Deyhtafel aufgehängt werden, auf welcher die Namen derjenigen eingezeichnet sind, an welche die Reihe des Deyhens kommt.

Da es für die Qualität des Weines sehr nachtheilig ist, wenn er unter der Kelter in den Kufen in Gährung übergeht, so solle

*) Durch die Verfügung der Ministerien des Innern und der Finanzen vom 18. Juli 1865 sind die früheren Anordnungen über Lese und Kelterung aufgehoben und dieselben den Ortsbehörden überlassen worden.

das Auspressen der Trauben möglichst beschleunigt und so betrieben werden, daß vom Anfange des Herbstes bis ans Ende je 3 vollständige Secker in 24 Stunden durch einen Kelterbaum ausgepreßt werden.

Die Ober- (Stabs-) Beamten hatten unter Zuziehung der verrechnenden (Finanz-) Beamten sogleich nach dem Herbste Herbstruggerichte abzuhalten, bei welchen alle während des Herbstes vorgekommenen Ungebührlichkeiten und Uebertretungen zu untersuchen, zu bestrafen und zu diesem Behuf die Einwohner zur Anzeige der rügbaren Gegenstände aufzufordern waren. Diese Herbstruggerichte sind übrigens schon längst mit den von den Oberbeamten jährlich oder binnen 2 bis 3 Jahren vorzunehmenden allgemeinen Ruggerichten vereiniget worden, sie geben aber ein sprechendes Zeugniß, wie sehr man in ältern Zeiten auf strenge Ordnung bei den Herbstgeschäften gesehen hat und welche Wichtigkeit auf eine sorgfältige Weinerzeugung gelegt wurde.

Die Bestimmungen der ältern Herbst- und Kelterordnungen sind überhaupt neuerlich häufig, nachdem die auf den Weinbergen gehafteten Reallasten abgelöst sind, der Kelterbann aufgehört hat und bei der Lese und Kelterung eine freiere Bewegung stattfindet, nicht mehr anwendbar, daher schon nach einem Erlaß der Regierung des Neckarkreises von Oktober 1840 die Frage zur Erörterung kam, welche Bestimmungen der Herbstordnung gegenwärtig noch in Anwendung kommen und in Anwendung gebracht werden können, worauf aber bis jetzt keine weitere Verfügung erlassen wurde. (Siehe oben §. 82.)

3. Die Kellerwirthschaft.

§. 84.

Da der Wein frühzeitig ein Lieblingsgetränk der Deutschen wurde, so mußte selbstverständlich auch für dessen Aufbewahrung in gut angelegten Kellern Sorge getragen werden. Schon unter Carl dem Großen gab es Kellerhäuser (Cellaria), indem er anordnete, daß der auf den eigenen Landgütern erzeugte Wein in die Kellerhäuser gebracht, der gewöhnliche (Gefäll-) Wein aber verkauft werden solle. Auch finden wir heute noch unter alten Schlössern, vormaligen Klöstern und alten Wohngebäuden häufig sehr gute und geräumige Keller, indem die Haltung von größeren Weinlagern und die Erziehung guter alter Weine gewissermaßen als Ehrensache der Fürsten, des Adels, der Beamten und der wohlhabenden Bürger betrachtet wurde. Als der größte Keller in Schwaben wird schon 1500 der unter dem alten Schlosse in Stuttgart befindliche beschrieben, der zu Anfang des zwölften Jahrhunderts (§. 34) erbaut worden sein solle, ein winkelartiges Dreieck bildet, 188 Schuh lang, 68 Schuh breit und 21 Schuh hoch ist; die bedeutende Breite ist durch Kreuzgewölbe verbunden. Es können in demselben 2300 Eimer Wein gelagert werden.

Aehnliche Keller befinden sich auch in andern Theilen des Landes, namentlich zu Tübingen, unter dem Schlosse daselbst, welcher einer der größten ist, indem dieser Keller die ganze Länge des Schloßgebäudes einnimmt, 35' hoch und so breit ist, daß bequem zwei Reihen großer Lagerfässer gelegt werden können, den Boden bilden die Sandsteinfelsen des dortigen Gebirges. Ferner im Hohenloheschen, wo sich die fürstlichen Keller zu Oehringen und Pfedelbach auszeichnen; letzterer ist 40' lang, 44' breit und 24' hoch und mit 1735 Eimer Lagerfässer belegt.

Mit der Anlegung von Kellern gieng die Errichtung von Fässern Hand in Hand. Die Griechen und Römer hatten Fässer von Thon, die bis zu 15 Eimer hielten und deren Wände über zwei Zoll stark waren; wenn sie Sprünge (Risse) erhielten, wurden diese mit Blei ausgegossen.

Auch das Faß des Diogenes soll ein thönernes gewesen sein.

Den Wein in hölzernen Gebinden aufzubewahren, solle von den Galliern, die ums Jahr 3390 in Oberitalien einbrachen und das weite Pothal in Besitz nahmen, erfunden worden sein. In Deutschland scheint man den Wein und andere Flüssigkeiten bis zum achten Jahrhundert in ledernen Schläuchen oder Bütten aufbewahrt zu haben, und erst unter Carl dem Großen scheinen hölzerne Fässer in Gebrauch gekommen zu sein, indem er in seiner Wirthschaftsordnung Art. 68 von seinen Beamten verlangt, daß sie stets gute in Eisen gebundene Fässer vorräthig haben sollen, die sie ins Lager und an die Pfalz schicken können, und sollen keine Butten aus Leder nehmen.

Mit der Anfertigung von hölzernen Fässern entstand ein neues Gewerbe, das Küfer- oder Büttnergewerbe. Die ersten sichern Nachrichten von der Existenz desselben kommen im Jahre 1146 vor, wo der Bischof von Friesingen dem Kloster Weichenstat erlaubte, Handwerker und Handelsleute zu halten, unter welchen auch Büttner vorkommen. Das Gewerbe der Küfer und Kübler scheint vereinigt und frühzeitig eine Zunft gebildet zu haben, doch schon im Jahre 1271 erfolgte z. B. in Basel die Trennung des Handwerks und die Ausscheidung in Klein- und Großarbeiten, oder in Wannen- (Kübel-) und Faßbinder (Küfer). Auch in Württemberg sind, so weit wir zurückgehen können, beide Gewerbszweige getrennt, jedes Gewerbe bildete eine eigene Zunft und hatte seine besondere Satzungen.

§. 85.

Auf die Anfertigung von dauerhaften und gut gearbeiteten Fässern wurde in den verschiedenen Kellereien ein besonderer Werth gelegt und dieselben zu diesem Behuf mit verschiedenem zum Theil sehr kunstreichem Schnitzwerk versehen, namentlich war der Weingott Bachus fast in jeder größeren Kellerei, auf verschiedene Weise dargestellt, anzutreffen. Einen besondern Ruhm setzte man in große Fässer, daher man neben dem berühmten Faß im Schloßkeller zu Heidelberg (von 250 Eimern) auch in vielen andern Kellereien sehr große Fässer erbauen ließ.

Nach einem noch vorhandenen Accord vom 15. Mai 1546 übernahm Simon Binder, Küfer zu Bönnigheim, gegen Herzog Ulrich die Verbindlichkeit, ein großes Faß, welches 40 Eßlinger Fuder = 240 Eimer halten sollte, zu verfertigen, das auf den Asberg gebracht und dort in dem herrschaftlichen Keller aufgestellt wurde; neben der Verköstigung während des Aufsetzens erhielt er von dem Herzog 330 Gulden, mußte aber das Holz dazu geben. (Staats-Archiv, Manuscript von Regierungsrath Günzlers Württemb. Regenten und Cultur Geschichte Nro. 13.)

Im Jahr 1548 ließ Herzog Ulrich durch denselben Meister in den Schloß-Keller zu Tübingen ein Faß machen, das gegenwärtig noch vorhanden ist und 47 Fuder 4 Eimer Eßlinger Eich = 286 württembergische Eimer oder 45,760 Maas hält. Es ist 24′ lang an den Böden 13½′, am Spuntloch 16½′ hoch, liegt in 14 Felgen die mit eisernen Bändern und Schrauben versehen sind. Es hat einen Einbau von einigen Balken. Für dieses Faß wurden 150 Gulden und ein Hofkleid bezahlt, auch wurde dasselbe im gleichen Jahre mit Wein gefüllt. Man nannte es später das „große Buch" gleichsam als Quelle und Fundort eigenthümlicher Weisheit. (Zellers Merkwürdigkeiten von Tübingen S. 72.)

Aehnliche Fässer befanden sich und befinden sich zum Theil noch jetzt in andern Kellereien, wie z. B. in der Fürstlich Hohenlohe Bartenstein'schen Kellerei in Pfedelbach, ein großes Faß von 300 württembergischen Eimern in 16 Felgen von Eichenholz gebunden und vornen schön verziert mit dem fürstlichen Wappen. Zu beiden Seiten 2 Fässer von je 150 Eimern in je 14 Felgen gebunden.

Als weitere Seltenheit wird ein Fäßchen ohne Reife mit dem Bachus gezeigt.

Die großen Fässer waren noch im Jahr 1811 und 1812 mit Wein gefüllt.

Auch in Privatkellern, besonders aber in den Kellern der früher bestandenen zahlreichen Weinhandlungen, waren große Fässer anzutreffen, und noch jetzt ist es nichts Seltenes, daß in solchen Kellern Fässer von 20—50 Eimern und hie und da sogar von 50 und 100 Eimern gelagert sind.

Ueber das Benehmen namentlich fremder Personen, welche die Keller besuchten, bestanden besondere Regeln und Ordnungen, welche in Reimen verfaßt, auf Tafeln geschrieben und in vielen Kellern, als sogenanntes Kellerrecht, am Eingange aufgehängt waren.

Die Tafeln waren häufig mit den Wappen der Kellerherrn oder auf sonstige Weise verziert.

Wir lassen einige solcher „Kellerrechte" unter den Anmerkungen folgen. *)

---

*) 1) Im Keller des alten Schlosses zu Stuttgart vom Jahr 1734:

„Geehrter Freund, der hier erscheint,
Die schöne Kellerei zu sehen,
Bleib hier ein wenig stille stehen
Und les' was Kellerrechte sein,
Und was sie dir zur Nachricht sagen,
Du wirst nicht über Unrecht klagen,
Wenn du die Ordnung nimmst in Acht,
Die selbst das Alterthum gebracht.
Fluch nicht, denn hier ist Gottes Segen,
Zank nicht, der Herr ist hier zugegen,
Der nichts als Fried und Freundschaft liebt
Und der den Wein zum Frieden gibt;
Bewahr den Mund vor Zottenreißen,
Thu dich der Ehrbarkeit befleißen
Und pfeiff nicht wie ein Baurenknecht!
Dieß Alles will das Kellerrecht.
Doch darfst du Alles wohl besehen
Und durch den ganzen Keller gehen;
Doch laß dich Fürwitz nicht verführen,
Die Faß mit Finger zu berühren,
Zu wissen ob sie alle voll.
Sonst trifft dich das Bandmesser wohl,
Dem, der an diese Regel denkt
Wird dann ein Gläschen eingeschenkt."

2) Im Murrhardt'schen Klosterkeller zu Goßbotwar vom Jahr 1757:

„Hier soll vor brave Leut der Keller offen stehen,
Die in demselbigen begehren herumzugehen,
Das was man drinnen lobt, geht Gott und Herrschaft an,
Und was der Küfer selbst mit seinem Fleiß gethan.
Doch weiset dieses Brett mit deutlichen Buchstaben
Wie sich ein Jeglicher soll zu verhalten haben,
Daß er die Ungebühr und Schand vermeiden soll,
Nicht klopfen an ein Faß ob's leer sei oder voll,
Nicht fluchen, johlen, schreien, nichts Unziemliches sagen,
Sonst wird ihn ob der That des Küfers Messer schlagen,
Er sei Fürst oder Graff, Herr, Bauer oder Knecht,
Denn diesen Brauch führt hier das Kellerrecht.

§. 86.

Wie die Weine in den Kellern früher besorgt und behandelt worden sind, darüber liegen nur wenige specielle Notizen vor, indem die Behandlung, als zum Gewerbe der Küfer gehörig, diesen ohne nähere Anweisung überlassen wurde. Doch wurde schon sehr frühe

---

Wer für die Höflichkeit, die man ihm hier erwiesen,
Den Küfersknecht zuletzt ein Trinkgeld läßt genießen,
Thut desto löblicher, jedoch steht Alles frei.
Hier schlägt die Losung vor, Gott und dem Herrn getreu."

3) Aus dem Fürstlich Hohenlohe-Kirchberg'schen Keller zu Kirchberg, vom Jahr 1622:

„Hier im dunkeln Schooß der Erde,
Schlummert sanft der Wein,
Leichter wird dir die Beschwerde
Schlürfest du ihn ein.
Komm her bewährter Erdengast
Und halte hier vergnügte Rast."

4) Aus dem Fürstlich Hohenlohe-Bartenstein'schen Keller zu Pfedelbach:

„Wer diesen Keller will besuchen,
Der bleibe an der Thüre stehen
Und les' zur Nachricht in der Still,
Was hier die Ordnung haben will!
Das Zanken, Fluchen, Zottenreißen,
Mit groben Worten um sich schmeißen,
Das Kratzen, Schreiben an die Wänden,
Das Klopfen an die Faß mit Händen,
Fürwitz und jede Ungebühr
Geziemet sich durchaus nicht hier.
Wer dieses aus der Acht wird lassen
Den wird das Kellerrecht bald fassen,
Man schlägt mit dem Bandmesser zu
Ob es hoch oder niedrig thu'! —

5) Aus dem Fürstlich Hohenlohe-Langenburg'schen Keller zu Weikersheim vom Jahr 1790.

„Ihr Herrn und Freund', seid mir willkommen,
Nachdem Sie sich die Müh genommen
Zu sehen die herrschaftliche Kellerei
Und was darin sonst Rares sei,
So sagt man Ihnen zu jeder Frist
Was der Gebrauch hier im Keller ist.
Wer seinen Vorwitz will lassen spüren,
Den Hall der Fässer will probiren,
Mit Fingern klopfen unbedacht,
Wozu hier Keiner hat die Macht,
Er sei gleich Fürst, Herr, groß oder klein,
So soll dies seine Regel sein,

auf die Absonderung der weißen und rothen, sowie der bessern (Gewächs-) und geringeren Weine Bedacht genommen, auch scheint eine sehr sorgfältige und künstliche Behandlung stattgefunden zu haben, denn Herzog Christoph verlangt von dem Keller in Urach durch Decret vom 30. Oktober 1565 rothe und weiße Mezinger Weine, welche zwei bis drei Monate ihre Süsse behalten,

Daß Er gestraft wird nach Kellerrecht
Vom Höchsten an bis auf den Knecht,
Man hält auch Keinem das für gut
Wenn er nicht abzieht seinen Hut,
Das Küfermesser ist auch bescheert
Dem, der unkeusch redt, flucht und schwört,
Mit dem Bandmesser wird Er geschlagen,
So er mit Hohn davon muß tragen,
Drum warne Jedermann hiermit,
Daß es nicht Spott und Streiche gibt."

6) An dem größten Fasse in dem Fürstlich Hohenlohe-Oehringen'schen Keller zu Oehringen (73 Eimer haltend), von dem gefeierten Dichter Lenau (Niembsch) bei seinem Besuche des Kellers verfaßt:

„Ich stand, der höchste grünste Baum,
Vor Zeiten froh im Waldesraum,
Mir galt der Sonne erster Kuß;
Ich brachte, war sie schon geschieden,
Dem Wanderer zum Abendfrieden,
Von ihr noch einen Purpurgruß.
Da sah mich einst der Küfer ragen,
Der kam, und hat mich schnell erschlagen.
Ade! Ade! Du grüner Hain!
Du Sonnenstrahl und Mondenschein!
Du Vogelg'sang und Wetterklang,
Der freudig mir zur Wurzel drang!
Die Waldeslust ist nun herum,
Ich wandere nach Elysium!
Ihr Brüderbäume folgt mir nach
In dieses himmlische Gemach!
O nehmt das Loos der Auserkor'nen
Von all den tausend Waldgebor'nen,
Das schöne Loos, das große Loos,
Tief in des Bodens kühlem Schooß,
Ein Faß zu sein, ein Faß zu sein,
Nicht so ein stillverlassner Schrein,
Ein Faß, dem lieben Wein ergeben,
Der Erde heil'ges Herzblut hüllend,
Ein edler Trunk, das ganze Leben,
Den Zecher durch und durch erfüllend.
Komm her, bewegter Erdengast
Und halte hier vergnügte Rast!
Mach dir das Herz im Weine flott,

10*

und läßt solche Weine den Mezinger Weingärtnern abkaufen, woraus anzunehmen ist, daß neben vorzüglichen Traubengattungen (§. 57) die Weine an der Bütte und im Keller noch auf besonders zweckmäßige Weise, vielleicht auf Burgunder Art behandelt worden sind. (Staatsarchiv, Manuscr. von Reg.-Rath Günzlers Würtemberg: Regenten- und Culturgeschichte Nro. 38.)

In Degerloch wurden noch in gegenwärtigem Jahrhundert

Schenk ein, trink aus, merkst du den Gott,
Flammt dir der Geist durch's Inn're hin,
Von dem ich selber trunken bin?
Er ist so feurig, süß und stark,
O schlürf ihn ein ins tiefste Mark.
Nun Wanderer, wandere selig heiter,
Von Faß zu Faß forttrinkend weiter,
Schon tauchen dir im Rosenlichte
Herauf gar liebliche Gesichte.
Manch theures, längst verlorenes Gut,
Die Träum' aus deinen Jugendjahren,
Sie kommen dir auf Weinesfluth
Gar frisch und froh herangefahren.
Schenk ein! du fühlst die alten Triebe,
Zu kühner That hinaus, hinaus,
Du gibst den ersten Kuß der Liebe,
Nun stehst du froh im Vaterhaus.
Wohl dir! wohl dir! schon bist du trunken,
Und Gram und Sorgen sind versunken,
Wir schützen dich, hier packt dich nicht,
Ihr freches, quälendes Gezücht.
Wir stehen Faß an Faß zusammen,
Und lassen uns're Waffen flammen,
Und heimlich hinter unsern Bäuchen,
Muß dir die Zeit vorüberschleichen,
Schenk ein! schenk ein! Nur immer zu,
Und hat der Gott dich ganz durchflossen,
Laß tragen dich von schnellen Rossen,
Nach dem Hesperien: Friedrichsruh.
Dort taumle unter grünen Bäumen,
Mit deiner Last von Himmelsträumen,
Und lausche dort den Harmonien,
Die durch den Zaubergarten ziehen,
Ein voller stürmischer Accord
Nimmt dich an seinen Geisterbord,
Schwimmt mit dir weit von dannen, weit
Ins tiefe Meer der Seligkeit, — — —
Doch eh' du scheidest, trinke noch
Ein volles Glas an heil'ger Stelle,
Der Fürst, der edle lebe hoch
Mit Keller, Garten und Kapelle."

häufig süße Weine, die von den benachbarten Bewohnern der Residenz Stuttgart sehr gerne getrunken worden sind, auf folgende Weise bereitet:

Es wurden im Herbste ganz gesunde reife Trauben (Trollinger) ausgelesen, zu Hause in einen Zuber gebracht und in einem warmen Orte (Kuhstall) aufgestellt, so daß die Trauben nach und nach in Gährung kamen. Sobald letzteres der Fall war, wurden dieselben zerstoßen, gekeltert, der Wein schnell ins Faß gebracht und hintereinander einigemal sorgfältig abgelassen und geschwefelt, nach welcher Manipulation der Wein süße blieb bis in Sommer um die Zeit der Traubenblüthe.

Ein solcher Wein kostete aber noch einmal so viel als der auf die gewöhnliche Art bereitete, daher in neuester Zeit wenig mehr zubereitet wird, zumal dessen Bereitung auch nur in guten Weinjahrgängen möglich ist. Trauben, welche faulen, taugen nicht dazu, dagegen vorzugsweise Trollinger, von welchen der Wein auch eine schöne rothe Farbe bekommt. Die Hauptsache dabei ist, daß man den Zeitpunkt der vollendeten Gährung der Trauben genau trifft.

Aus Instruktionen herrschaftlicher Küfer vom siebenzehnten und achtzehnten Jahrhundert ist ersichtlich, daß die Fässer beim Reinigen, Einbrennen, und die Weine beim Einfüllen und Ablassen im Allgemeinen auf ähnliche Weise wie gegenwärtig behandelt worden sind. Im Staat und Eid des Klosterküfers zu Lichtenstern vom 20. August 1670 wurde er angewiesen, die große Faß alle Freitag aufzufüllen.

Im Uebrigen wurde entschieden mehr als gegenwärtig auf die Erziehung alter Weine gesehen, und um dieselben möglichst gut und rein zu erhalten und ihnen Wohlgeschmack und Stärke beizubringen, beim Reinigen und Einbrennen der Fässer nicht nur mit größter Sorgfalt zu Werke gegangen, sondern auch verschiedene, jetzt wenig mehr bekannte und im Gebrauche befindliche Mittel angewendet. Zum Reinigen der Fässer vor dem Einfüllen des neuen Weins nahm man nicht bloß reines kaltes Wasser, sondern sie wurden mit warmem Wasser und Asche, oder mit Salz und Rebenasche, worauf man zuvor einige Kannen heißes, mit wohlriechenden Kräutern (Hollunderblüthe, Nußlaub, zerstoßene Wachholderbeere) gekochtes Wasser gegossen hatte, gereiniget, das Faß wurde dabei gespündet hin- und hergerollt und das Wasser 24 Stunden lang im Fasse gelassen, sofort aber abgelassen und hierauf mit gewöhnlichem Brunnenwasser sauber ausgewaschen und mit Weihrauch ausgeräuchert oder mit Branntwein ausgebrannt.

Das Einbrennen der Fässer mit Schwefel ist längst bekannt,*)

---

*) Schon Plinius erzählt, daß einige darauf verfallen seien, Schwefel beim Wein anzuwenden. (Beckmann, Beiträge zur Geschichte der Erfindungen I. Th. S. 199.)

auch findet man schon in älteren Schriften nicht nur Anweisungen über die Reinigung des Schwefels, sondern auch über die Zubereitung von Gewürzschwefel, wozu man Pfeffer, Kampher, Zimmtrinde, Muskatblüthe, Veilchenwurzel, Anis, Ingwer und andere wohlriechende Kräuter und Gewürze nahm, die gestoßen und auf die noch warmen Schwefelschnitten gestreut wurden.

Zu den Schwefelschnitten (Ring, Span) nahm man früher abwergene Leinwand oder dünn geschnittenes tannenes Holz, auf welches der Schwefel aufgestrichen wurde; auch verstand man denselben zu reinigen.

Die Zweckmäßigkeit des. Vergährens des Weines in warmen Lokalen war gleichfalls bekannt, denn in dem Hausbuche des Klosters Blaubeuren S. 149 wird gesagt: „Es schadet nicht, wenn man die Keller zum Gähren warm hat, und wenn der Wein vergohren hat, so füll ihn auf, damit du ihn beim Spunten kannst säubern von Kernen und was er auswirft. Auch soll man den Wein oben uffsperren so viel es die Nothdurft erheischt, und laß dichs nicht dulen (bedauern), denn es gibt gut, gesund, frisch und natürliche Wein, und wenn der Wein im Gäst (Gährung) ist, so ist es nicht bös, wenn man an 4 Eimer oder an ein Fuder zwölf Maas Wasser und eine gute Hand voll Salz thut, rühre das Salz unter das Wasser und schaffe es dann ins Faß; der Wein wird beständig (haltbar).

Ueber die sonstige Kellerbehandlung gibt erwähntes Hausbuch folgende Anleitung: Alles was zum Wein gehört solle wohl rein und sauber gehalten, die Faß sorgfältig verspündet, die Spunden rein gehalten, Faß und Zapfen gehörig abgewischt, damit sie nicht kohnigt werden. Jede Woche seie der Wein zweimal aufzufüllen, so daß der Wein überläuft, damit alle Unreinigkeiten herausfließen. Lagerfässer, die nicht zu tief leer sind, kann man auch mit frischem Brunnenwasser auffüllen und das Wasser überlaufen lassen. Weinverfüllungen sollen bei abnehmendem Monde, sonderlich einen oder zwei Tage vor dem Neumonde vorgenommen werden, denn wenn man Wein bei vollem Mond verfüllt, so wird derselbe matt und verkehrt gerne. Um Weihnacht, wo es am kältesten ist, im Blühen der Trauben am St. Johannestag, im Sommer, wo die Sonne am heißesten steht, nach dem Neumond und bei Regen und unstetem Wetter, sowie bei Donnerwetter soll man mit den Weinen nicht umgehen, weil sie sich gerne verwandeln. Vorsorglich nimm einen gehövelten Roggenmehlteig und verkleb den Spunten damit. Die Keller soll man nicht allein sauber halten, sondern auch durch Auf- und Zuthun (der Läden) gehörig lüften, damit sie kalt bleiben; besonders bei Nord- und Ostwinden soll man in der Nacht und bis die Sonne aufgeht, die Kellerläden oder Fenster offen halten, denn diese Wind sind rein und kühl, so aber Süd- oder Westwinde wehen, die warm und feucht sind, und wenn es regnet, solle man die Keller Sommers und Winters wohl verschlossen halten. Namentlich sind die warmen Märzlüfte den Kellern und Weinen nicht gut. Das Ablassen des Weins geschieht am besten im Hornung (frühzeitig), sonderlich der sauere Wein, der dadurch milder wird; dabei muß heller Himmel und stete Luft herrschen.

Ueber die Behandlung kranker Weine enthalten schon die ältesten Schriften über Weinbehandlung Vorschriften; in einem Weinbüchlein vom Jahr 1535 wird schon das Schönen des Weins mit Eiweiß empfohlen. In spätern Schriften wird das Schönen mit Hausenblase sehr gerühmt und diese die Musterschöne genannt, auch Gummi, alkalische Salze und noch mancherlei Mittel wurden beim Weinschönen angewendet.

4. Die Weinveredelung.

§. 87.

Die Natur erzeugt bei all ihren Produkten nicht immer die gleichmäßige Qualität, sondern es herrscht hier wie überall, wo dieselbe waltet, die größte Manigfaltigkeit, und insbesondere ist dieses beim Weine der Fall.

Fast so lange regelmäßiger Weinbau besteht, wurden auch Versuche gemacht, den gewonnenen Wein zu veredeln, sei es um ein edles Gewächs noch edler und angenehmer, oder geringeren Wein dem edeln gleich zu machen, oder um die verschiedenen Gattungen von Getränk durch künstliche Weine zu vermehren.

Schon unter den Griechen und Römern war die Verbesserung des Weins mit Honig eingeführt und wurde mit der Einführung des Weinbaues auch in Deutschland bekannt.*) Diese Weine scheinen

*) Plinius berichtet ums Jahr 633 der Stadt Rom, daß die Römer die starken und geistigen Weine (vina polyphora) an offenen Orten dem Regen und der Sonne aussetzten und dadurch Weine erzeugten, die so dick wie Honig wurden, hundert und mehr Jahre aufbewahrt werden konnten, und unvermischt nicht zu trinken, mithin eine Art natürlich eingekochter Weine waren. (Volz, S. 95.)

Auch das künstliche Einkochen des Weinmostes kannten die Griechen und die Römer. Man ließ den Most auf die Hälfte, den dritten oder vierten Theil einkochen, um damit schlechte Weine zu verbessern. Zugleich wurde solcher Wein mit Honig und Gewürzen versetzt. Er bekam verschiedene Namen als: mustum, supra u. s. w., und noch jetzt benennt man in Neapel den eingekochten Most musta coffa, in Florenz supra. (Beck, Beiträge zur Geschichte der Erfindungen I. S. 181.)

Das Vermischen des Weins mit Meerwasser, um denselben haltbarer zu auf verschiedene Weise zubereitet worden zu sein, der Hauptzusatz war Honig, zu dem in den ältesten Zeiten bloß noch Pfeffer, später im zwölften bis sechszehnten Jahrhundert auch noch andere Gewürze kamen. Die letzteren wurden gestoßen, unter Wein und Honig gemischt und durch einen leinenen Sack geseihet, nach einzelnen Schriftstellern sogar gekocht. Die Wirthschaftsordnung Carl des Großen erwähnt Art. 34 bereits der mit Honig versetzten Weine, und auch später wurden viele solche Weine bereitet, besonders war der sogenannte Claretwein bekannt und berühmt. Andere künstliche Weine wurden — wie gegenwärtig aus gebrannten Wassern die Liqueure — unter Zusatz von Honig und Gewürzen, sowie von allerlei Beeren gefertigt. Nach erwähnter Wirthschaftsordnung Carl des Großen, Art 34 und 62, gab es schon Maulbeer- und gekochte Weine. Es waren zum Theil berauschende Getränke, die aus Wein, Honig, Obstsäften und Datteln bereitet wurden, auch Wermuth mischte man darunter und nahm dazu abgetrocknete oder gedörrte Trauben (Rosinen); sie hießen Sicera und wurden von eigenen auf den Gütern angestellten Leuten bereitet, die man Siceratores nannte. Die überall wild wachsende Brom- (Braun-) Beere wurde häufig dazu verwendet, daher es auch besonderen Brombeerwein gab. Die Leute des Stifts Prüm mußten die Brombeere sammeln und abliefern, woraus das Moratum gemacht wurde, zu Festgelagen, für kranke Brüder und für vornehme Gäste. (Anton, III. Bd. S. 329.)

Zu der Bereitung solcher künstlichen Weine nahm man neben Honig und Gewürze auch Obstsäfte oder süßen Most, sowie guten alten Wein, worauf das Ganze gekocht oder an der Sonne destillirt wurde. Besonders saure und ungenießbare Weine wurden, um ihre scharfe Säure zu mildern und sie zu verbessern, häufig mit versüßenden Stoffen, Honig, süßen Beerensäften, Zucker, sowie mit verschiedenen Kräutern versetzt. Zu den beliebtesten und gangbarsten künstlichen Weinen gehörten die gekochten oder destillirten Weine, die man über den stärksten, den Gaumen am meisten kitzelnden Gewürzen und Kräutern, Alant, Salbei, Senf, Wermuth rc. abzog, man nannte sie im Allgemeinen Pigment-Hippokras und Claretweine, oder nach den zugesetzten Kräutern: Wermuth-, Salbei-, Alant-, Zittwerwein. Es waren Liqueur- oder Gewürzweine, die man Morgens als Magenwein, oder vor der Tafel zur Vermehrung der Eßlust trank, oder auch nach der Tafel, wie heut zu Tag den Champagner gab, auch gebrauchte man sie bei dem damaligen

machen, war bei den Römern nicht selten gebräuchlich, doch sagt schon Columella, man solle einen für sich haltbaren Wein nicht durch fremdartiges Gemisch verderben. Solche schlechtere oder Gesindsweine nannte man lora, woher unsere Benennung Läuer (Leire) kommt. (Mone, Urgeschichte S. 66.)

niedern Stande der Arzneibereitung als Arzneimittel, wobei bekannt war, welche Gattung Wein für die einzelnen Leiden vorzugsweise dienlich war.

Unter den Arzneiweinen wurde der Wermuthwein am meisten gerühmt, der zu Herbstzeiten so bereitet wurde, daß man den dürren Wermuth mit dem süßen Most oder auch mit Traubenbeeren mischte und das Fäßlein wohlverschlug, „damit es in sich selber gären, wie ein gefangener Wein, der ist vast köstlich und für viel siech Tagen gut". Auch ein Wein für Husten wurde bereitet, dessen Beimischungen Süßholz, Anis und Fenchel waren.

Die Bereitung künstlicher Getränke, namentlich Alant-, Salbei-, Wermuth- und andere Gewürzweine, sowie Beer-, Kamp- (Kamm-) und Spanweine war nach Kaiser Friedrichs Ordnung gegen Weinverfälschung (1487) erlaubt.

Im Jahr 1595 verehrt Herzog Friedrich I. dem Herzog Heinrich Julius von Braunschweig zwei Faß rothen Claretwein, wahrscheinlich von Clevnertrauben auf Burgunder Art zugerichtet, so in der Nähe von Stuttgart (Markung Stuttgart und Wangen) gewachsen ist (W. Jahrbücher 1827. 1. Heft S. 198), und in den Herzoglichen Kellereien wurden die auf Burgunder Art zubereiteten rothen Weine unter einer besondern Abtheilung aufgeführt (§. 108).

§. 88.

Eine besondere, bei uns überall bekannte und bereitete Gattung künstlicher Weine war der sogenannte „Rappas". In Güglingen kommt schon 1296 solcher Wein vor, indem aus Veranlassung eines Verkaufs von Erbwein von Rudolph von Neuffen und Ulrich von Magenheim an das Kloster zum heiligen Grab in Speyer gesagt ist: „es nicht zu gestatten, daß man, um den Rappas-Wein zu machen, wie man bisher zu thun gepflegt, Reben hinwegnehme."

In der zweiten Umgeldsordnung von 1592 ist verordnet: „So oft die Wirthe oder Gastgeber von solchem aufgeschriebenen Wein, es seie Ehr-, Tisch-, Rappis-, Kräuter- oder anderer Wein, ausschenken und ein oder mehr Faß anwenden, so solle ein Jeder zuvor Anzeige machen." Gleiche Meinung solle es auch haben mit Wiederzufüllung des Rappas- und Kräuterweins. Im Staat und Eid des Klosterküfers zu Lichtenstein vom 20. August 1670 ist verordnet: „er solle, so ein Faß Rappas oder Kräuterwein vorhanden, alle Tage füllen". Daher solche Weine zum gewöhnlichen Vorrath gehörten.

Dieser Rappas war ein süßer Wein, den man zu Herbstzeiten aus frischem Most oder aus Trauben machte. Am 7. Oktober 1554 bittet der Fürstenfelder Klosterpfleger den Magistrat in Eßlingen, man möchte ihn seinen Weingarten sogleich lesen lassen, damit er Most bekomme, um seinem Herrn, dem Herzog von Bayern, Rappas machen zu können. (Pfaff, Eßlingen S. 180.)

In der Wirthsordnung von Eßlingen von 1719 werden noch Rappes-, Beer-, Kräuter- und Spanweine angeführt.

Wie der Claretwein, so wurde auch der Rappas auf verschiedene Weise bereitet. Der Name Rappas solle davon herkommen, daß er aus ganz rothen Trauben mit den Kämmen gewonnen wurde und daher eine dunkelrothe Farbe erhielt.*) Doch wurde nach dem Hausbuche des Klosters Blaubeuren §. 80 auch aus weißen Trauben Rappas bereitet. „Nimm Truben, sonderlich die weißen Muskateller werin die besten, oder Traminer, legs uff subere Bretter oder uff ein Sib, oder laß sy ann ainer Henkelen und laß uff oder hinderm Ofen schwelk werden, darnach thus in ein subere Schindelladen und behalts also bis du im Jar wo du willt, Rappas oder Muskateller u. s. w. wollest süß haben, so legs in ain Vaß mit spänen u. s. w. und geuß Wein daran, so hast du süßen Win als zu Herbst Zitten.“

Die Bereitung der künstlichen Weine wurde hauptsächlich in den Klöstern, sowie in denjenigen Städten, welche Weinhandel trieben, insbesondere in den Reichsstädten, wie z. B. zu Eßlingen betrieben, wo solche Weine, in Kräuter-, Gewürz- und Spanweine (wahrscheinlich gespannte, stumme oder süßerhaltene, über Hößlinspäne abgezogene Weine) eingetheilt wurden und gleichfalls einen Handelsartikel bildeten. Es geht daraus hervor, daß man auch damalen sich viele Mühe gab, aus unsern Weinen ein ausgezeichnetes Produkt zu machen, sei es nun durch Anpflanzung edlerer Rebengattungen (§. 55), durch Auslese im Herbst (§. 81) oder durch künstliche Bereitung im Fasse, und daß diese Mühe sich um so mehr lohnen mußte, als ohne Zweifel diese künstlichen Weine zugleich auch zur Verbesserung der gewöhnlichen geringen Weine verwendet wurden, so daß den Abnehmern in entfernteren Gegenden nie geringe und saure, sondern stets angenehme, liebliche Weine angeboten werden konnten, woraus sich zum Theil auch der große Flor erklären läßt, in dem der Weinhandel im fünfzehnten und sechzehnten Jahrhundert bei uns stand (§. 121).

Das mehr erwähnte Hausbuch des Klosters Blaubeuren enthält viele Recepte zur künstlichen Weinbereitung.

---

*) Wahrscheinlich kommt der Name „Rappas“ von dem französischen rapés her, indem man vielleicht ursprünglich gebeerte Trauben zu dem Rappas nahm. In Frankreich nennt man die Beerweine vin rapés (Räps).

§. 89.

Wie während und nach dem 30jährigen Kriege der Weinbau abnahm (§. 59), so geschah dies auch bei der Weinbereitung und Weinveredlung. Die sorgfältige Lese, die Ausscheidung des rothen und weißen Gewächses hörte nach und nach auf und weil auch der Handel mit edlen Weinen zernichtet war, so begnügte man sich mit dem gewöhnlichen gemischten Gewächs. Die Wissenschaft, künstliche, gute, der Gesundheit zuträgliche Weine zu bereiten, ging, weil keine Nachfrage darnach mehr war, verloren; da man aber die nunmehr häufiger vorkommenden geringen Weine doch verbessern wollte, so nahm man zu allerlei künstlichen, zum Theil ungeeigneten und schädlichen Mitteln seine Zuflucht, namentlich wurde, um die Weine stärker und haltbarer zu machen, die Beimischung von Branntwein, den man im fünfzehnten und sechzehnten Jahrhundert in der Regel nur als Arznei kannte, immer allgemeiner und dadurch Weinschmiererei und Weinverfälschung immer ausgebreiteter (§. 98). Die Schriftsteller vom Anfange des achtzehnten Jahrhunderts führen vielerlei Mittel an, wodurch der Wein stark gemacht und demselben ein guter Geschmack beigebracht werden kann.

1) Um den Wein haltbar zu machen, wurde empfohlen:

a) Das Einhängen von Hopfenblumen oder Birkensamen während der Gährung.

b) Das Vergährenlassen des Weines über Spänen von Wachholderholz, oder an zerbrochener Fichtenrinde, woran Harz befindlich, und an Wachholderspänen.

c) Das Mischen von Hopfen und Rosen mit erhitztem Honig unter Zusatz von Ingwer mittelst Einhängen in den Wein.

d) Das Eingießen von öfter abgezogenem Branntwein in den Wein vor der Gährung, oder beim Ablassen eines Fasses vor dem Einfüllen oder während desselben.

Noch in der Mitte des vorigen Jahrhunderts wurde beklagt, daß man fast aller Orten gewohnt sei, dem neuen Weinmost alsbald eine Portion Branntwein zuzusetzen, um ihn stärker zu machen.

2) Um den Wein stark und gut zu machen, wurden besondere Weintincturen und auch andere Mittel angewendet, die auf folgende Weise bereitet worden sind:

a) Man nimmt zu 4 Maas süßen Most 2 Pfund Zucker nebst einer halben Maas gereinigten Branntwein und läßt es ziemlich wohl verspündet miteinander vergähren.

b) Man nimmt ausgekernte große Ziebeben, zerschneidet und zerquetscht solche, läßt sie 4 Stunden mit genugsamem Wasser auf das gelindeste kochen, preßt sie hernach aus, thut ziemlich viel Zucker zur Versüßung dazu und kocht alles wieder aufs gelindeste zur Consistenz eines Syrups.

Dieser wird wohl vermischt mit ein paar Maas guten Weins und etwas guter Hefe von weißem Bier, und in ein Faß sauren Weins gegossen, das sich an einem warmen Orte befindet, wo der Wein wieder zu Most wird (d. h. in Gährung kommt). Wenn dieser Most vergohren hat, so thut man dazu nach Genüge und Belieben des Geschmacks, von der oben (sub a) erwähnten Weintinctur, so wird man aus sauerm geringen Wein den herrlichsten Wein bekommen.

c) Nimm schöne, frische, gewaschene und zerquetschte große Zibeben 12 Pfund, Rosinen oder Korinthen frisch 6 Pfund, Meliszucker zerstückt 18 Pfund und thue alles in ein weingrünes, gutes Fäßchen, gieße darüber guten alten Wein ½ Eimer oder nach Belieben mehr oder weniger, und 1 oder 1½ Maas gereinigten Branntwein, lasse es einige Tage in der Wärme gähren, aber nicht vergähren, und nachher in den Keller legen, so überkommt man den herrlichsten Wein, einem spanischen oder Tokayer gleich, auch dienen solcherart Weine zur Verbesserung geringerer.

3) Dem Wein einen guten Geschmack beizubringen, wurde empfohlen:

a) Das Einhängen von zerstoßenem Beyfuß, so lange er noch grün ist, in den Most, bis dieser zu Wein wird, oder

b) man schüttet den süßen Most von circa einem halben Fuder, über einen Arm voll Beyfuß und eine Hand voll Hopfen und läßt ihn darüber vergähren; der Wein stärket den Magen und die Brust und bleibet allezeit schön wie Rosenwasser.

c) Das Einhängen von Hollunderblüthe in das Faß während der Weingährung.

Außer diesen waren noch verschiedene Recepte bekannt, um feine oder fremde Weine, wie z. B. Muskatellerweine, Frankenweine, Veltelinerweine, spanische Weine, Malvasier u. s. w. nachzumachen, was alles die Weinverfälschung ungemein beförderte. Auch das Beimischen von Wasser zu dem Wein muß häufig vorgekommen sein, denn es sind verschiedene Mittel angegeben, um zu erkennen, ob Wasser unter dem Wein ist und um das Wasser wieder aus dem Wein zu ziehen, wie z. B. wenn man Weinbeere, Wachholderbeere oder ein Ei in den Wein legt; schwimmen sie oben, so ist der Wein gut, sinken sie unter, so hat der Wein Wasser; oder man nimmt Oel, macht es in einer Pfanne heiß und gießet Wein daran, ist Wasser darunter, so sprizet und kochet dasselbe, im andern Falle nicht. Ersteres Kunststück wird sich jedoch bloß bei süßem oder noch stark in der Gährung befindlichen Weinmoste anwenden lassen, bei vergohrenem Weine bewährt es sich nicht.

Eine eigenthümliche Weinverbesserung wurde während des dreißigjährigen Krieges durch den Rath der Reichsstadt Hall angeordnet, indem dieser auf die Weigerung des Hofmeisters des Generals Klugen ein Faß voll Wein anzunehmen, weil er ärger sei als der Seewein, nach dem Protokoll vom 7. April 1647 beschließt, weil der Wein etwas frisch, ihn mit zwei Kübel voll Wasser geschlacht machen zu lassen. (Württemb. Jahrbücher von 1819, S. 235.)

§. 90.

In späteren Zeiten, und nachdem man auch die vielerlei Weinverfälschungen mit Strenge zu unterdrücken suchte, kam man von Anwendung der angeführten Weinkünsteleien wieder zurück, und namentlich gegen das Ende des achtzehnten Jahrhunderts suchten verschiedene Freunde und Beförderer des Weinbaues, besonders aber der als Oenologe berühmte Prälat Springer zu Maulbronn durch belehrende Schriften und durch Beispiele auf eine rationellere Behandlung der Weinbereitung hinzuwirken.

Um edle Weine zu gewinnen, wurde die Verschiebung der Lese bis zur vollständigen Reife der Trauben und eine möglichst sorgfältige Lese bei guter Witterung, sowie die Auslese der unreifen Trauben empfehlen, auch über die Gährung der Weine wurden genaue Beobachtungen angestellt und über die Behandlung derselben Vorschriften ertheilt, wobei die Süßeinkellerung und das baldige Ablassen der Weine nach der Gährung, damit die Weine von der sauern Hefe kommen, besonders hervorgehoben wurde. Als eine Hauptsache zur Verbesserung der Weine wurde das Uebersichgähren der Weine rekommandirt. Man wählt Fässer von starkem Holze mit starken eisernen Reifen, brennt sie stark ein, füllt den Most möglichst süße ein, füllt sie ganz voll, verspundet sie und läßt nur neben dem Spunten eine kleine Oeffnung, soweit als der kleine Finger stark ist, auch hält man dasselbe immer spuntvoll, weil sonst Gefahr des Zerspringens vorhanden wäre.

Als unschädliche Zusätze zur Verbesserung des Mostes werden empfohlen:

a) Das Beimischen von süßen auf Matten getrockneten oder destillirten Traubenbeeren.

b) Das Beimischen von Zibeben und Zucker, ca. 2—2½ Pfd. Zibeben und 1—2 Pfd. Zucker pr. Imi, wobei bei ersteren die Stiele und womöglich auch die Kerne entfernt werden sollten, weil beides einen herben Geschmack gibt.

c) Das Concentriren des Mostes durch Gefrieren oder Einkochen und das Beimischen desselben zu geringem Most bis auf $^1/_{10}$ des Gehalts.

d) Das Beimischen von süßem, stummen oder gefangenen Most,

dem pr. Imi 1—2 Maas Weingeist und 1—2 Pfd. ausgesteinte Zibeben beigemischt werden können.

e) Das Beimischen von süßen guten aus- oder inländischen Weinen.

f) Das Vermischen des Weinmostes mit ächtem Weingeiste, jedoch vor der Gährung, weil später der Weingeist sich nicht mehr mit dem Weine verbindet, sondern oben auf demselben als Decke liegen bleibt. Das Beimischen von Weingeist nach der Gährung wird als Betrug erklärt.

Um den Weinen einen angenehmen lieblichen Geruch beizubringen, solle man

g) Traubenblüthe, sobald sie aufgeht oder wann sie eben aufgehen will, vor Tag sammeln, im Schatten behutsam dörren, in einem reinen Tuche sorgfältig aufbewahren und nach den ersten Tagen der unruhigen Gährung ins Faß hängen. Die Resedenblüthe soll ähnliche Dienste thun. Um dem Wein einen Muskatellergeschmack beizubringen, wird, sobald der Wein halb vergohren hat, das Einhängen von 2 Loth Holderblüthe und 4 Loth Scharlachkraut auf den württembergischen Eimer in einem mit einem Stein beschwerten Tuche vorgeschlagen, das man 10—14 Tage in dem Most hängen läßt.

§. 91.

Auch alte Weine suchte man durch die obenbemerkten Zusätze zu verbessern, indem man dieselbe auf's Neue in Gährung setzte, was auf folgende Weise bewirkt werden wollte:

„Man bringt ein mit gutem alten Wein gefülltes Faß in ein eingeheiztes Zimmer, oder Sommerszeit an einen von der Sonne stark bescheinten Ort, nimmt auf 1 Imi Wein 1½ bis 2 Pfd. Zucker und 2½ bis 3 Pfd. Zibeben, sondert von diesen alle Stiele ab, bricht sie auf und steint sie wenigstens zur Hälfte aus, thut sofort beides in das Faß, füllt dieses bis auf ein Drittel des Gehalts mit Wein und setzt den Spunten leicht auf. In den ersten 5 Tagen rüttelt man das Faß Morgens und Abends mit der Hand.

Will man den Wein recht gut machen, so setzt man ihm, wenn derselbe 20 Tage lang gegohren hat, auf ein Imi ½ Pfd. des besten Zuckers zu, den man binnen 3 Tagen nach und nach ins Faß bringt. Wenn der Wein während der Gährung bitter wird, so ist dies ein gutes Zeichen. Nach einer Gährung von 40 Tagen bringt man das Faß in den Keller, läßt es ruhig liegen, bis die Hefe sich gesetzt und der Wein sich geklärt hat, und zieht sofort denselben in ein reines mit Schwefel wohl ausgebranntes Faß ab, womit die Verbesserung beendigt ist. Will man nicht so lange warten bis der Wein sich selbst gehellt hat, so seiher man ihn durch ein reines Tuch und gibt ihm eine leichte Schöne von Hausenblase.

Auf die im ersten Faße zurückgebliebene Hefe kann man abermals Wein gießen, und dabei auf die angegebene Weise verfahren, nur nimmt man keine Zibeben mehr und an Zucker ⅓ bis ⅔ weniger. Hat dieser Wein vergohren und ist er abgelassen, so gießt man auch noch zum Drittenmal geringen Wein auf die Hefe und läßt ihn mit Zucker vergähren. Kommt der Herbst herbei, so kann man zum Viertenmal Weinmost auf die Hefe gießen und ihn daran vergähren lassen; er braucht jedoch länger als der zuerst verbesserte Wein, bis er sich im Keller hellt. Aus der Hefe brennt man dann einen Weingeist, der ausnehmend gut ist."

Die auf solche Weise verbesserten Weine sollen dauerhaft, stark, geistig und gesund sein und sich auch ohne Nachtheil verführen lassen.

§. 92.

Zu Ende des vorigen und im Anfang des gegenwärtigen Jahrhunderts wurde das von dem französischen berühmten Chemiker Chaptal empfohlene Verfahren, den Wein auf künstliche Weise, namentlich mit Zucker zu verbessern, auch in Deutschland bekannt, und wenn dasselbe, wie wir soeben gesehen haben, in Württemberg nichts Neues mehr war, so hat doch derselbe das Verfahren mehr ausgebildet und dadurch zur Anwendung im Großen geeigneter gemacht. In Frankreich kommt dasselbe von den großen Weinhandlungen auf vielfache Weise in Anwendung und Frankreich hat den zweckmäßigen Weinverbesserungsmethoden seiner Weinhändler, den blühenden Weinhandel hauptsächlich zu verdanken, den es schon seit geraumer Zeit führt und durch welchen es unsere deutschen Weine aus einem großen Theile des nördlichen Deutschlands fast ganz verdrängt hat. Auch am Rheine kam das Verfahren Chaptals bisher nicht selten zur Anwendung und ist dort unter der Benennung: „chaptalisiren oder chaptalisirte Weine" bekannt.

Die Hauptgrundsätze dieses Verfahrens bestehen darin, daß manche Trauben, also auch der Weinmost, nicht genug Zucker enthalten, um eine zureichende Ausbildung des Alkohols zu gestatten, weil entweder die Trauben nicht zur Reife gelangten, oder weil der Zucker in einer zu großen Menge Wasser verdünnt ist, oder auch wohl, weil er sich wegen der Beschaffenheit des Klimas (Kälte) nicht hinlänglich entwickelt hat. In allen solchen Fällen gebe es zwei Mittel, diesen natürlichen Fehler in dem Moste zu verbessern, nämlich:

a) dem Moste jenen Stoff, der ihm fehlt, zuzusetzen in einer angemessenen Zugabe von Zucker während der Gährung, der die zur Bildung des Alkohols nöthigen Stoffe liefert, und
b) durch das Einkochen des Mostes, indem man einen Theil

desselben in einer Pfanne zur Hälfte einsieden läßt und diesen alsdann zu dem übrigen Moste schüttet, wodurch der zu große Wassergehalt verdunstet und der Zuckerantheil weniger verdünnt ist.

Die Größe des Zuckerzusatzes habe sich nach der Qualität des Weinmostes zu richten, dem so viel zuzusetzen seie, bis er den Geschmack eines süßen guten Weines erhalte.

Zur Ermittlung des Zusatzverhältnisses diene die Weinmostwage. Kenne man den Zuckergehalt eines guten Weines, so untersuche man denjenigen eines geringeren Weines und setze ihm dann so viel Zucker zu, bis er entweder ganz oder annähernd denjenigen eines bessern Weins hat. Um den Zucker aufzulösen, bringe man mit demselben einen Theil des zu verbessernden Mostes in einen Kessel über das Feuer, erhitze den Most hinreichend, und wenn sich der Zucker aufgelöst, gieße man die Auflösung in die Kufe und rühre alles tüchtig durcheinander. Dieses Verfahren wiederhole man bis aller Zucker unter den Most gemischt ist. Die Weine werden durch diesen Zusatz um Vieles edler und widerstehen der Zersetzung besser.

Versuche mit dem Einkochen des Weins nach Chaptals Methode sollen auch zu Stuttgart im Jahr 1807 von Rath Trefz und Stiftsküfer Gleich angestellt, und dieselben nach den Zeugnissen von Aerzten und andern Personen über alle Erwartung günstig ausgefallen sein, in dem Maße, daß geringer Weinmost dadurch eine Verwandtschaft mit einem mittleren Rheinweine erhielte; sie scheinen aber nicht fortgesetzt worden zu sein.

§. 93.

In der neuesten Zeit machte das von Dr. Ludwig Gall in Trier in öffentlichen Zeitschriften und in besonders abgedruckten Abhandlungen bekannt gemachte Verfahren zur Verbesserung geringerer Weine, Epoche. Derselbe stellt in seinen Schriften den Grundsatz auf, daß geringe und sauere Weine nicht — wie man bisher annahm — zu wenig Zucker und zu viel Säuere, sondern im Verhältniß zu ihrem Säuregehalt zu wenig Zucker und zu wenig Wasser enthalten, er will deswegen die Verbesserung derselben durch die unschädlichsten Mittel, nämlich durch Zusetzung von Wasser und Zucker bewirken.

Nach dem Inhalt seiner Schriften hat er sein ganzes Weinverbesserungsverfahren in ein System gebracht und er bestimmt im Verhältniß und nach dem Grade des Säure-, des Zucker- oder Alkoholgehalts der einzelnen Weine die Größe des Zusatzes von Wasser und Zucker. Zu Erforschung des Säuregehalts des Weinmostes, sowie des alten Weins dient ein besonderer Säuremesser

(Acetimeter von Professor Otto in Braunschweig), bestehend in einer in Grade eingetheilten Glasröhre, in welche der Weinmost oder Wein unter Zumischung von Lakmustinktur und einer Ammoniaklösung von 1,389 Procent eingefüllt wird, worauf nach der Farbe des Weins die Grade des Säuregehaltes angezeigt werden.

Zu der Ermittlung des Zucker- beziehungsweise Alkoholgehalts bei dem noch süßen Weinmost wird die Oechsle'sche Mostwage oder die der württembergischen Weinverbesserungsgesellschaft (von Mechanikus Kinzelbach in Stuttgart) empfohlen; die Ermittlung des Alkoholgehalts des alten Weins muß dagegen entweder durch Destillation des betreffenden Weins oder durch Anwendung des von Mechanikus Geisler in Bonn zur Bestimmung des Alkoholgehalts der Weine erfundenen Vaporimeters erfolgen. Nach erfolgter Ermittlung des Säure- und Alkoholgehalts der Weine muß alsdann durch ziemlich ausführliche und complicirte Berechnungen erhoben werden, wie viel dem Weine an Wasser und Zucker zuzusetzen ist, um dessen Säuregehalt bis auf einen gewissen Grad zu mildern und dessen Zucker- oder Alkoholgehalt auf angemessene Weise zu erhöhen, um den Wein zu einem angenehmen Getränke zu machen, was übrigens nicht Jedermanns Sache ist.

Als Zuckerzusatz wird der aus Kartoffeln bereitete sogenannte Traubenzucker besonders empfohlen, weil derselbe, nach seiner innern Beschaffenheit dem Traubenzucker am nächsten kommt, doch dürfte der feinere Hut- oder Stampfzucker auch einen feineren Wein geben, weil ersterer immer noch einen Beigeschmack hat, den er auch dem Weine mittheilt. Die Verbesserung der alten Weine, welche nach Empfang des betreffenden Zusatzes mit Bier- oder Weinhefen, Zibeben oder durch andere Mittel wieder in Gährung gesetzt werden, behandelt Dr. Gall als ein Geheimniß, welches übrigens in Württemberg wenigstens schon seit langer Zeit kein Geheimniß mehr ist, wie wir bereits oben (§. 91) nachgewiesen haben. (Praktische Anleitung sehr gute Mittelweine selbst aus unreifen Trauben zu erzeugen von Dr. Ludwig Gall. Trier 1851 und 1854.)

Dieses Verfahren, das man der Kürze halber das Gallisiren der Weine nennt, findet da und dort Nachahmung, aber auch in verschiedenen Weinbaugegenden heftige Gegner, besonders in den Rheingegenden durch die dort befindlichen Weinhandlungen, die sogar vor den rheinbayerischen Gerichten Klage gegen diese Weinverbesserungsmethode erhoben haben.

Auf eine von dem Weingärtnerstande zu Heilbronn gegen das Gallisiren der Weine eingereichte Beschwerde, in der ein Antrag dahin gestellt wurde, daß diejenigen, welche solche Weine bereiten, angehalten werden sollen, solche nicht für ächte und reine, sondern für gallisirte Weine zu verkaufen, erfolgte durch Entschließung des

K. Ministeriums des Innern dd. 18. Juni 1856 eine abweisende Verfügung, indem die in Frage stehende Verbesserung der Weine nichts schädliches enthalte und daher einer schwer auszuführenden polizeilichen Beschränkung um so weniger unterworfen werden könne, als dieselbe, wenn wirklich geringe Weine dadurch verbessert werden, in nationalwirthschaftlicher Beziehung sogar Aufmunterung verdiene.

Das neueste Weinverbesserungsverfahren besteht in dem sogenannten Petiotisiren des Weins (angewendet und bekannt gemacht von Abel Petiot de Chamirey in Frankreich), das darin besteht, daß man den ersten Weinmost von den Trebern abläßt, dieselben sofort gar nicht oder nur schwach auspreßt und dann an solche eben so viel und vom gleichen Grade (nach der Mostwage) Zuckerwasser gießt, als der abgelassene Most betragen hat, und den Wein dann wieder gähren läßt, welches Verfahren man sogar nach erfolgtem Ablasse zum zweitenmal wiederholen kann. Dasselbe gründet sich darauf, daß durch die Gährung des Naturmostes an den Trebern die Bestandtheile derselben an Säure, färbenden und aromatischen Stoffen weit nicht vollständig ausgezogen werden, sondern daß dieses erst geschieht, wenn die Treber ein- oder zweimal mit Zuckerwasser übergossen und die Masse in eine Gährung gebracht wird. Es läßt sich dadurch nicht nur das Weinerträgniß vermehren, sondern man wird auch bei sorgfältiger Behandlung einen milden Wein zum Hausgebrauch erhalten.

5. Die Weinverfälschung.

§. 94.

Unter Weinverfälschung verstand man in ältern Zeiten hauptsächlich die Zumischung von fremdartigen der Gesundheit schädlichen Stoffen zu dem Weine, um demselben die vorherrschende Säure zu nehmen und ihn zum Trinken stärker und angenehmer zu machen. Daß darunter die naturgemäß verbesserten Weine nicht verstanden waren, beweist der Umstand zur Genüge, daß solche Weine in öffentlichen Urkunden und allgemeinen Verordnungen, wie z. B. der Claretwein, Rappas, Gewürzweine (§. 57. 58) als zu den Wirthschaften und Kellereien gehörigen Weine aufgeführt werden. Die Weinverfälschung gieng übrigens theils absichtlich, theils unabsichtlich mit der Weinverbesserung und der Bereitung künstlicher Weine Hand in Hand, weil bei den letzteren Geschäften hie und da ungeeignete Mittel angewendet worden sein mögen, die geradezu zur Weinverfälschung führten, daher schon Karl der Große im Jahr 802 eine Verordnung dagegen ergehen ließ, und der hohenstaufische

Kaiser Friedrich II. verbot gemischten Wein für reinen Wein zu verkaufen.

Die ersten Spuren von eigentlichen im Größern getriebenen Weinverfälschungen, wie Verbote dagegen, kommen jedoch erst im Jahre 1327 in den Niederlanden vor.

Im Jahre 1360 wurde zu Frankfurt a. M. das Verfälschen des Weins mit Branntwein verboten, und im Jahr 1366 erließ die Stadtbehörde zu Ravensburg eine Verordnung gegen das Verfälschen des Weines mit Weidäschen oder Feldäschen. „Wer deß überführe, der muß es bessern den Bürgern als dick (so oft) er's thut mit 5 Pfd. Pfenning, oder die Pfennig nitt hatt, der muß die Stadt meiden 5 Jahre."

Im Jahr 1399 erließ der Rath von Heilbronn eine Verordnung: „und daz niemann keinen Wein mit Gemecht machen soll." Auch in einer Urkunde von 1438 gebietet Kaiser Albrecht II. „kein unziemlich Gemäch mehr in den Wein zu thun."

Die Stadt Ulm schrieb ausdrücklich an die Grafen von Würtemberg und Rheinpfalz, „man möchte die Weine lassen wie sie Gott von den Reben gegeben", und 1478 beklagte sich dieselbe bei dem Rath in Eßlingen über die Weinverfälschung daselbst, worauf der letztere erwiderte: er wolle die Seinigen, wenn er von solchem gemachten Weine etwas bei ihnen entdecke, an Leib und Geld ernstlich strafen, auch lasse er jährlich einen Eid schwören, solchen Wein nicht zu verkaufen.

§. 95.

Gegen Weinverfälscher wurde mit Strenge verfahren. In Nürnberg wurde ein solcher schon 1409 bestraft und 1474 in Heilbronn ein Weinverfälscher lange im Gefängniß behalten und seine Beschwerde hierüber von dem kaiserlichen Kammergericht verworfen. (Archivalakten von Heilbronn.)

Bei der fortwährenden Steigerung des Weinbaues, der Zunahme des Weinhandels und der Vergünstigung, besonders in den Städten Tavernen anzulegen (§. 118), nahm übrigens die Weinverfälschung immer mehr zu, indem man den schlechten Wein eben so gut machen wollte wie das vorzügliche Gewächs und die Schenkwirthe meist nur geringen Wein kauften, um diesen sofort auf künstliche Weise zu verbessern.

Kaiser Friedrich III. sah sich deßhalb veranlaßt, 1487 einen besondern Reichstag zu Rottenburg an der Tauber abzuhalten, und vom Grafen Eberhardt zu Württemberg zu verlangen, einen sachverständigen Mann dahin abzusenden, welcher dann auch den Luccas Goldschmid von Stuttgart damit beauftragte.

In Folge dieses Reichstags wurde nach den Archivalakten von Heilbronn 1487 eine eigene kaiserliche Weinordnung erlassen, nach

11*

welcher die Trauben ohne alles Gemächt und ohne allen Zusatz ausgepreßt, der Most in unzubereitete Fässer geschüttet und sogleich in den Keller gelegt werden solle, auch später soll man mit dem Wein keinerlei Gemächt oder Zusatz vornehmen, es seie mit Feuern oder Bedämpfen, sondern ihn in seiner ordentlichen Füllung bis zum Ablassen erhalten. Wolle Jemand um der Beständigkeit des Weins willen ihn mit Schwefel bereiten, so solle dieses nur einmal und so geschehen, daß für ein vierfudriges Faß nur 1 Loth lauterer Schwefel ohne allen Zusatz genommen werde, auch solle dies dem Weinkäufer angezeigt werden, damit dieser ihn nicht noch einmal schwefele. Gewürz-Beer-Kemp-(Kämme?) und Spanweine durften wie früher verkauft werden, nur wer sie unter andere Weine mischte, verfiel in eine Strafe von 10 fl.

Auch Kaiser Maximilian überschickte 1498 der Stadt Heilbronn eine Verordnung gegen Weinverfälschung und über zweckmäßige Behandlung der Weine, die an der Waage angeschlagen wurde.

Für das Küfergewerbe wurde bei dem Reichstage in Rottenburg 1487 eine eigene Ordnung und Satzung erlassen, wonach verordnet wurde, „den Weinen keinerlei Gemächt oder Zusatz, wie man auch die erdenken oder fürnehmen möcht, mit nichten nitt zu thun.“

Nach einer andern Verordnung sollen Weine nur mit ziemlichen Gemächten, als mit Milch, Bier, Tegel, Kraftmehl, die den Leuten unschädlich sind, gemacht (geschönt) werden. Ferner solle von den Weinen wegen, die von Franken, aus dem Elsaß in andere Orte herabgehen, die mit Schwefel, Weidaschen, Bleiweiß, Säuern und unziemlichen Gemächten gemacht sind, Leute aufgestellt (zur Untersuchung) und wo man solch unziemliches Gemächt fände, den Fässern der Boden eingeschlagen werden. (Berlepsch S. 196.)

Die zahlreichen gegen die Weinverfälschung erlassenen Verordnungen scheinen jedoch keinen erheblichen Erfolg gehabt zu haben, denn am 11. März 1503 (1513?) schrieb Herzog Ulrich nach Eßlingen, daß, da das Gemächt der Weine allenthalben geübt werde und so schädlich geschehe, daß die Menschen dadurch Gebrechen und sogar tödtliche Krankheiten zu erleiden hätten, wie solches sich kürzlich in Ulm gezeigt, so habe er in seinem Fürstenthum jede Weinmischung bei schwerer Strafe verboten, dasselbe möchten sie auch thun und Abgeordnete schicken, daß man mit Zuziehung von Arzneigelehrten untersuche, welche Mischungen unschädlich seien. Aber schon unterm 11. Januar 1529 beklagt sich die Stadt Ulm aufs Neue bei Eßlingen, wo die Weinverfälschung stark betrieben worden sein muß, daß mit Machen oder Streichen der Weine, die wöchentlich auf ihren Markt geführt werden (§. 122) die höchste Gefahr gebracht und mit diesen widernatürlich süß gemachten oder gestrichenen Weinen männiglich betrogen werde.

Doch kommen im sechszehnten Jahrhundert weniger Klagen über Weinverfälschung als früher vor, und es scheint daher, daß man sich bei dem damaligen blühenden Weinbau und Weinhandel mehr auf eigentliche Weinverbesserung als auf Weinverfälschung gelegt habe.

§. 95.

Die gefährlichste Weinverfälschung wurde während und nach dem dreißigjährigen Kriege betrieben, wo man mehr auf Quantität als auf Qualität (oben §. 25 und 59) Wein baute, doch aber auch guten Wein trinken wollte. Schon 1621 wird darüber geklagt, daß viel Betrug mit Verfälschung des Weins vorgehe, unter den man Kräuter, Wurzeln, Saamen u. s. w. mische, um ihm einen fremdartigen, namentlich einen Muskatellergeschmack und Geruch zu geben und ihn dann theuer verkaufen zu können. Besonders während der französischen Kriege zu Ende des siebenzehnten und Anfangs des achtzehnten Jahrhunderts wurde die — wahrscheinlich von Frankreich ausgegangene — der Gesundheit äußerst schädliche Verfälschung des Weins mittelst Vermischung oder Schönen mit Silberglätte, Wißmuth u. s. w. verbreitet. Namentlich in Eßlingen, Stuttgart, Heilbronn, Giengen und Göppingen muß diese Art der Weinverfälschung, wodurch man mit Bleiglätte die Weine zu versüßen suchte, stark betrieben worden sein, so daß von Ulm, Augsburg, München, wo Weinmärkte abgehalten und viele Neckarweine abgesetzt wurden, schwere Klagen darüber einliefen, indem einzelne Personen durch den Genuß solcher Weine vergiftet worden seien und daher fast kein Faß Wein mehr verkauft werden könne. Niemand wollte mehr Neckarweine kaufen, und von einzelnen benachbarten Staaten wurde der Handel mit Neckarwein sogar verboten. (Sattler, Geschichte unter den Herzogen XII. Bd. S. 82.)

Sowohl die württembergische Regierung als auch die schwäbischen Reichsstädte suchten daher dem tief greifenden Uebel mit Strenge zu begegnen, und durch die Generalrescripte vom 10. März 1696 und 26. April 1706 wurden daher strenge Strafen gegen derartige Weinverfälschungen angedroht und namentlich die Küfer davor gewarnt.

Diese Anordnungen wurden, um den verbreiteten übeln Ruf der Neckarweine wieder zu stillen, in dem obern schwäbischen Kreis durch ein offenes Patent überall bekannt gemacht, und auch der Magistrat in Heilbronn sah sich veranlaßt, von den getroffenen ernstlichen Maßregeln gegen die Weinverfälschung den verschiedenen Reichsstädten und den benachbarten Regierungen von Württemberg und Durlach in besonderen Schreiben Kenntniß zu geben und sie zu ersuchen, die gegen den Weinhandel erlassenen Verbote wieder aufzuheben.

Unter den Küfern, welche die Weinverfälschung mit Silberglätte hauptsächlich betrieben, zeichnete sich im Jahr 1697 hauptsächlich der herrschaftliche Schloßküfer Hansjörg Selteser zu Göppingen, und im Jahr 1705 ein Küfer in Eßlingen, Namens Hans Jakob Erni, besonders aus. Den Letztern, der die Weine unter dem Vorwande einer guten Schöne verfälschte, ließ Württemberg ergreifen, und weil mehrere Personen, die von seinen geschönten Weinen getrunken, den Tod gefunden, 1706 zu Stuttgart zur wohlverdienten Strafe und Andern zum Exempel mit dem Schwerte hinrichten. Auch ließ man daselbst mehr denn hundert Eimer solch verfälschten Weines in die Wette laufen.

Bei Vernehmung der Küfer in Heilbronn wollten diese hauptsächlich den Weinsbergern die Weinverfälschung in die Schuhe schieben und es stellte sich dabei heraus, daß das Beimischen von Branntwein zum Wein um jene Zeit schon allgemein bekannt und im Gebrauch war.

In Württemberg wurde deßhalb durch Generalrescript vom 4. Oktober 1716 angeordnet: daß, weil durch das strenge Branntweinmachen der Vertrieb des Weins stocke, Niemand weiter Branntwein zu brennen erlaubt werden solle als zum Hausbrauch, am allerwenigsten aber das Feiltragen des Branntweins zum öffentlichen Verkauf.

Durch das Generalrescript vom 23. September 1751 wurden wiederholt alle Verfälschungen und jede verdächtige Künstelei mit den Weinen verboten und angeordnet, Schuldhafte zur exemplarischen Bestrafung der Fürstlichen Kanzlei anzuzeigen.

Als man jedoch zu Eßlingen 1745 den Küfer Michael Körner wegen Verdachts der Weinverfälschung in Untersuchung zog, derselbe aber nachwies, daß sein Weinverbesserungsmittel in nichts anderem als Weinstein, geläutertem Zucker und frischem Brunnenwasser bestehe, so kam er mit einem Verweis davon. (Pfaff, Eßlingen S. 659.)

Die Verbesserung des sauern Weins mit Wasser und Zucker (§. 93) war also auch schon damalen bekannt und wurde als unschädlich, also nicht für eine eigentliche Weinverfälschung, anerkannt.

Durch die angeführten strengen Maßregeln wurden zwar die schädlichen gröberen Weinverfälschungen unterdrückt, aber die weniger schädlichen scheinen im Geheimen fortbetrieben worden zu sein, da der Weinhandel nicht wieder zu-, sondern wie wir hienach (§. 121—126) sehen werden, immer mehr abnahm.

VI. Ertrag, Qualität und Preis des Weins.

1. Weinertrag.

§. 96.

Der Ertrag der Weinberge in Schwaben ist sehr verschieden. Während die Weinbaugegenden am Traufe der Alp und in der Bodenseegegend vermöge der engen Bestockung und der angepflanzten ergiebigen Traubengattungen (§. 61 u. 64) sich durch einen besonders reichlichen Ertrag auszeichnen, gewähren die Weinberge im Tauber- und zum Theil auch im Jagstthale wegen des magern, steinigen und felsigen Kalkbodens und der niedern Erziehungsart einen auffallend geringen Ertrag.

Am Traufe der Alp, Reutlingen und Pfullingen, namentlich aber in Metzingen ist es nichts seltenes, daß ein Morgen Weinberg 15, 20—25 Eimer erträgt, und früher, wo die Bestockung noch enger (2000—2400 Stöcke per Viertelmorgen) und bloß Roth- und Weißelbling sowie Takayer (Putzscheeren) angepflanzt wurden, solle sich der Ertrag in guten Jahren fast ins Unglaubliche gesteigert haben.

Nach dem Herbstpartikular von Metzingen von 1728 Blatt 134[b] erhielt:

Michael Straßers Wittwe aus der Hälfte von ½ Vr. = ¼ Vrtl.
Weinmost 88 Imi, thut auf 1 Morgen 88 Eimer,
Michael Brändle aus der andern Hälfte
Weinmost 47 Imi, thut auf 1 Morgen 47 Eimer.

Nach dem Herbstpartikular von 1739 Blatt 41:

Michael Wendeler aus ½ Vrtl. 72 Imi, thut auf 1 Mrg. 36 Eimer,
Johann Flammaus „ ½ „ 69 „ „ „ 1 „ 34 „
(W. Jahrbücher 1818 S. 279.)

Nach einer andern Notiz hat ertragen:

Anno	1697	per Morgen	20 Eimer.	Anno	1710	per Morgen		6	Eimer.
„	1698	„	10 „	„	1711	„	„	18	„
„	1699	„	14 „	„	1712	„	„	30	„
„	1700	„	12 „	„	1713	„	„	2½	„
„	1701	„	16 „	„	1714	„	„	6	„
„	1702	„	22 „	„	1715	„	„	2½	„
„	1703	„	12 „	„	1716	„	„	6	„
„	1704	„	16 „	„	1717	„	„	10	„
„	1705	„	12 „	„	1718	„	„	40	„
„	1706	„	24 „	„	1719	fehlen.			
„	1707	„	24 „	„	1721	„			
„	1708	„	16 „	„	1722	„	„	10	„
„	1709	erfror alles, keine Kelter gieng um.							

Anno	1723	per Morgen	$4\frac{1}{2}$	Eimer.	Anno	1735	per Morgen	18	Eimer.
„	1724	„ „	6	„	„	1736	„ „	20	„
„	1725	„ „	12	„	„	1737	„ „	12	„
„	1726	„ „	16	„	„	1738	„ „	10	„
„	1727	„ „	14	„	„	1739	„ „	30—36	E.
„	1728	„ „	32	„	„	1740	„ „	6	„
„	1729	„ „	16	„	„	1741	„ „	$3\frac{1}{2}$	„
„	1730	„ „	16	„	„	1742	„ „	2	„
„	1731	„ „	12	„	„	1743	„ „	16	„
„	1732	„ „	12	„	„	1744	„ „	12	„
„	1734	„ „	6	„	„	1745	„ „	12	„

Zusammen binnen 45 Jahren 583 Eimer und also per Morgen und ein Jahr durchschnittlich $12\frac{43}{45}$ Eimer.

In ältern Zeiten war der Metzinger Wein, namentlich der rothe berühmt, daher damalen ganz andere Traubengattungen, besonders der blaue Clevner sehr häufig angebaut worden sein muß. (§. 57.) Die enge Bestockung und die Anpflanzung blos reichlich tragender Traubengattungen scheint erst gegen das Ende des siebenzehnten und zu Anfang des vorigen Jahrhunderts allgemein geworden zu sein.

§. 97.

In der Bodenseegegend trägt gleichfalls die enge Bestockung (zwei Schuh weit) sowie die Anpflanzung der reichlich tragenden Elbling- und Lindauerrebe (§. 64) zu größerem Weinertrag bei, so daß der Durchschnittsertrag dortiger Rebländer denjenigen der Unterländer Weinberge nicht selten um das Zwei-, Drei- und Vierfache übersteigt, und auf den Morgen 10 bis 20 Eimer Ertrag kommen wird.

Zu Friedrichshafen erhielt im Jahr 1827 Peter Lang, Gastgeber und Kornhändler aus einem von der Herrschaft erkauften und gut behandelten Weinberge von $1\frac{3}{16}$ Morgen 27 Eimer Wein, was auf den Morgen einen Ertrag von 22 Eimer 11 Imi 8 Maas ausmacht. In neuerer Zeit sollen übrigens dort, wo seither enge Bestockung vorherrschte, die Stöcke weiter auseinander gesetzt werden.

§. 98.

Zu denjenigen Weinbaugegenden, welche im Durchschnitt einen mittlern Weinertrag abwerfen, und wo ein Ertrag von 4 Eimern per Morgen schon zu den guten Herbsten gerechnet wird, gehören das mittlere und untere Nekarthal mit seinen Seitenthälern, obgleich auch hier eine ziemliche Verschiedenheit herrscht. Namentlich zeichnen sich diejenigen Weinberge mit Keupermergel, oder wo ein tiefer warmer Thon- oder Lehmboden auf Kalkfelsen auflagert, wie z. B. im Remsthal, im Weinsbergerthal und in der Gegend von Heilbronn, durch reichlichern Ertrag vor denjenigen aus, wo an steilen Bergabhängen der Muschelkalk die Unterlage bildet, wie von Cannstatt bis Laufen und in einem Theile des Enzthales.

Wir sind über den Ertrag von Weinbergen einzelner Gegenden des Neckarthales im Besitze von Archivalnotizen, die einige Jahrhunderte umfassen, wonach dieselben ertragen haben:

Zu Stuttgart von 2175 Morgen.	Zu Besigheim von 366 Morgen.	Zu Bönnigheim von 600 Morgen.	Zu Schorndorf von 440 Morgen.
Von 1760—1800 in 36 Jahren 96,721 thut im Durchschnitt 2687 Eimer.	Von 1701—1750 in 38 Jahren 40,850 Durchschnitt 1075 Eimer.	Von 1801—1850 in 46 Jahren 71,907 Eimer Durchschnitt 1563 Eimer.	Von 1751—1800 in 31 Jahren 20,945 Eimer. Durchschnitt 997 Eimer.
Von 1801—1856 in 31 Jahren 124,947 thut im Durchschnitt 4031 Eimer.	Von 1751—1800 48,540 Durchschnitt 971 Eimer.		Von 1801—1850 in 40 Jahren 36,704 Eimer Durchschnitt 918 Eimer.
	Von 1801—1850 47,893 Durchschnitt 958 Eimer.		

§. 99.

Den geringsten Weinertrag liefert der Taubergrund und der obere Theil des Jagstthales mit den dazu gehörigen Seitenthälern, was hauptsächlich von dem seichten magern Kalkboden herkommt, unter dem sich bald Kalkfelsen zeigen und der nur eine niedere Erziehungsart der Reben zuläßt. Die Vegetation der Rebe und die Fruchtentwickelung derselben ist daher gering. Im Tauberthale werden 4 Eimer per Morgen für einen ausgezeichnet reichen Herbstertrag gerechnet und der mittlere Ertrag belauft sich auf kaum 2 Eimer per Morgen.

In der Mitte zwischen dem Tauber- und Neckarthale steht das Kocherthal. Von beiden Thälern besitzen wir ebenfalls genaue Ertragsnotizen wornach die Weinberge ertragen haben, und wobei hinsichtlich des Zehnterträgnisses zu Mergentheim, in Bezug auf die Reduction in das württembergische Maß erläuternd angeführt wird, daß 1 Taubermaas gleich ist $3^{14}/_{135}$ Schoppen württembergisch, und 1 Tauberreimer = 4 Imi, 9 Maas $2^{86}/_{135}$ Schoppen württembergisch, oder in runder Zahl $3^{1}/_{4}$ Taubergrundeimer = 1 Württembergereimer.

	Ertrag zu Mergentheim von 569 Morgen.				Ertrag im Kocherthal zu	
	Taubermaas.		Württemb. Maas.	Durchschnitt per Jahr	Niedernhall v. 324 Morgen	Nagelsberg v. 138 Morgen
	Fuder	E.	Eimer	Eimer	Eimer	Eimer
Von 1700—1750 in 50 Jahren	9969	7	37,386	748		
von 1751—1800	5458	1	30,468	469	Von 1813—	1847
von 1801—1825 in 24 Jahren	1510	—	5662½	332	in 31 J. 15,331	in 32 J. 8395
von 1826—1850 in 25 Jahren			10,627½		Durchschn. 495	Durchschn. 262

Wenn man ältere Beschreibungen über den Weinertrag liest, so sollte man glauben, der Ertrag der Weinberge sei damalen weit reicher gewesen als der neuerer Zeit, auch hat in der Versammlung der deutschen Wein- und Obstproduzenten zu Würzburg im Jahr 1841 ein Mitglied einen wirklich interessanten Vortrag über die Abnahme der Produktionskraft der Weinberge gehalten. (Die Wein- und Obstproduzenten Deutschlands S. 90.)

Dies widerspricht jedoch den oben von uns gegebenen Zusammenstellungen, auch könnte jener Fall nur da zutreffen, wo auf Verbesserung und Kräftigung des Bodens der Weinberge nie etwas verwendet wurde; berücksichtigt man aber die Thatsache, daß in neuerer Zeit die Bodenkraft der Weinberge durch mehrjährigen Anbau von Klee u. s. w. vor jeder neuen Anlage derselben, sowie durch öftere Uebertragung des Bodens mit Dung, Mergel und Erde sehr gekräftigt und in gutem Bau erhalten wird, so darf mit Fug und Recht behauptet werden, daß die Bodenkraft der Weinberge ebenso wie bei andern Kulturzweigen gegenwärtig höher steht, als in früheren und älteren Zeiten, und von einer allgemeinen Abnahme derselben mit Grund nicht die Rede sein kann.

Dagegen berichten allerdings ältere Schriftsteller aus dem 15. und 16. Jahrhundert, daß damalen in Württemberg sowohl als in andern Weingegenden die Hügel so reichlich Wein getragen, daß jeder, sogar der ärmste Bauer, sein Faß voll Wein im Keller hatte, auch wunderten in dem Kriege des schwäbischen Bundes mit Herzog Ulrich die Bündischen sich sehr über die vollen Weinfässer, die sie auf ihren Märschen durch das Rems- und Neckarthal überall trafen, daher sie ihr Lager bei Untertürkheim nur „das Weinlager“ nannten; daneben wurden aus den herrschaftlichen Kellereien noch unzählige Fuhren Wein außer Landes gebracht, so z. B. aus dem herrschaftlichen Keller zu Schorndorf allein 600 Eimer und aus der Stadt Kirchheim 28 Wagen voll.

Solche Fülle von Wein mag nicht sowohl von einem außergewöhnlich reichlichen Ertrag der Weinberge, als hauptsächlich daher gekommen und zu erklären sein, daß vor dem dreißigjährigen Kriege der Wein fast das einzige Handelsprodukt Württembergs war und man sich deßhalb auf dessen Pflanzung auch in Gegenden und Lagen verlegte, wo er eigentlich nicht hingehörte (§§. 24. 31. 35. 36—51). Auch hatte der Weinhandel damalen eine ganz andere Gestalt als neuerer Zeit, ein großer Theil des Weins wurde auf besondern Weinmärkten wie z. B. zu Ulm abgesetzt, wohin aber neuer unvergohrener Wein in größeren Quantitäten, wenn er nicht wesentlichen Schaden nehmen sollte, nicht verführt werden konnte, zumal die damaligen schlechten Wege, welche bei ungünstiger Herbstwitterung fast unfahrbar waren, den Transport des neuen Weins auf weitere Strecken verhinderten. Der Ankauf des Weins während des Herbstes war daher zu jener Zeit nicht so allgemein verbreitet wie gegenwärtig, die Weingärtner mußten vielmehr auf die Einkellerung ihres Herbstertrages Bedacht nehmen, woher denn auch zum Theil die vollen Fässer gekommen sein mögen die man damals in ihren Kellern antraf.

Einen weitern Beweis, daß der Weinertrag in ältern Zeiten nicht größer war als gegenwärtig, liefern ältere Ortskroniken, nach welchen man z. B. in Cannstadt 1619, 1620, 1621. 1624 und 1625 den durchschnittlichen Ertrag von 1 bis 2 Eimer per Morgen für einen geringen, 1618 den Durchschnittsertrag von 2 Eimer und darüber für einen mittlern und 1629 den Durchschnittsertrag von 1 Fuder = 6 Eimern für einen sehr guten Herbst gehalten hat.

Im Uebrigen darf nicht unerwähnt bleiben, daß der Weinertrag in ältern Zeiten durch außerordentliche Beschädigungen (§. 20) hie und da sehr geschmälert wurde, was neuerlich nicht mehr vorkommt; so wurde 1716 laut darüber Klage geführt, daß die Hirsche und die Hasen ganze Weinberge abgebeert und die Reben dergestalt abgenagt und abgebissen haben, wie wenn sie mit einer Scheere wären abgeschnitten worden. Noch in den ersten Decennien des gegenwärtigen Jahrhunderts mußten in vielen Weinbaugegenden eigene Wächter aufgestellt und in den Weinbergen Nachts große Feuer unterhalten werden, um das von den Jagdberechtigten gehegte zahlreiche Wild, besonders auch die Schweine, von den Weinbergen abzuhalten.

2. Weinqualität.

§. 100.

Die Qualität des Weins hängt nicht allein von den angepflanzten Traubengattungen, sondern auch von der Bodenart und hauptsächlich von der herrschenden Witterung eines jeden Jahres ab, es ist deßwegen schon in älteren Zeiten der Gang der Witterung und der Einfluß, den dieselbe auf die Qualität des Weins bewirkte, aufgezeichnet worden. Da solche Aufzeichnungen ein vielseitiges Interesse darbieten und zu interessanten Vergleichungen zwischen den einzelnen Jahrzehnten und Jahrhunderten die Belege liefern und dadurch noch zur Entscheidung der Streitfrage, „ob unser Clima in den letzten Jahrhunderten sich verändert habe, namentlich ob es kälter geworden sei," Beiträge geliefert werden, so lassen wir hier eine Zusammenstellung unter der Bemerkung folgen, daß sich die Notizen auf verschiedene Aufzeichnungen in den einzelnen Gegenden des Landes gründen, namentlich

a) auf die Kronik von Steinhofer;
b) auf Kalbs Weinbau 1810 S. 173 aus der Gegend von Kürnbach;
c) auf die landwirthschaftlichen Notizen aus dem Archiv in Heilbronn;
d) auf die Württembergischen Jahrbücher von Memminger von 1829 I. Heft Seite 131, insbesondere über die Witterungsverhältnisse in Oberschwaben von Domdechant Vanotti, sowie vom Jahr 1850 I. Heft S. 80;
e) auf das Correspondenzblatt des württembergischen landwirthschaftlichen Vereins vom Jahr 1831 und zwar auf die S. 31 enthaltene Zusammenstellung von Professor Schübler;
f) auf Pfaffs Geschichte der Stadt Stuttgart I. Thl. S. 230;
g) auf Ebens Geschichte der Stadt Ravensburg II. S. 308. 311. 313. 314. 320. 625—626;
h) auf die Geschichte des Neckarweins. Von 1200—1778. Stuttgart bei Dirlam;

und endlich

i) auf die von dem Verfasser selbst gesammelten neueren Notizen.

Jahrgang.	Wein.		Witterung.	Zeit der Weinlese.
	Quantität.	Qualität.		
809	Völliger	Mißwachs *)		
820	—	hart und sauer	Anhaltender Regen, Mangel an Wärme.	
860	—	—	strenger Winter, Reben verdorben, heißer Sommer.	
882	—	—	gutes Weinjahr.	
993	—	gut	heißes Jahr.	
994	—	gut	deßgleichen und kalter Winter.	
1000	—	gut	heiß und trocken.	
1043—44	—	—	Sommer kalt und regnerisch, im Herbst Reben erfroren, Trauben waren nicht zeitig.	
1044	—	—	gar kein Wein gerathen.	
1048	—	—	kalter Winter bis März, Mißjahr.	
1056—57	—	—	sehr kalter Winter, Reben erfroren.	
1063	—	—	Weinberge erfroren.	
1077	—	—	strenger, langer Winter, viele Reben giengen zu Grunde.	
1118		gut		
1125	—	schlecht	strenger Winter, Weinberge erfroren.	
1130	—	gut	heiß.	
1138	viel		fruchtbares Jahr.	
1151	—	—	Fehljahr, häufiger Regen, Weintrauben wurden bloß	
	—	—	halb reif.	
1152	sehr viel	—	wohlfeile Zeit, die geringen Weine wurden verschenkt.	
1158	—	gut	Sommer außerordentlich heiß und trocken.	
1180 1181	viel	gut	wohlfeile Zeit.	

*) Da wo die Notizen nicht ganz übereinstimmten, wurde dieses besonders bemerkt, z. B. „schlecht“, zum Theil mittelmäßig, oder wenn dieselben allzuweit auseinandergiengen, wenn z. B. in der Gegend von Stuttgart ein schlechter, in der Gegend von Heilbronn aber ein guter Wein gewachsen, so wurde in die Mitte (mittelmäßig) gegangen.

Jahrgang.	Wein.		Witterung.	Zeit der Weinlese.
	Quantität	Qualität		
1182	viel	gut	wohlfeile Zeit.	
1186	viel	gut	im Januar blühten die Bäume, im August Weinlese.	im August.
1187	wenig	schlecht	kalt bis in den Juni, am 17. Mai noch Schnee. *)	
1191	viel	gut	wohlfeile Zeit.	
1210	—	—	strenger Winter, Wein erfroren.	
1217	viel	—		
1232	—	gut	sehr heiß.	
1236	sehr viel	mittelmäßig	kalter Winter, heißer Sommer.	
1237	wenig	—	nicht sehr günstiger Sommer.	
1254	Mißjahr.			
1255	viel	schlecht	wohlfeile Zeit.	
1259	—	gut	trocken.	
1270	—	gut	trocken.	
1271	viel	gut		
1272	wenig	schlecht	ein Mißjahr.	
1273—74	—	gut		
1275	—	schlecht	vom Mai bis Herbst anhaltende starke Regen.	
1276	—	gut	heiß, im August schon reife Trauben, kalter Winter, indem der Bodensee zufror, Sommer gut.	
1278	wenig	—	den 16.—18. Mai Schnee und sehr kalt, Reben erfroren, Sommer gut, wohlfeile Zeit.	
1279	wenig	gut	fruchtbares Jahr.	
1280	viel	—	kalt, in Bayern fiel den 17. Juli viel Schnee.	
1283	wenig	—	den 13. Mai in Stuttgart Reben erfroren.	
1284	viel	gut		
1288	—	—	gelinder Winter, im Mai Reben erfroren.	
1289	mittelmäßig	mittelmäßig	um Weihnachten trieben die Bäume, im April blühende Trauben, zu Anfangs Mai Schnee und Frost, so daß Reben erfroren, doch trieben solche von Neuem und gaben noch ziemlich viel Wein.	

1290	viel	—		
1292	—	—	strenge, lang anhaltende Kälte, Reben gelitten.	
1293				
1294	—	sehr gut	sehr heißer, trockener Sommer.	
1295	sehr viel	gut		
1297	deßgl.	mittelmäßig	häufige Gewitter.	
1302	—	schlecht (sauer)	gelinder Winter, kühler Sommer.	
1303	viel	sehr gut	sehr warmer, trockener Sommer.	
1310	—	—	begann eine achtzehnjährige Theuerung, die bloß durch zwei fruchtbare Jahre unterbrochen wurde.	
1311	wenig	schlecht	kalter Winter, nasser Sommer, Wein erfroren.	
1312	miß	rathen	Winter kalt, Sommer naß.	
1313	deß	gleichen	deßgleichen.	
1314	—	gut	ein sehr trockener Sommer.	
1315—16	—	schlecht	sehr regnerisch.	
1317	—	wenig	tiefer Schnee.	
1318	viel	gut	heiß.	
1319	viel	gut	trocken und warm.	
1320	—	schlecht	nasse Witterung.	
1321	nichts	nichts	Mißwachs, sehr regnerisch.	
1322	deß	gleichen	deßgleichen, kalter Winter, nasser Sommer.	
1323	—	schlecht (sauer)	die Reben erfroren gänzlich den 24. Mai.	
1325	viel	schlecht	tiefer Schnee, nasser Sommer.	
1326—27	—	—	wie 1320—25.	
1328	sehr viel	sehr gut	warmer, gelinder Winter, blühende Reben im April, zeitige Trauben an Johannis.	24. Juli.

*) Bis zum Jahr 1582 wurde in den katholischen und bis 1700 in den evangelischen Landestheilen nach dem alten julianischen Kalender gerechnet, der, wie noch heutzutag der russische, später war, daher die vielen schädlichen Frühlingsfröste im April, die jetzt nach dem neuen gregorianischen Kalender häufig in Mai fallen; die Differenz betrug 1582 zehn und 1700 eilf Tage, weßhalb man dieselbe, um genaue Vergleichungen mit späteren Jahren anstellen zu können, da wo das Datum sich auf den alten Kalender gründet, und dasselbe von Interesse war, nach dem neuen Kalender in einer Parenthese bemerkt hat, d. h. bis 1650 wurden die Tage um zehn, von 1650—1700 um 11 Tage vorgerückt.

Jahrgang.	Wein.		Witterung.	Zeit der Weinlese.
	Quantität.	Qualität.		
1330	wenig	schlecht	kalter, regnerischer Sommer.	
1333	sehr viel	sehr gut	heiß.	
1335	Mißjahr	—	viel Regen.	
1336—37	viel	gut		
1342	—	schlecht	sehr nasser Sommer.	
1343	—	schlecht	Frühjahr regnerisch, Sommer dürr, den 3.—13. September Frost.	
1347	—	—	sehr naß, starker Frost im September und Oktober, Schnee, Wein gänzlich mißrathen.	
1352	mittleres Jahr		Winter sehr kalt, Sommer sehr heiß.	
1353	—	—	verderbliche Ungewitter.	
1355	—	mittelmäßig	schwerer Donner und Hagelwetter.	
1357	wenig	schlecht	spätes, unfruchtbares Jahr.	
1362	—	gut	heißer, sehr trockner Sommer.	
1368	viel	mittelmäßig		
1370	—	schlecht	im Herbst erfroren die Reben, in der Bodenseegegend mußten die erfrornen Trauben vor dem Keltern in Kesseln erwärmt werden.	
1371	Mißjahr	schlecht		
1372	viel	gut; z. Th. mittelmäßig		
1373	—	gut		
1378	sehr wenig	schlecht	starke Winterkälte, Reben erfroren, regnerischer Sommer.	
1382	—	schlecht (sauer)		
1383	viel	gut	gelinder Winter.	
1384	viel	mittelmäßig		
1385	mittelmäßig	gut		
1386	viel	gut		
1387	deßgl.	deßgl.		
1389	—	gut	Traubenblüthe im Mai (Anfangs Juni).	

1393	—	schlecht	Frost im Frühjahr und um Michaelis.	
1394	viel	sehr gut	sehr gesegnetes Jahr.	
1398	viel	mittelmäßig		
1400–01	—	—	naß und regnerisch.	
1402	—	—	sehr kalter Winter, am 10. Mai Reben erfroren.	
1403–06	—	—	naß und regnerisch.	
1411	viel	mittelmäßig		
1415	—	—	naß und regnerisch.	
1418	—	schlecht		
1419	—	—	von 1400—1419 meist Mißwachs und Theuerung.	
1420	viel	gut	warmer Winter, im März blühten die Bäume, im April die Reben, um Bartholomä Herbst.	24. August (3. Sept.)
1421–28	viel	gut	in diesen 8 Jahren ist der Wein sehr gut gerathen, ein Eimer Wein kostete nur 13 Kreuzer.	
1429	wenig	schlecht	Winter und Frühling sehr kalt, Wein erfroren, Sommer naß.	
1430	wenig	schlecht	in der Mitte Mai Reben erfroren.	
1432	sehr viel	sehr gut	es gab so viel Wein, daß man den alten sauern auslaufen ließ, auch den Mörtel damit anmachte und viele Trauben blieben noch an den Stöcken hängen.	
1433	sehr wenig	mittelmäßig	den 18. Januar erfroren die Reben sehr stark, Sommer naß.	
1434	mittelmäßig	mittelmäßig	den 1. Mai erfroren die Reben.	
1435	Mißjahr		kalter Winter, Reben größtentheils erfroren.	
1436	deßgleichen		im Mai starke Kälte, Reben erfroren.	
1437	wenig	sehr gut	Reben erfroren im Winter und Frühling, Sommer heiß und günstig.	
1438	viel	gut	trocken und fruchtbar, Alles köstlich gerathen.	
1439				
1440	—	—	die Winter sehr kalt mit sehr viel Schnee.	
1441				
1442	viel	gut		
1443	wenig	schlecht	sehr kalter Winter, die Weinstöcke erfroren, nasser Sommer.	
1445	viel	mittelmäßig	obgleich die Reben am 7. Mai durch Frost litten.	

Jahrgang.	Wein.		Witterung.	Zeit der Weinlese.
	Quantität	Qualität		
1446	mittelmäßig	gut	schädlicher Frost im April.	
1447	wenig	schlecht	Sommer so kalt, daß Reben erfroren.	
1448	mittelmäßig	gut	die Reben erfroren im Frühjahr, trieben jedoch aufs Neue.	
1449 / 1450	fruchtbare	Jahre		
1453	wenig	schlecht	Winter kalt, Reben erfroren, nasses unfruchtbares Jahr.	
1454	viel	schlecht	nasser Sommer.	
1455	wenig	schlecht	nasses unfruchtbares Jahr.	
1456	deß	gleichen	naß und kalt.	
1457	mittelmäßig	mittelmäßig	viele Platzregen, worauf Dürre folgte.	
1458	wenig	schlecht	Rebenblüthe ungünstig, Sommer viel Regen.	
1459	wenig	schlecht	ein kaltes Jahr, Reben erfroren im Frühling und litten in der Blüthe.	
1460	wenig	mittelmäßig	die unbezogenen Weinberge erfroren im Winter, in der Blüthe naß.	
1461	mittelmäßig	gut	nasser Frühling, Hagelschaden im Juni.	
1462	mittelmäßig	mittelmäßig	am 5. Mai erfroren im niedern Feld die Reben, Hagelschaden im Sommer.	
1463	mittelmäßig	schlecht; z. Th. mittelmäßig	nasses kaltes Jahr mit viel Regen.	
1464	wenig	gut	mittelgutes Jahr.	
1465	viel	gut	Blüthe im Mai.	
1466	mittelmäßig	schlecht	ein später Frühling und nasses Jahr mit viel Mehlthau, Herbst naß und kalt.	
1467	viel	sehr gut	heißer trockner Sommer.	
1468	mittelmäßig	mittelmäßig	im März noch viel Schnee, ein spätes Jahr.	
1469	wenig	schlecht	kalt, naß, Traubenblüthe um Ulrici (14. Juli).	
1470	viel	gut		
1471	wenig	sehr gut	die Reben litten während der Blüthe.	

1472	viel	sehr gut	Blüthe der Bäume im Februar, Ende Juni reife Trauben, der Wein wurde so stark, daß man ihn nur mit Wasser gemischt trank.	
1473	mittelmäßig	sehr gut	im Winter erfroren die nicht bezogenen Reben, Blüthe im Mai, Sommer sehr heiß.	
1474	wenig	gut	schädlicher Frühlingsfrost.	
1475	viel	sehr gut	ein fruchtbares Jahr.	
1476	viel	gut	deßgleichen.	
1477	mittelmäßig	mittelmäßig	die Reben litten in der Blüthe, viel Regen.	
1478	viel	gut	ein fruchtbares Jahr.	
1479	mittelmäßig	sehr gut	die Reben litten durch Reifen im Frühjahr.	
1480	wenig	sehr gut	Reben hatten in der Blüthe durch Regen gelitten.	
1481	wenig	schlecht	kalt, naß, die Reben litten während der Blüthe.	
1482	viel	gut	fruchtbares Jahr.	
1483	viel und	sehr gut	Sommer heiß, sehr fruchtbare Jahre.	
1484	sehr viel	gut	aus Fässermangel wurde viel Wein in Bütten aufbewahrt und in der Bodenseegegend gab man gleich viel Wein für ein Faß.	
1485	wenig	schlecht	im Anfang Mai erfroren im niedern Feld die Reben, während der Blüthe viel Regen, überhaupt kalt, naß, unfruchtbar.	
1486	wenig	gut	um Weihnachten erfroren die Reben im Boden, Frühling naß, Sommer dürr.	
1487	wenig	mittelmäßig	die Reben litten durch Reifen im Frühjahr und die Trauben durch Frost am 14. September.	
1488	ziemlich viel	schlecht	Frühling kalt und rauh, am 5. und 15. April erfroren viele Reben, Sommer naß und kalt, Blüthe schlecht.	16.—26. Okt.
1489	wenig	schlecht	Sommer naß, Blüthezeit schlecht.	
1490	wenig	schlecht	im Mai noch Schnee, im Sommer viel Regen und Hagel, Blüthe ungünstig, Sonntag vor Martini erfroren die Reben im niedern Feld.	
1491	wenig	schlecht	kalter Winter, die Reben erfroren, Frühling rauh und Reben nochmals erfroren, Sommer kalt, Blüthe um Ulrici (14. Juli).	28. Okt. bis 7. Nov.

12*

Jahrgang.	Wein. Quantität	Wein. Qualität	Witterung.	Zeit der Weinlese.
1492	wenig	schlecht	das niedere Feld erfror zum Theil während des Erbrechens im Sommer, Blüthe war naß.	
1493	mittelmäßig	mittelmäßig	Frühling kalt, so daß Reben erfroren. Blüthe schlecht.	
1494	viel	gut	am 23. April (2. Mai) erfroren die Reben, doch gab es noch viel und guten Wein, in der Bodenseegegend gab man für 1 Faß den gleichen Gehalt an Wein.	
1495	mittelmäßig	mittelmäßig; z. Th. gut	strenger Winter, die unbedeckten Reben erfroren, später warme trockne Witterung.	
1496	mittelmäßig	gut	kalter Winter, niederes Feld erfroren.	
1497	mittelmäßig	mittelmäßig	Frühling und Sommer dürr mit kalten Winden, Blüthe schlecht.	
1498	wenig	schlecht	im Januar Weinberge erfroren, sonst kalt und unfruchtbar.	
1499	viel	sehr gut	fruchtbares Wetter.	
1500	wenig	gut	die Reben litten während der Blüthe.	
1501	wenig	schlecht	kaltes, regnerisches, unfruchtbares Jahr.	
1502	mittelmäßig	mittelmäßig, z. Th. sauer	Winter sehr viel Schnee, an Pfingsten heftige Kälte.	
1503	viel	gut	Winter bis in März, Frühjahr trocken, Sommer heiß.	
1504	deßgl.	deßgl.	ebenso.	
1505	wenig	mittelmäßig	viele Reben wurden winddürr, nasses und spätes Jahr.	
1506	wenig	gut	im Frühling erfroren Reben.	
1507	viel	schlecht	Sommer viel Regen, Gewitter und Hagel.	
1508	viel	gut	günstige Witterung.	
1509	viel	gut	zum Theil schädlicher Hagel und Erdbeben.	
1510	viel	gut	schädlicher Hagel.	
1511	wenig	schlecht	nasses kaltes Jahr.	
1512	wenig	schlecht	in der Woche nach Marci (25. April = 4. Mai) viermal Reifen, Reben sehr erfroren. Die Ritter St. Georg und St. Marx brachten dem Rebensaft noch Args.	
1513	wenig	gut	schädlicher Frühlingsfrost.	

1514	viel	gut	sehr kalter Winter, sonst sehr fruchtbar.
1515	viel	schlecht	ein kaltes und nasses Jahr.
1516	wenig	gut	die Reben erfroren im Winter und Frühling.
1517	sehr wenig	sehr mitteln.	die Reben erfroren in dem kalten Winter und im Frühjahr schlechte Blüthe.
1518	wenig	sehr gut	schädlicher Frost im Winter und Frühling.
1519	viel	gut	fruchtbares Jahr. Erdbeben.
1520	wenig	schlecht	die Reben erfroren im Frühling und vor dem Herbst, Sommer naßkalt.
1521	viel	gut	fruchtbares Jahr.
1522	wenig	mittelmäßig	schädlicher Frühlingsfrost um Georgi.
1523	viel	gut	sehr fruchtbares Jahr.
1524	wenig	schlecht	schädlicher Frühlingsfrost mit Eis, Sommer naß.
1525	wenig	ziemlich gut	den 5. (15.) Mai Reben erfroren.
1526	wenig	schlecht	den 4. (14.) Mai Reben erfroren, unfruchtbares Jahr.
1527	wenig	schlecht	unfruchtbares Jahr, Ende Mai und im Herbst erfroren die Reben.
1528	viel	mittelmäßig, z. Th. gut	spätes Frühjahr, viel Regen.
1529	wenig	schlecht	unfruchtbare Witterung, Sommer sehr naß
1530	wenig	gut	schädlicher Frühlingsfrost in der Walpurgisnacht.
1531	viel	mittelmäßig	nur für den Weinstock gut, Gewitter und Hagel.
1532	mittelmäßig	mittelmäßig z. Th. schlecht	} unfruchtbar.
1533	deßgl.	schlecht	
1534	wenig	gut	im Frühjahr Frost, fruchtbares Jahr.
1535	viel	mittelmäßig	fruchtbare Witterung.
1536	mittelmäßig	sehr gut	sehr heißer Sommer.
1537	wenig	mittelmäßig	Reifen und Nässe während der Blüthezeit.
1538	wenig	schlecht	Reifen den 16. und 17. (26. und 27.) Mai, theilweise auch Hagel, Sommer naß und kalt.

Jahrgang.	Wein.		Witterung.	Zeit der Weinlese.
	Quantität.	Qualität.		
1539	sehr viel	mittelmäßig	fruchtbares Jahr, an vielen Orten füllte man die Bütten mit Wein: „Tausend fünfhundert dreißig und neun, Galten die Fässer mehr als der Wein.“	
1540	viel	sehr gut	sehr heiß, die Hitze begann am 1. Februar, um Johannis zeitige Trauben, die zum Theil vertrockneten.	24. August (3. Sept.)
1541	wenig	mittelmäßig	schädlicher Frühjahrsfrost.	
1542	wenig	schlecht	spätes Jahr, Hagel, um Jakobi Blüthe.	November.
1543	wenig	mittelmäßig z. Th. schlecht	die Reben litten in der Blüthe durch Regen.	
1544	wenig	ziemlich schlecht	Reben durch die Winterkälte beschädigt, den 1. bis 2. (10. bis 12.) Mai Schnee und Frost.	
1545	viel	mittelmäßig	heißer Sommer.	
1546	viel	sehr gut	sehr fruchtbare Witterung.	
1547	viel	mittelmäßig	desgleichen.	
1548	mittelmäßig	schlecht		
1549	wenig	mittelmäßig	schädlicher Frühlingsfrost, nasse Blüthe, der Brenner.	
1550	mittelmäßig	gut	vor Georgi schädlicher Frost.	
1551	viel z. Th. mittelmäßig	gut z. Th. sehr gut	obgleich im Winter die Reben erfroren, um Jubilate Reif und am 22. Mai verhagelt.	
1552	viel	gut	ein trockenes Jahr.	
1553	mittelmäßig	mittelmäßig z. Th. schlecht	im Winter erfroren die Reben, Sommer ziemlich gut, am 30. September (10. Oktober) schädlicher Frost.	
1454	wenig	schlecht	schädlicher Frühlingsfrost den 19. (29.) Mai, kalter Sommer, den 21. September (1. Oktober) harter Frost.	
1555	wenig	schlecht	ungünstige Blüthe und September Reifen.	
1556	viel	gut z. Th. sehr gut	Sommer warm und trocken.	
1557	mittelmäßig	schlecht z. Th. mittelmäßig	Sommer naß, späte Traubenblüthe.	

1558	viel	gut	Sommer heiß, fruchtbares Jahr.
1559	wenig	schlecht	ein kaltes, spätes, nasses, unfruchtbares Jahr.
1560	mittelmäßig	schlecht z. Th. mittelmäßig	im kalten Winter erfroren viele Reben, unfruchtbares Jahr.
1561	wenig	schlecht z. Th. mittelmäßig	kalter Winter, nasser Sommer, unfruchtbar.
1562	wenig	mittelmäßig z. Th. schlecht	Frühling günstig, den 3. August bedeutender Hagelschlag fast durch ganz Württemberg, man schrieb dieses weitverbreitete Ungewitter einer Hexenversammlung auf der Feuerbacher Heide zu, weßhalb zu Stuttgart 9 alte Weiber verbrannt wurden (S. 38)
1563	wenig	schlecht	im Winter (Dezember) erfroren die Reben, Blüthe um den 4. (14.) Juli, nasser kalter Sommer.
1564	sehr wenig	schlecht z. Th. mittelmäßig	an Georgi heftige Kälte, den 6. (16) Mai Schnee, die Reben ganz erfroren.
1565	wenig	deßgl.	im Winter Reben erfroren, lange kalt, Frühjahrsfröste.
1566	mittelmäßig	schlecht	ein kaltes nasses Jahr.
1567	viel	gut	Sommer heiß.
1568	wenig	schlecht z. Th. mittelmäßig	im März die Reben erfroren, im April schädlicher Frost.
1569	wenig	schlecht	strenger Winter, im Mai und September Reben erfroren, Sommers verderblicher Hagel und am Bodensee Schnee in den Hundstagen.
1570	wenig	schlecht	nasses, kaltes, unfruchtbares Jahr.
1571	deßgl.	deßgl.	die Reben erfroren, schlechte Blüthe, verderblicher Hagel.
1572	wenig	gut	im Februar erfroren die Weinberge, im April Reifen.
1573	wenig	sehr schlecht.	schädlicher Frost im April, Blüthe schlecht, Sommer kalt und naß, Trauben erfroren vor dem Herbst.
1574	wenig	zieml. mittelm. z. Th. schlecht.	ein nasses Jahr.
1575	viel	gut z. Th. sehr gut	ein fruchtbares Jahr.
1576	wenig	gut	sehr schädlicher Frost den 18. bis 20. (28. bis 30.) April.

Jahrgang.	Wein.		Witterung.	Zeit der Weinlese.
	Quantität.	Qualität.		
1577	wenig	schlecht z. Th. mittelmäßig	den 11. (21.) April Reben erfroren, in der Blüthe Regen, nasses kaltes Jahr.	
1578	mittelmäßig	gut	heißer Sommer, im Mai verderblicher Hagel, und den 16. (26.) September schädlicher Frost.	22. Okt.
1579	viel	schlecht	den 16.—17. (26.—27.) April schädlicher Frost, Spätjahr viel Regen und den 23.—24. Oktober starker Frost.	
1580	wenig	schlecht z. Th. mittelmäßig	Blüthe schlecht, nasse unfruchtbare Witterung.	
1581	wenig	deßgl.	warmer Winter, 30. Mai schädlicher Frost, nasser Sommer.	
1582	viel	mittelmäßig	schädlicher Reifen im Mai, nasser Sommer und nasses Spätjahr.	
1583	sehr viel	gut	ein fruchtbares Jahr.	
1584	deßgl.	mittelmäßig	wie oben, viel des geringen Weins zu Boden gelassen, oder zum Kalkanmachen verwendet.	
1585	mittelmäßig	schlecht	Frühling warm, schlechte Blüthe, Sommer sehr naß.	
1586	wenig	mittelmäßig z. Th. schlecht	strenger Winter, viele Reben erfroren, Sommer naßkalt.	
1587	wenig	sehr schlecht	unfruchtbar, naß mit Mehlthau, schlechte Blüthe.	
1588	mittelmäßig	mittelmäßig	im Winter erfroren die Reben, schädlicher Frost den 3. (13.) Mai.	
1589	wenig	schlecht z. Th. mittelmäßig	schädlicher Frost im April und im Mai, Blüthe sehr schlecht, Sommer sehr naß, den 30. September (9. Oktober) die Trauben erfroren.	
1590	mittelmäßig	sehr gut	im Winter Reben erfroren, an Georgi schädlicher Frost, Sommer sehr heiß.	14.—24. Sept.
1591	wenig	schlecht	nasses unfruchtbares Wetter.	
1592	wenig	mittelmäßig	Ende Mai erfroren die Weinberge, Blüthe naß, die Trauben fielen ab.	
1593	wenig	gut	gelinder Winter, schädliche Froste im Februar und März.	

1594	wenig	schlecht	ein nasses kaltes Jahr, 12. Mai und im Herbst schädliche Reifen.	
1595	mittelmäßig	schlecht z. Th. mittelmäßig	kaltes regnerisches Jahr, im September schädliche Reifen.	
1596	mittelmäßig	sehr gut	ein gutes fruchtbares Jahr, während der Blüthe anhaltendes Regenwetter, dann aber trocken und heiß.	
1597	wenig	schlecht	zur Blüthezeit und den 12. Juli schädlicher Hagel, August und September naß.	
1598	viel	mittelmäßig	Sommers viel Regen und schädlicher Hagel, Herbst naß, die Trauben faulten.	
1599	viel	sehr gut	frühes warmes Frühjahr, die Traubenblüthe um Pfingsten.	
1600	wenig	mittelmäßig	im Winter erfroren die Reben, im Mai Reifen, im Sommer kalt, naß, Hagel.	
1601	wenig	schlecht	Frühling kalt, Sommer naß, Blüthe schlecht,	
1602	sehr wenig	mittelmäßig z. Th. sauer	die Reben erfroren den 12.—15. und 21.—23. April und den 16.—17. Mai total.*)	
1603	ziemlich viel	gut	schädlicher Frühlingsfrost, dann aber gute, warme Witterung.	
1604	viel	schlecht	Frühling spät, Blüthe naß, viele Gewitter, Rothbrenner.	an Kreuzerhöhung.
1605	viel	sehr gut	ein fruchtbares Jahr, am 21. September (1.—2. Oktober) wurde in Ulm schon neuer Wein verkauft.	14. Sept. (24. bis 25.)
1606	wenig	schlecht	den 16.—18. September und 10.—11. Oktober starker Frost.	
1607	wenig	gut	an Georgi schädlicher Reifen, im Mai und Juni naß und schädliche Hagelwetter, später gut.	
1608	wenig	schlecht	vom 15. Dezember 1607 bis 13. Januar 1608 strenge Kälte, Reben erfroren, Sommer naß, Blüthe schlecht.	

*) Als einige Pfarrherrn baten: „ihnen, als Seelsorger, die guten Magenwein vonnöthen hätten, einen bessern verabreichen zu lassen, schrieb Herzog Friedrich I. auf die Bittschrift:

„Mit gesündigt, mit gebüßt.“

Jahrgang.	Wein. Quantität.	Wein. Qualität.	Witterung.	Zeit der Weinlese.
1609	wenig	ziemlich mittelmäßig	ein kaltes, nasses Jahr, im Frühling und 19.—20. September sowie Anfangs Oktober starker Frost, Sommers schädlicher Hagel.	8.—20. Okt.
1610	mittelmäßig	gut	Frühling naß, Sommer gut, schädlicher Hagel, in der Bodenseegegend großer Ertrag.	13. Sept.
1611	viel	zieml. schlecht	Frühling warm, Sommer naß, viel Gewitter, Herbst kalt und naß, vor Michaelis Reifen.	15 Okt.
1612	wenig	ziemlich gut (ungleich)	Winters erfroren die Reben, Blüthe naß, schädlicher Hagel, August heiß, September und Oktober naß und kalt.	19. Okt.
1613	ziemlich viel	schlecht	Sommer meist naß mit schädlichem Hagel, Spätjahr kalt.	
1614	wenig	schlecht	langer und schneereicher Winter, Reben erfroren, rauher Sommer, September und Oktober naß mit Reifen.	25. Okt.
1615	mittelmäßig	sehr gut	frühzeitig Frühling, im April starker schädlicher Frost, sehr guter Sommer.	1. Okt.
1616	wenig	sehr gut	Winter kalt, Weinberge erfroren, schädlicher Frühlingsfrost, dann sehr gute Witterung.	17. Sept.
1617	viel	schlecht	Frühling bald, Traubenblüthe naß, Frost ehe die Trauben reif waren. In der Bodenseegegend sehr viel Wein.	23. Okt.
1618	mittelmäßig	mittelmäßig	im Winter erfroren die Weinberge, Frühjahr und Sommer nicht ganz günstig.	23. Okt.
1619	wenig	mittelmäßig	schädlicher Frost im Winter und Frühling am 5. (15.) Mai, am 5. Oktober erster Schnee und kalter Herbst.	
1620	wenig	mittelmäßig	im Mai Frost, Sommer naß mit Hagel und Ueberschwemmung, Blüthe schlecht.	20. Okt.
1621	wenig	schlecht	Winter kalt, Weinberge größtentheils erfroren, im Mai und Sommer viel Hagel und Regen, Blüthe schlecht, Spätjahr kühl.	23. Okt.
1622	mittelmäßig	mittelmäßig	Weinberge erfroren um Lichtmeß, Blüthe naß und schlecht, Sommer viel Regen und Gewitter.	11. Okt.

1623	wenig	gut	Sommer viel Gewitter und Hagelschaden, während der Blüthe Regen, sonst trocken und heiß.	7. Okt.
1624	mittelmäßig, am Bodensee aber viel.	gut	Winters erfroren die Weinberge, Sommers schädlicher Hagel, sonst gutes, warmes und heißes Wetter.	5. Okt.
1625	mittelmäßig	mittelmäßig	Mai und Juni naß, schlechte Blüthe, Juli heiß, September Reifen.	
1626	wenig	mittelmäßig	den 17.—20. Mai Reben sehr stark erfroren, Sommers viel Regen, Herbst trocken.	13. Okt.
1627	wenig	schlecht	spätes Frühjahr, Frost im Mai, viel Hagel und Regen und wenig Wärme im Sommer.	28. Okt.
1628	wenig	sehr schlecht	ein kaltes nasses Jahr, Blüthe schlecht, Trauben im September erfroren.	30. Okt.
1629	viel	sehr gut	im Winter die Reben theilweis erfroren, Frühjahr und Blüthe gut, Sommer heiß.	29. Sept.
1630	sehr viel	gut	ein frühes Jahr, Blüthe gut. Am Bodensee gab man für ein leeres Faß soviel an Wein als dessen Gehalt.*)	5. Okt.
1631	sehr viel	sehr gut	sehr fruchtbar, 21. Mai Traubenblüthe, heißer Sommer.	7. Okt.
1632	wenig	schlecht	im Sommer viel Regen, Blüthe naß, im Herbst bald Frost.	23. Okt.
1633	wenig	schlecht	den 17. Mai Frost, Reben erfroren, Sommers viel Hagel und Regen. Herbst kalt, Frost vor dem Herbst.	
1634	viel	gut	ein frühes, fruchtbares Jahr, den 18. April blühende Trauben.	24. Okt.
1635	wenig	schlecht	an Lichtmeß Weinberge erfroren, Blüthe regnerisch und schlecht. } Wegen der feindlichen Einquartirung	23. Okt.
1636	viel	gut	frühes Jahr } blieben viele Weinberge wüst liegen.	4. Okt.

*) Dieses Jahr (1630) war so ergiebig, daß eine besondere Münze mit der Inschrift:
„In diesem Jahr war Most sehr gut,
All Kelter überlaufen thut.“

Jahrgang.	Wein.		Witterung.	Zeit der Weinlese.
	Quantität.	Qualität.		
1637	viel	gut	frühes Jahr. Wegen der allgemeinen Unsicherheit wurde an manchen Orten der Herbst bis Martini hinausgezogen.	26. Sept. bis 11. Nov.
1638	wenig	gut	Reben im Winter erfroren, Frühling (8. Mai) schädliche Reifen, Blüthe naß, später gut.	
1639	mittelmäßig	schlecht	ein nasses Jahr, im Herbst bald Frost.	15. Okt.
1640	viel	schlecht	durch die kalten scharfen Winde während des Winters litten die Reben, Sommers viel Regen, an Michaelis und später verderblicher Frost.	
1641	wenig	sauer	den 4. Mai die niedern Weinberge erfroren. Sommer naß, vor dem Herbst starke, verderbliche Reifen.	15. Okt.
1642	wenig	gut	im April die Reben in Berg und Thal erfroren, nasse Blüthe, dann gute Witterung.	
1643	mittelmäßig	mittelmäßig	spätes Frühjahr, den 6. und 7. Mai starker Frostschaden; gegen den Herbst gleichfalls verderbliche Reifen, daher frühzeitige Lese.	15. Okt.
1644	wenig	ziemlich gut	die Reben traf vom 23. April bis 1. Mai, dann den 29. und 30. Mai starker Frostschaden, dann gute Witterung, frühe Lese zum Theil, weil durchmarschierende Kriegsvölker viel verderbten.	25. Sept.
1645	viel	gut	ein gutes, fruchtbares Jahr, durch bayersche und französische Kriegsknechte hat der Herbst großen Schaden gelitten.	6. Okt.
1646	wenig	gut	im Winter Weinberge stark erfroren, Ende April Frost, Blüthe schlecht, Trauben ausgeröhrt, sonst trocken.	10. Okt.
1647	viel	gut	ein fruchtbares Jahr.	15. Okt.
1648	sehr wenig	schlecht	schädlicher Hagel im Mai. Blüthe naß und im Herbst Fäulniß.	17. Okt.
1649	wenig	schlecht	im April schädliche Reifen, im Juni verderbliches Hagelwetter, ein nasses kaltes Jahr, vor dem Herbst starke Reifen.	16. Okt.

1650	wenig	mittelmäßig	den 19. Mai schädlicher Reifen, Blüthe ungünstig, Sommers sehr schädlicher Hagel.	11. Okt.
1651	mittelmäßig	mittelmäßig	Frühling spät, den 14.—16. April schädliche Reifen, Sommer gut, Herbst naß.	
1652	viel	theils gut, theils mitteln.	frühes Frühjahr, an Pfingsten blühende Trauben, Sommer gut, Herbst feucht, Trauben faulten.	6. Okt.
1653	viel	gut	frühzeitiger Frühling, an Pfingsten überall blühende und an Bartholomä zeitige Trauben, Herbst naß.	20.—26. Sept.
1654	viel	gut	gutes Frühjahr, den 22. Mai blühende Trauben, Sommer kühl und regnerisch, Spätjahr warm und gut.	17. Okt.
1655	viel	sehr gut	ein frühes Jahr, acht Tage vor Johannis völlige Blüthe, guten Sommer, öfter schädlicher Hagel.	13. Sept.
1656	mittelmäßig	mittelmäßig	Winters die Reben erfroren, frühes Frühjahr, 8 Tage vor Johannis Blüthe, während dieser und Sommers naß.	17. Okt.
1657	mittelmäßig	mittelmäßig	im März schädliche Kälte, Frühjahr und Sommer naß und kalt, Blüthe ungünstig, starke Reifen im September.	6. Okt.
1658	wenig	schlecht	im strengen Winter Reben erfroren, Frühling, Sommer und Herbst naß und kalt.	18. Okt.
1659	mittelmäßig	mittelmäßig	im April Frost, Frühling meist naß, auch schädlicher Hagel, Juli gut, August und September naß, Trauben faulten.	6. Okt.
1660	viel	sehr gut	Sommer heiß.	
1661	sehr viel	mittelmäßig	Sommer etwas naß, die Trauben faulten.	4. Okt.
1662	wenig	schlecht	am 26. April und am 8. Mai erfroren die Reben, Frühling und Sommer naß.	14. Okt.
1663	mittelmäßig	mittelmäßig	regnerischer Sommer.	
1664	mittelmäßig	zieml. schlecht	günstiges Frühjahr, nasser Sommer und am 17. September erfroren die Trauben.	10. Okt.
1665	viel	mittelmäßig	kalter Winter, im Januar Reben erfroren.	7. Okt.
1666	mittelmäßig	sehr gut	den 16. und 17. Mai Frost, sonst gut.	15. Okt.
1667	wenig	mittelmäßig	vom 24. April bis Mai schädlicher Frost, Sommer warm und gut.	30. Sept.

Jahrgang.	Wein.		Witterung.	Zeit der Weinlese.
	Quantität.	Qualität.		
1668	viel	mittelmäßig	Sommer naß.	9. Okt.
1669	mittelmäßig	gut	starke Kälte im Januar und Reifen im Mai schadeten den Reben, sonst gut.	3. Okt.
1670	mittelmäßig	sehr gut	günstige Witterung.	3. Okt.
1671	mittelmäßig	mittelmäßig	Blüthe durch Regen verdorben.	3. Okt.
1672	viel	schlecht	kalter, nasser Sommer.	15. Okt.
1673	mittelmäßig	mittelmäßig	viel Regen.	
1674	wenig	gut	strenger Winter, Reben erfroren und im Herbst die Trauben.	
1675	wenig	schlecht	später und kalter Frühling, nasser, feuchter Sommer, Herbst wegen eingetretener Kälte sehr traurig.	27. Okt.
1676	viel	sehr gut		26. Sept.
1677	sehr viel	mittelmäßig		13. Okt.
1678	viel	gut	heiß und trocken.	
1679	viel	schlecht		7. Okt.
1680	viel	gut	kalter Winter.	5. Okt.
1681	wenig	gut	warmer Frühling, Blüthe Ende Mai, aber schlecht durch Regenwetter, Sommer heiß.	8. Okt.
1682	viel	schlecht	nasser Sommer, Erdbeben.	14. Okt.
1683	viel	gut	trockner warmer Sommer, Herbst viel Regen.	5. Okt.
1684	mittelmäßig	gut	im Januar litten die Reben durch Kälte.	23. Sept.
1685	wenig	schlecht	Sommer kalt, den 17. Sept. starker Frost im Tauberthal.	16. Okt.
1686	wenig	gut	regnerischer Frühling.	26. Sept.
1687	viel	mittelmäßig z. Th. schlecht	rauher Frühling, Regen vom August bis nach dem Herbst.	12. Okt.
1688	mittelmäßig	gut	viel Regen und Hagel.	9. Okt.
1689	sehr wenig	gut	die Reben erfroren im Winter und Frühling, besonders am 13. Mai.	
1690	viel	mittelmäßig	Frühling regnerisch aber mild.	14. Okt.

1691	wenig	gut	im Januar Weinberge erfroren, den 27. April u. 17. Mai schädlicher Frost, Sommer zwar warm aber regnerisch, Herbst Frost.	12. Okt.
1692	wenig	schlecht	schädliche Kälte im Winter und Frühling, schlechte Blüthe, im Sommer Regen, im Herbst Frost.	18. Okt.
1693	wenig	gut	schlechte Blüthe, die Trauben erfroren vor dem Herbst.	8. Okt.
1694	mittelmäßig	gut z. Th. nur mittelmäßig	im Winter Weinreben erfroren, Sommers schädlicher Brenner, französisches Kriegsvolk verhinderte die entsprechenden Weinbergsarbeiten, viele Trauben verfaulten am Stock, theilweise wurde der Wein von dem Kriegsvolk weggenommen oder ließen sie ihn zu Boden laufen.	8. Okt.
1695	mittelmäßig	mittelmäßig z. Th. schlecht	strenger Winter, der die Reben hart mitnahm. Trauben theilweise unreif, am 1. Oktober im Tauberthal erfroren.	16. Okt.
1696	wenig	mittelmäßig	im Frühling litten die Reben stark durch Frost, den 3. September im Tauberthal Frost.	13. Okt.
1697	mittelmäßig	mittelmäßig	die Reben litten im Winter durch Kälte, Sommers naß, schlechte Blüthe.	8. Okt.
1698	ziemlich viel	schlecht z. Th. mittelmäßig	später und kalter Frühling, am Bodensee im Mai noch Schnee, schlechte Blüthe, nasser Sommer und Herbst.	25. Okt.
1699	wenig	gut	warmer trockner Sommer, Herbst kalt.	14. Okt.
1700	wenig	gut	warmer aber regnerischer Sommer.	11. Okt.
1701	viel	sehr gut	warmer Sommer, trockener Herbst, erst im Oktober kam Regen.	10. Okt.
1702	viel	mittelmäßig z. Th. schlecht	Sommer regnerisch und windig.	13. Okt.
1703	viel	gut	warmer Frühling, etwas unbeständiger Sommer, milder Herbst.	12. Okt.
1704	wenig	gut	warmer Frühling, gegen das Ende noch sehr schädlicher Frost, heißer Sommer.	30. Sept.
1705	mittelmäßig	mittelmäßig	strenger Winter, der den Reben schadete, günstige Sommerwitterung.	19. Okt.

Jahrgang.	Wein.		Witterung.	Zeit der Weinlese.
	Quantität.	Qualität.		
1706	sehr viel	gut	Winter trocken, Frühling und Sommer warm.	1. Okt.
1707	mittelmäßig	gut	Langdauernder Winter bis April, warmer Sommer; in der Bodenseegegend, reicher Herbst und gute Qualität.	10. Okt.
1708	z. Th. zieml. viel wenig	gut	die Reben erfroren im Frühling durch kalte Winde zu Thal und Berg.	9. Okt.
1709	wenig	schlecht	in dem sehr kalten Winter die meisten Reben erfroren, Sommer besonders im Juni naß, in der Bodenseegegend im Mai und Juni starke Reifen.	7. Okt.
1710	mittelmäßig	mittelmäßig	den 30. April und 2. Mai schädlicher Frost, den 5. Juni ausgebreiteter Hagel	6. Okt.
1711	sehr viel	gut	fruchtbares Jahr.	2. Okt.
1712	viel	gut	die Trauben faulten stark.	30. Sept.
1713	wenig	schlecht	schädlicher Frost im Mai, Blüthe erst um Jacobi, kalter Sommer, den 6. Oktober erfroren die Trauben, im Tauberthal wurde gar nicht gelesen.	17. Okt.
1714	wenig	schlecht	Sommer kühl und regnerisch, ungünstig, langsame Traubenreife.	12. Okt.
1715	wenig	gut	die Weinberge litten während des Winters sehr durch Kälte, Sommer warm.	8. Okt.
1716	wenig	mittelmäßig	strenger Winter schadete den Reben, Sommer zum Theil naß, im Tauberthal den 7., 8., 24. und 26. Oktober Frost.	24. Okt.
1717	wenig z. Th. mittelmäßig	gut	Sommer trocken und heiß, Ertrag sehr verschieden, mancher Morgen 4 Eimer, mancher nur 4 Butten.	2. Okt.
1718	viel	sehr gut	gelinder Winter, frühzeitiger Frühling, sehr trockener Sommer, den 24. Juli schon weiche Gutedel.	22. Sept.
1719	sehr viel	gut z. Th. mittelmäßig	trockenes fruchtbares Jahr, in der Bodenseegegend fehlte es an Fässern, im Tauberthal wuchs ein Hauptwein.	29. Sept.
1720	viel	mittelmäßig	warmer Sommer, die Trauben faulten im Herbst, daher frühe Lese. Im Tauberthal ungleiche Zeitigung.	3. Okt.

1721	wenig	mittelmäßig	die Trauben erfroren stark vor der Lese am 9. Oktober, in Reutlingen klirrte das Eis in den Butten.	10. Okt.
1722	viel	mittelmäßig	der Winter gelind, Frühling und Sommer gut.	8. Okt.
1723	wenig	gut	die Reben erfroren im niedern Feld im Februar, Frost am 3., 5. und 23. Mai, Sommer sehr trocken.	9. Okt.
1724	viel	gut	trocken und heiß, den 15. August zum Theil schädlicher Hagel.	30. Sept.
1725	mittelmäßig	schlecht	Sommer sehr naß, die Trauben beerten sich ab und im Tauberthal erfroren dieselben am 18.—20. Oktober.	27. Okt. bis 3. Nov.
1726	wenig	gut	kalter schädlicher Winter, warmes Frühjahr, trockener, jedoch durch viele schädliche Hagelwetter ausgezeichneter Sommer.	18. Okt.
1727	viel	gut	Winter gelind, im April etwas Frost, Sommer warm.	25. Sept.
1728	viel	gut	Sommer anfangs kühl, später aber bis in den Herbst sehr warm.	30. Sept.
1729	wenig	mittelmäßig	langer und strenger Winter, welcher den Reben schädlich war, Sommer theilweise kühl, September feucht und kalt, im Herbst faulten die Trauben.	10. Okt.
1730	wenig z. Th. mittelmäßig	schlecht	im Frühjahr Frost und später schadeten Kälte, Feuchtigkeit und Gewitter den Reben.	14. Okt.
1731	viel	gut	strenger Winter, früher und trockener Sommer, schädliche Gewitter.	10. Okt.
1732	wenig	schlecht	im Tauberthal im Mai Frost, milder Sommer mit viel Regen und Hagelgewitter, den 12. Oktober starker Frost, ehe die Trauben reif waren.	14. Okt.
1733	wenig	mittelmäßig	schädlicher Frühlingsfrost, Sommer warm.	1. Okt.
1734	wenig	mittelmäßig	im Mai zum Theil Frost, nicht sehr günstige Witterung.	9. Okt.
1735	wenig	mittelmäßig	im Mai zum Theil Frost, kalte nasse Blüthe, die Trauben beerten sich ab, sonst warmer trockener Sommer, Herbst naß.	11. Okt.
1736	viel	mittelmäßig	etwas besser als im vorigen Jahr.	4. Okt.
1737	mittelmäßig	gut	gute Witterung, im Juni und Juli aber schädlicher Hagel.	6. Okt.

Jahrgang.	Wein. Quantität.	Wein. Qualität.	Witterung.	Zeit der Weinlese.
1738	wenig z. Th. mittelmäßig	sehr gut		7. Okt.
1739	sehr viel	mittelmäßig	viel Regen und Gewitter, Ende Juli große Ueberschwemmung.	6. Okt.
1740	wenig	schlecht	langer strenger Winter, die Weinberge erfroren, den 4. und 7. Oktober schädlicher Frost.	14. Okt.
1741	wenig	gut	im Tauberthal kühl und naß.	14. Okt.
1742	viel	schlecht	rauher Frühling, im Mai Frost.	19. Okt.
1743	mittelmäßig	mittelmäßig	langer schneereicher Winter.	10. Okt.
1744	wenig	gut	in dem harten Winter erfroren viele Weinstöcke, viele wurden winddürr, im Mai Frost.	10. Okt.
1745	wenig	gut	vom 20. Januar bis Anfangs Februar Weinberge stark erfroren, trockener Sommer, 5. Okt. schädlicher Frost.	30. Sept. bis 8. Okt.
1746	mittelmäßig	gut z. Th. sehr gut	sehr heißer trockener Sommer.	7. Okt.
1747	wenig	gut	die Reben litten sehr durch Kälte und Frühlingsfröste, Sommer feucht und gewitterreich, den 1. Juli schädliches Hagelwetter.	5. Okt.
1748	mittelmäßig	mittelmäßig	trockener heißer Sommer, im Herbst schadete die Fäulniß den Trauben, im Tauberthal ausnahmsweise ein Hauptwein.	3. Okt.
1749	wenig	mittelmäßig z. Th. zieml. gut	den 1. Mai schädlicher Frost, nasse Blüthe, schädliche Hagelwetter und Wolkenbrüche.	10. Okt.
1750	mittelmäßig	gut	kalter Winter, heißer trockener Sommer.	9. Okt.
1751	mittelmäßig	mittelmäßig	Frühling und Sommer ziemlich feucht und kühl.	16. Okt.
1752	viel	gut z. Th. mittelmäßig	desgleichen.	13. Okt.
1753	viel	sehr gut	den 6.—8. Mai starker schädlicher Frost, nach demselben sehr warme Witterung, die Reben trieben aufs Neue, Sommers theilweise Schaden durch Brenner.	8. Okt.

1754	wenig z. Th. mittelmäßig	schlecht	vom 18. Mai an viel Regen, schlechte Blüthe.	10. Okt.
1755	wenig	gut	sehr strenger Winter, die Reben erfroren, den 1. und 2. Mai starker Frost, später kalte Regen, Sommer besser.	6. Okt.
1756	wenig z. Th. mittelmäßig	mittelmäßig	Frühling sehr naß, Blüthe schlecht, viele Traubenwürmer, Sommer warm, die Trauben faulten, im Tauberthal Wolkenbruch, Hagelschlag und viel Regen.	11. Okt.
1757	mittelmäßig	mittelmäßig z. Th. gut	bis Aug. sehr gute Witterung, dann aber schädliches Regenwetter bis zur Weinlese, im Tauberthal Frühjahrsfrost.	5. Okt.
1758	mittelmäßig	mittelmäßig	Sommer kühl und feucht.	12. Okt.
1759	mittelmäßig	gut	den 19. und 20. Mai schädlicher Frost, in der zweiten Hälfte des Sommers besonders warme Witterung.	6. Okt.
1760	viel	sehr gut	schneereicher Winter, Sommer heiß und trocken.	4. Okt.
1761	mittelmäßig	mittelmäßig	den 30. April schädlicher Frost, heißer Sommer mit viel Gewitter.	2. Okt.
1762	viel	gut	den 7. u. 8. Mai bedeutender Frost, doch kamen bei dem darauf gefolgten trockenen heißen Sommer viele Nachtriebe.	30. Sept.
1763	wenig	schlecht	strenger Winter, viele Weinberge erfroren, im Mai schädlicher Hagel, Sommers viel Regen, am 4. Oktober erfroren die Trauben im Tauberthal.	17. Okt.
1764	ziemlich wenig	mittelmäßig	während der Blüthe kalte nasse Witterung, im Tauberthal im Mai Frost.	5. Okt.
1765	mittelmäßig	mittelmäßig	im April kalte schädliche Nordwinde, Blüthe naß und ungünstig, später Traubenwürmer, wodurch die Trauben abbeerten.	10.—15. Okt.
1766	viel	sehr gut	Frühling und Sommer warm, auch reich an Regen, August und September trockene vorzügliche Witterung.	9. Okt.
1767	wenig	schlecht	den 29. April tiefer Schnee, der drei Tage liegen blieb und den Reben sehr schadete, ungünstige Sommerwitterung, Blüthe erst im Juli, Trauben unzeitig.	20. Okt.
1768	wenig z. Th. mittelmäßig	schlecht; z. Th. mittelmäßig	ungünstige Witterung vom Frühjahr bis Spätjahr, im August viel Regen; im Tauberthal mehr trocken.	15. Okt.
1769	wenig	schlecht	nasser Sommer, den 5. Oktober schädlicher Frost.	11. Okt.

Jahrgang.	Wein. Quantität	Wein. Qualität	Witterung.	Zeit der Weinlese.
1770	wenig	mittelmäßig	bis Juli nasse kalte Witterung mit starken Regengüssen und Gewittern.	19. Okt.
1771	wenig	mittelmäßig z. Th. gut	Winter und Frühjahr kalt, Sommer zum Theil naß.	9. Okt.
1772	viel	mittelmäßig z. Th. schlecht	Sommer viel Regen, Herbstwitterung gut.	13. Okt.
1773	wenig	mittelmäßig	Blüthe naß und ungünstig und im Juni schädlicher Hagel.	18. Okt.
1774	mittelmäßig	gut	an Martini 1773 die ungedeckten Weinberge erfroren, den 10. Mai schädlicher Frost. Am Pfingsttage blühende Trauben, Sommer trocken und warm.	10. Okt.
1775	mittelmäßig	mittelmäßig z. Th. gut	den 20. Mai Schnee und Frost, den 25. August schädlicher Hagel, sonst meist gute Witterung.	12. Okt.
1776	wenig	schlecht	im Februar sehr strenge Kälte, Frühling und Sommer kühl und unfreundlich, gewitterreich.	16. Okt.
1777	mittelmäßig z. Th. wenig	gut	außerordentliche kalte Schneewitterung den 30. März, Frühjahr spät, kalt und regnerisch, Sommer warm, den 20. Oktober starker Frost.	21. Okt.
1778	wenig z. Th. mittelmäßig	gut	die Reben hatten durch den Frost im Oktober vorigen Jahrs gelitten, ungünstige Frühjahrswitterung, Sommer gut und warm.	8. Okt.
1779	mittelmäßig	gut	Frühjahr und Sommer warm und theilweise so heiß, daß im Tauberthal die Blüthen abfielen, außerdem Gewitterreich.	7. Okt.
1780	viel	gut z. Th. mittelmäßig	Frühling abwechselnd kühl und warm, Sommer heiß, im Tauberthal viel Regen.	10. Okt.
1781	viel	gut	Frühjahr bald, im Mai zum Theil schädlicher Frost, Sommer warm, Herbst regnerisch.	1. Okt.
1782	mittelmäßig	schlecht	kalt mit Eis bis in Monat Mai, Sommer viel Regen und Gewitter, zum Theil mit Hagel.	15. Okt.
1783	viel	sehr gut	günstiger Frühling, heißer Sommer, den 19. Juni starker	4. Okt.

			weit verbreiteter Höherauch mit schwüler Hitze, die lange anhielt, erst zu Anfang Oktobers erweichende Witterung und Regen.	
1784	viel	mittelmäßig	im Januar und Februar strenge Kälte, Reben stark erfroren, im Sommer öfter Regen und hie und da Hagel.	8. Okt.
1785	mittelmäßig z. Th. wenig	schlecht	im März noch strenge Kälte mit viel Schnee und kalten Winden, die Reben litten Schaden. Sommer naß und kalt und verderblicher Hagel.*)	24. Okt.
1786	wenig	ziemlich schlecht	kalter Winter, der den Reben schadete, rauhe regnerische Witterung bis in Sommer, am 18. Oktober Frost, wodurch die unzeitigen Trauben erfroren.	18. Okt.
1787	wenig	mittelmäßig	warme Witterung im Februar und März, naßkalte Witterung und rauhe Winde im April und Anfangs Mai, wodurch die Reben sehr litten. Sommer warm, den 10. September schädlicher Frost.	19. Okt
1788	viel	gut	die Witterung meist gut, nur August etwas naß.	2. Okt.
1789	wenig	schlecht	während des Winters viele Reben erfroren, Frühling naß, Sommer kühl, regnerisch, viel Gewitter und Hagel. September trocken.	12.—19. Okt.
1790	mittelmäßig	gut	Sommer warm, aber im Juni zu viel Regen, auch Hagel.	14. Okt.
1791	in höher geleg. Gegenden wenig in andern z. Th. mittelmäßig	mittelmäßig	frühes Frühjahr, aber vom 7—9. Mai schädlicher Frost (in Reutlingen fiel am 7. Mai Schnee) naße Blüthe; naßkalte windige Sommerwitterung.	12. Okt.
1792	sehr wenig	sehr schlecht	Frühling warm, den 21. und 22. April starker Frost, Sommers viel Regen und Hagel.	17. Okt.
1793	wenig	gut	schädlicher Frost am 2. und 3. Juni; Sommer trocken und heiß.	15. Okt.

*) Die Winter von 1783—84, 1784 auf 1785 waren so grimmkalt, daß der größte Theil der Feldhühner erfror und eine Menge Reben zu Grunde giengen.

Jahrgang.	Wein.		Witterung.	Zeit der Weinlese.
	Quantität.	Qualität.		
1794	viel	gut	Frühling warm, in Reutlingen im Mai blühende Trauben, Sommer warm, theilweise Hagelschaden.	29. Sept.
1795	wenig	ziemlich gut	den 8. und 15. Mai schädlicher Frost, Juni und Juli naß, schädlicher Hagel, sofort aber gute Witterung. Im Tauberthal ausnahmsweise am 1. Juni Frost und alles dort erfroren.	13.—19. Okt.
1796	mittelmäßig	schlecht z. Th. mittelmäßig	den 17. März empfindliche Kälte; Sommer warm und trocken, den 1. Oktober Frost.	18. Okt.
1797	mittelmäßig	schlecht z. Th. mittelmäßig	langer Winter, unfreundlicher Frühling, im Juni viel Regen und Gewitter, sonst veränderlich.	11. Okt.
1798	mittelmäßig	gut	langer, jedoch gelinder Winter, Sommerwitterung meist trocken und fruchtbar.	8. Okt.
1799	wenig z. Th. mittelmäßig	sehr schlecht	im Winter und Frühjahr litten die Reben durch Kälte und Frost; im April noch Schnee, Sommer naß-kalt, Herbst kalt, Trauben unreif.	23. Okt.
1800	wenig z. Th. mittelmäßig	gut	kalter Winter, Blüthe naß, hierauf aber guter trokener Sommer.	3. Okt.
1801	mittelmäßig	mittelmäßig	Frühling gelinde, nasse Witterung während der Blüthe und nachher.	12. Okt.
1802	viel	gut	Winter gelind, Frühjahr warm, im Juli kalter Regen, sonst der Sommer sehr heiß. Schädlicher Brenner. Im Tauberthal zur Blüthezeit viel Regen.	18. Okt.
1803	wenig	mittelmäßig	rauher Frühling, schädliche Fröste vom 13.—19. Mai, Sommer warm und trocken mit Gewittern und Hagel, Fröste am 14., 26. und 27. September.	24. Okt.
1804	viel	gut z. Th. nur mittelmäßig	Sommer meist gut und fruchtbar, zum Theil heiß, viel Gewitter, hie und da Hagel und kalte Regen.	11. Okt.
1805	sehr wenig	schlecht	spätes Frühjahr, den 3. Juni Reifen, Blüthe erst im Juli, Witterung bis in September kühl und kalt. Am 6. Oktober das niedere Feld erfroren, den 11.	23. Okt.

			Oktober Schnee, den 20.—22. Oktober starke Kälte, so daß die meisten Trauben, als unreif, erfroren.	
1806	viel	mittelmäßig z. Th. schlecht	Frühling kalt und unfreundlich, den 2. Mai Reifen, Sommer viel Regen, sonst warm, den 12. Oktober Frostschaden.	13. Okt.
1807	viel	gut	den 22. und 23. April fiel Schnee. Sommer heiß mit viel Gewitter, im Ganzen jedoch trocken. Am 1. August bereits reife Trauben.	13.—14. Okt.
1808	viel	mittelmäßig	ziemlich veränderlich warmer Sommer mit viel Regen.	13. Okt.
1809	wenig	schlecht	im Januar den Reben schädliche Kälte, Juni naßkalt. Blüthe ungünstig, Sommer und Herbst regnerisch kalt und rauh, den 12.—14. Oktober Schnee.	18. Okt.
1810	mittelmäßig	mittelmäßig	Sommer kühl, vom September an warm, im Tauberthal den 15. und 17. Oktober starker Frost.	19. Okt.
1811	viel	sehr gut	warmes Frühlingswetter, Blüthe vier Wochen früher als gewöhnlich, Sommer sehr warm mit fruchtbaren Gewitterregen meistens in der Nacht, im August überall reife Trauben.	3. Okt.
1812	ziemlich viel	mittelmäßig	April und Mai veränderlich, den 25. Mai schädlicher Frost, Blüthe naß, Juni und Juli rauh und unfreundlich, vom August bis Oktober warm.	27. Okt.
1813	wenig	schlecht	Sommer naßkalt und viel Regen, Blüthe schlecht, im Tauberthal Trauben erfroren und Herbstfäulniß.	26. Okt.
1814	sehr wenig	schlecht z. Th. mittelmäßig	vom 11.—12. Mai schädlicher Frost, nasse Blüthe im Juni, den 3. Oktober schädliche Reifen.	18. Okt.
1815	wenig	mittelmäßig	den 16. und 17. April sehr starker Frost, so daß sämmtliche Reben erfroren, Sommer theils warm, theils kühl mit Regen.	14. Okt.
1816	sehr wenig	schlecht	Frühling rauh, 16.—17. April schädlicher Frost, den 13. Mai Schnee, Sommer fortwährend naß und kalt mit vielen Gewittern, den 17. Oktober starker Frost.	Ende Oktober. Anfangs Nov.
1817	wenig	sehr schlecht	April rauh, den 17. u. 28. April Frost und viel Schnee, den 26.—27. April große Ueberschwemmung, sonst	23. Okt.

Jahrgang.	Wein.		Witterung.	Zeit der Weinlese.
	Quantität.	Qualität.		
			gut, Sommer viel Regen, den 3. und 16. Oktober schädlicher Frost.	
1818	mittelmäßig z. Th. zieml. viel	gut	Frühling warm, 14. Mai schädlicher Frost, Blüthe im Juni günstig, Sommer warm, öfter heiß und hie und da schädlicher Hagel.	14. Okt.
1819	viel	mittelmäßig z. Th. gut	Frühling meist gut, Fröste am 27. u. 28. April 1. u. 2. Mai, worauf große Wärme eintrat, so daß das Holz Trauben nachtrieb, Blüthe Ende Mai, Sommer trocken und heiß, am 10. August schon reife Trauben.	12. Okt.
1820	wenig	schlecht	strenge Winterkälte, Weinberge erfroren, 5. und 6. Mai schädliche Reifen, bis in Juni naß und kalt, Blüthe schlecht, Juli meist naß, schon am 5. und 23. September Reifen.	24. Okt.
1821	wenig	schlecht	Frühling veränderlich, im Juni Reifen und Kälte, viel Regen bis Ende August, Trauben unvollständige Zeitigung.	30. Okt.
1822	viel	gut und z. Th. sehr gut	Frühling warm, Blüthe zu Ende Mai und Anfangs Juni, Sommer heiß, Ende Juli reife Trauben, frühe Lese, theilweise wegen der Fäulniß.	25. Sept.
1823	mittelmäßig	schlecht	Frühling spät, Juni und Juli meist naß, Blüthe schlecht, Herbst mild.	25. Okt.
1824	wenig	schlecht	sehr veränderliche Winter- und Sommerwitterung mit viel Sturm, Regen, Gewittern und Hagel, den 13. Juni Reifen, Blüthe Anfangs Juli, im Oktober viel Regen und große Ueberschwemmung.	21. Okt.
1825	wenig	gut	Mai rauh und den 15. und 16. starker, schädlicher Frost, Sommer vorzüglich warm, August ziemlich viel Regen.	18. Okt.
1826	viel	mittelmäßig	Frühjahr spät, Ende Mai warm, Wetter mit Regen, Anfangs Juni Blüthe, dann rauhes regnerisches Wetter mit Gewittern und Hagel, den 23. September Reifen.	19. Okt.

1827	mittelmäßig	gut	Winter streng, Weinreben erfroren, Frühling und Sommer gut, zum Theil sehr warm, Blüthe im Juni.	11. Okt.
1828	sehr viel	mittelmäßig	Frühling gut, Ende Juni Blüthe, Juli und August viel Regen mit Hagel, September und Oktober gut.	17. Okt. bis 3. Nov.
1829	wenig	schlecht	Sommer bis September veränderlich mit vielem Regen. den 8. Oktober Schnee, den 16. Oktober starker Frost, die Trauben kamen nicht zur Reife.	21. Okt.
1830	wenig	mittelmäßig	strenger Winter, die Weinberge erfroren, gutes Frühjahr, Blüthe Anfangs Juni verzögert durch viel Regen, Sommer und September viel trüb und regnerisch, Oktober heiter, am 15. Frost.	16. Okt.
1831	wenig	mittelmäßig	Frühjahr regnerisch, Blüthe Ende Juni bis 11. Juli, Sommer regnerisch, gegen Ende des September und Oktober heiter, trocken, im Sommer Schaden durch Schwarzbrenner.	24. Okt.
1832	wenig z. Th. mittelmäßig	mittelmäßig	Frühling vorherrschend kaltes, den Reben schädliches Wetter, 15. Mai Frost, Juni naß, Blüthe ungünstig, Sommer unbeständig, den 17. Oktober Frost.	20. Okt.
1833	mittelmäßig	mittelmäßig	April kühl, Mai sehr warm, zum Theil 26 Grad, Ende Mai Blüthe, am 13. Juli reife Trauben, dann bis 23. September rauhe kalte Witterung.	14. Okt.
1834	viel	sehr gut	März und April einige schädliche Reifen, vom Mai an Sommerwärme bis in Oktober und große Trockenheit trotz häufiger Gewitter, am 16. Mai Anfang der Traubenblüthe, den 25. und 26. Mai starker Höhenrauch, Anfangs September reife Trauben.	6. Okt.
1835	sehr viel	mittelmäßig	gutes Frühjahr, im Mai Sommerwärme bis in Juni, doch ungleiche Blüthe, vom Juli bis in den September wieder Sommerwärme, im August reife Trauben, Oktober regnerische stürmische Witterung.	19. Okt.
1836	mittelmäßig z. Th. wenig	gut z. Th. mittelmäßig	den 10. und 27. Mai schädliche Fröste, Sommer mit starkem Regen heiß, den 28. Juli fand man gefärbte Trauben, September kühl, regnerisch, Oktober mild.	25. Okt.

Jahrgang.	Wein.		Witterung.	Zeit der Weinlese.
	Quantität.	Qualität.		
1837	mittelmäßig	schlecht	Ende März Kälte mit viel Schnee, den 16. u. 17. April 2′ tief, Mai größtentheils naßkalt und regnerisch, 20. Juni Blüthe, Sommer und Herbst veränderlich, zum Theil kalt.	24. Okt.
1838	wenig	schlecht	Frühjahr und Sommer unbeständige zum Theil kalte Witterung, September etwas wärmer, Oktober kalt, den 11.—12. starker Frost.	22. Okt.
1839	mittelmäßig	mittelmäßig	Frühjahr spät, kühl, Sommer warm, Hagelschaden, Spätjahr mild, Trauben faulten.	14. Okt.
1840	mittelmäßig	mittelmäßig	Schneefälle bis in März, Frühjahr spät, Ende Mai, Juni und Juli regnerisch mit starken Gewittern, Spätjahr veränderlich und rauh, Anfangs Oktober Frost.	17. Okt.
1841	wenig	gut z. Th. mittelmäßig	Frühling frühe und sehr warm, am 17. Mai blühen die Trauben, Sommer veränderlich, gewitterreich, August und September sehr warm, Oktober mild.	5. Okt.
1842	mittelmäßig	gut	Frühling im Anfang rauh, dann steigende Wärme bis zum 8. Sept., worauf rauhe Witterung folgte, am 26. Mai blühende, 14. Juli gefärbte Trauben, Frost am 6. Okt.	11. Okt.
1843	wenig	mittelmäßig z. Th. schlecht	Frühling regnerisch und kühl, Traubenblüthe spät, Sommer häufige Gewitter, Spätjahr warm, mild, Mitte Oktober Frost, die weißen Trauben blieben zum Theil unreif und erfroren.	26. Okt.
1844	mittelmäßig	schlecht z. Th. mittelmäßig	Frühjahr spät und sehr stürmisch, den 17. Mai schädlicher Frost und dann kaltes regnerisches Wetter bis September, Blüthe spät, Oktober noch warm.	24. Okt.
1845	mittelmäßig	mittelmäßig z. Th. gering	Winter starke Schneefälle mit heftiger Kälte, so daß die Weinstöcke erfroren, Frühjahr spät und kühl, Blüthe spät, Sommer veränderlich mit Gewitter und Hagel, Spätjahr günstiger, wodurch das Reifen der Trauben befördert wurde.	23. Okt.

1846	viel z. Th. mittelmäßig	sehr gut	Frühjahr sehr veränderlich, zum Theil kalt und naß, den 28. April etwas Frost in den niedern Weinbergen, Mai viel Regen, Sommer dagegen sehr trocken und heiß, Spätjahr warm mit Regen, im Tauberthal den 15. und 16. Mai starker Frost.	5. Okt.
1847	viel	schlecht	Frühjahr rauh und kalt mit Schneestürmen, Sommer und Spätjahr veränderlich, kühl.	24. Okt.
1848	mittelmäßig	mittelmäßig	Frühjahr Anfangs regnerisch und kühl, später sehr warm, Sommer warm mit viel Gewitter und Regen, Spätjahr meist kühl mit Regen und Reifen.	16. Okt.
1849	mittelmäßig	mittelmäßig	März rauh, mit Frühjahrs Anfang kühl, regnerisch, dann warm, Sommer warm, doch veränderlich mit Regen und Nebel, Oktober kühl, regnerisch, windig, Anfangs einigemal Frost.	21. Okt.
1850	wenig	schlecht	Spätes Frühjahr mit lang anhaltender Kälte, zum Theil Frostschaden, Blüthe spät, langsam wegen häufiger Regen, ungleich, Beschädigung durch den Schwarzbrenner, August und September zum Theil kaltes Regenwetter, den 13. und 14. September starker Frost.	23. Okt.
1851	wenig	schlecht	der Frost im Spätjahr 1850 hinderte das Reifen des Holzes, den 9. Mai Frost, später fortwährendes Regenwetter, die Blüthe begann den 6.—19. Juli, den 10. und 11. September starker Frost, später heftiges Regenwetter, viele Ueberschwemmungen, die Rebstöcke standen in niederen und mittleren Lagen den ganzen Sommer im Wasser.	26. Okt.
1852	mittelmäßig	mittelmäßig	Spätes Frühjahr, die Reben grünten erst in der Mitte Mai und viele in Folge der Kälte des vorigen Jahrs blieben ganz aus, Sommer anfänglich sehr warm, später mehr Regen, Blüthe gegen Ende Juni, Anfangs Oktober Morgens starker Frost.	15. Okt.
1853	mittelmäßig	schlecht	Frühjahr rauh und regnerisch, Mai abwechselnd warm, mit Regen und Gewitter, die Weinberge grünten erst	28. Okt.

Jahrgang.	Wein.		Witterung.	Zeit der Weinlese.
	Quantität.	Qualität.		
			in der Mitte Mai, Sommer warm, dann viel Regen, das Erdreich voll Wasser und die Reben blieben zurück, Blüthe erst Anfangs Juli, an vielen Traubenstöcken der Schwarzbrenner, am 4. Oktober starker Frost.	
1854	sehr wenig	mittelmäßig	Von der Mitte März bis gegen Ende April warme Witterung, wodurch die Reben stark antrieben, den 25. und 26. April starker Frost, Reben erfroren, den 29. Juni Blüthe, naß und ungünstig, Traubenwurm und Schwarzbrenner, Sommer ziemlich warm, den 9. und 10. September starke Reifen, so daß in den niedern Weinbergen nicht nur Laub und Trauben, sondern auch das Rebsatz Schaden nahm.	Ende Oktober.
1855	wenig	mittelmäßig	kalte ungünstige Witterung bis Anfangs April, dann warm, den 23., 26., 27. April, 9. und 10. Mai starke Reife, dann warm, zum Theil heiß, gegen Ende Juni Regen und unbeständige Witterung.	24. Okt.
1856	mittelmäßig	mittelmäßig	Frühling Anfangs rauh, kalt und trocken, Mitte April warm, Mai und Juni viel Regen, 4. und 5. Mai Reben erfroren, Blüthe Ende Juni ungünstig, Sommer warm aber veränderlich, September kühl, viel Regen, Schwarzbrenner, Oktober Anfangs warm, am 25. Oktober vor dem Herbst starker Frost.	24. Okt.
1857	viel	sehr gut	günstiges warmes Frühjahr, Blüthe 22. Juni, Sommer heiß mit Gewitterregen, Anfangs August reife Trauben, September theils warm, theils kühl mit schwachen Reifen, Oktober warm.	12.—15. Okt.
1858	viel	gut	spätes meist rauhes Frühjahr, den 8. u. 10. Mai Reben erfroren in niederen Lagen, Ende Mai und Juni sehr warm, Blüthe 14.—24. Juni, Sommer Anfangs sehr warm, später veränderlich, kühl, Spätjahr theils warm,	13. Okt.

			theils neblig und trüb, im Ganzen ein trockenes Jahr.	
1859	viel z. Th. mittelmäßig	mittelmäßig z. Th. gut	Frühling bald warm, den 17. und 18. April Reben zum Theil etwas erfroren, Sommer bis August warm aber sehr trocken, dann Regen, Blüthe 19.—24. Juni, Spätjahr warm mit öfterem Regen, Trauben faulten.	10. Okt.
1860	wenig	gering	spätes rauhes Frühjahr, ungünstige regnerische Blüthe bis Juli, Sommer und Spätjahr kühl und regnerisch.	29. Okt.
1861	wenig	gut	Frühjahr veränderlich, Reben durch Frost gelitten, Sommer warm mit Gewitterregen, Blüthe 21.—29. Juni, zum Theil naß, was den Trauben schadete.	20. Okt.
1862	etwas mehr als mittelmäßig	gut	Frühjahr zum Theil sehr warm, den 13.—15. April starker Frost, der auch den angetriebenen Reben schadete, Blüthe am 31. Mai begonnen, Sommer meist warm mit Regen, wodurch die Traubenreife sehr befördert wurde.	10. Okt.
1863	ziemlich viel	mittelmäßig	Frühjahr veränderlich, kühl, Traubenbüthe den 22.—24 Juni ungünstig, naß, kalt, später günstigere Witterung, besonders im Spätjahr,	12. Okt.
1864	wenig	deßgl.	den 25. und 28. Mai starker Frost, niedere Weinberge erfroren, Blüthe ungünstig, naß, kalt, den 2.—4. Oktober wieder heftiger Frost, der den Trauben schadete.	20. Okt.
1865	ziemlich wenig	vorzüglich	Frühjahr sehr warm, 1.—3. Mai aber Frost, wodurch die Reben ziemlich Schaden nahmen, Blüthe den 29. Mai bis 10. Juni, Sommer sehr warm und Spätjahr der Traubenreife günstig.	3. Okt.
1866	wenig	gering	den 17. und 18, sowie den 21.—22. Mai die Weinberge sehr stark erfroren, daher großer Schaden, später warm, Blüthe den 20.—30. Juni, Spätjahr viel trüb, regnerisch, Trauben blieben zurück.	20. Okt.
1867	viel	gering	Frühjahr, Entwicklung von sehr viel Trauben, Blüthe den 20.—30. Juni, Sommer kühl, öfters naß, Spätjahr desgleichen, den 27. u. 28. Sept. heftiger Frost, viele Trauben erfroren und blieben in der Zeitigung zurück.	24. Okt.

§. 101.

Aus der hievor gegebenen Beschreibung der auf die Quantität und die Qualität des Weins sich beziehenden Verhältnisse können wir zunächst entnehmen, daß man schon im achten und neunten Jahrhundert für angemessen und wichtig hielte, dieselben aufzuzeichnen, aber auch ebenso die Thatsache, daß zu jener Zeit der Weinbau auch bei uns eine große Verbreitung gefunden hatte, womit dann auch unsere oben schon ausgesprochene Vermuthung (§. 10 und 12.) „Derselbe sei weit älter als die darüber vorliegenden schriftlichen Urkunden" vollkommen bestätigt ist.

Stellen wir nun jene Verhältnisse nach halben und nach ganzen Jahrhunderten zusammen, so erhalten wir folgendes Resultat:

Zeitperiode.	Menge des Weins.			Güte des Weins.			Warme und trockene Sommer.	Der Wein litt, besonders in der Gegend von Stuttgart, durch:				
	viel.	mittelmäßig.	wenig.	gut.	mittelmäßig.	schlecht.		Winterkälte.	Frühlingsfröste.	Hagel.	Regen u. kalte Witterung im Sommer.	Spätjahrsfrost.
Von 1301—1400 binnen 44 J.*)	15	2	14	16	6	24	10	5	2	1	14	4
1401—1450	16	26	8	17	26	7	12	5	8	1	6	—
1451—1500	14	15	21	22	10	18	14	8	11	2	18	1
	30	41	29	39	36	25	26	13	19	3	24	1
1501—1550	19	6	25	20	14	16	15	2	19	6	15	2
1551—1600	12	10	28	14	14	22	11	9	17	6	27	10
	31	16	53	34	28	38	26	11	36	12	42	12
1601—1650	15	8	27	21	10	19	15	9	18	10	24	14
1651—1700	18	17	15	22	18	10	11	10	9	2	20	5
	33	25	42	43	28	29	26	19	27	12	44	19
1701—1750	17	10	23	26	15	9	21	11	12	7	11	5
1751—1800	12	19	19	21	16	13	11	6	13	10	24	5
	29	29	42	47	31	22	32	17	25	17	35	10
1801—1850	15	15	20	12	21	17	7	3	15	3	31	17
1851—1867	5	4	8	5	7	5	4	—	7	1	6	4
Zus. von 1401—1867 in 467 Jahren	143	130	194	180	151	136	121	63	129	47	182	63
Durchschnitt in 10 Jahren:	3,06	2,8	4,2	3,9	3,2	2,9	2,6	1,4	2,8	1,0	3,9	1,3
oder einmal in Jahren:	3	$3\frac{1}{2}$	$2\frac{1}{2}$	$2\frac{1}{3}$	3	$3\frac{1}{2}$	4	7	$3\frac{1}{2}$	10	$2\frac{1}{3}$	7

*) Die hie und da fehlenden Jahre scheinen in den Chroniken, weil nichts besonderes zu bemerken war, übergangen worden zu sein, sie wurden von 1401 an hinsichtlich der Quantität und Qualität als mittelmäßige angenommen.

Vergleichen wir diese Ziffern und Verhältnisse von 450 Jahren, so finden wir, daß wenn sich auch in einzelnen Jahrzehnten und Jahrhunderten bedeutende Schwankungen zeigen, die Verhältnisse sich im Allgemeinen doch gleich geblieben sind, und daß daher die schon oft gehörte Behauptung „das Clima unseres Vaterlandes habe sich nach und nach verändert und seie kälter geworden" wenigstens im Allgemeinen nicht als begründet erscheint, vielmehr hat der Schaden durch Winterkälte in den letzten hundert Jahren etwas ab, dagegen der Schaden durch Spätlingsfröste eher etwas zugenommen.

Ebenso wenig wird durch obige Ziffern die da und dort verbreitete Meinung bestätiget, daß auf einen strengen Winter ein warmer Sommer und ein guter Wein zu erwarten sei, indem auf strenge Winter bald gute, bald schlechte oder mittelmäßige Weine folgten. *)

Auch von gelinden Wintern aus läßt sich kein Schluß ziehen auf die künftige Sommerwitterung, da sich auch bei diesen wie bei den strengen Wintern vielfache Schwankungen zeigen. Soviel aber ist sicher, daß Winterkälte und Frühjahrsfröste auf die Quantität der Weine wesentlichen Einfluß ausüben, daß jedoch nasse und kalte Sommerwitterung sowie bald eintretende Spätlingsfröste in der Regel noch weit schädlicher wirken, indem durch letztere zunächst die Qualität, nicht selten aber auch zugleich die Quantität leidet, weil durch das Abbeeren der Trauben während und nach der Blüthe, durch den häufig vorkommenden Roth- und Schwarzbrenner sowie durch das Abwelken der unzeitigen Trauben bei bald eintretendem Frost die Menge des Weins sehr geschmälert wird.

Die in dieser Richtung gefertigten Zusammenstellungen haben folgende Resultate ergeben:

*) Das schwäbische Sprichwort lautet: „Wanns nicht wintert, so sommerts auch nicht".

Zeitperiode.	Bei Beschädigung durch Winterkälte und Frühjahrsfrost gab es Wein:						Bei Beschädigung durch nasse, kalte Sommerwitterung und Spätlingsfrost gab es:						Außerdem Reben erfroren im Winter oder Frühjahr.
	viel	mittelmäßig	wenig	gut	mittelmäßig	schlechten	viel	mittelmäßig	wenig	gut	mittelmäßig	schlechten	
v. 1451—1500	1mal	7mal	5mal	8mal	4mal	1mal	2mal	4mal	12mal	—	2mal	16mal	6mal
1501—1550	—	1 „	14 „	8 „	4 „	3 „	3 „	1 „	11 „	—	4 „	11 „	5 „
1551—1600	1 „	3 „	9 „	5 „	3 „	5 „	3 „	6 „	19 „	1mal	6 „	21 „	13 „
1601—1650	—	3 „	9 „	7 „	5 „	—	5 „	3 „	17 „	1 „	5 „	19 „	11 „
1651—1700	1 „	5 „	5 „	6 „	5 „	—	5 „	9 „	8 „	4 „	10 „	8 „	6 „
1701—1750	1 „	2 „	12 „	8 „	5 „	2 „	2 „	1 „	9 „	—	5 „	7 „	5 „
1751—1800	3 „	3 „	4 „	8 „	2 „	—	2 „	10 „	11 „	1 „	11 „	14 „	7 „
1801—1850	2 „	4 „	3 „	4 „	5 „	—	5 „	10 „	17 „	—	16 „	16 „	9 „
1851—1867	2 „	2 „	5 „	4 „	4 „	1 „	2 „	2 „	3 „	—	3 „	4 „	5 „
Zusammen in 417 Jahren	11 „	30 „	66 „	58 „	37 „	12 „	29 „	46 „	110„	7 „	62 „	126„	67 „
Durchschnitt in 10 Jahren	0,26 oder in 38 J. einmal.	0,7 oder in 14 J. einmal.	1,6 oder in 6 Jahren einmal.	1,4 oder in 7 Jahren einmal.	0,9 oder in 11 J. einmal.	0,3 oder in 35 J. einmal.	0,7 oder in 14 J. einmal.	1,1 oder in 9 Jahren einmal.	2,6 oder in 4 Jahren einmal.	seltene Ausnahmen wenn der Wein bloß durch Spätlingsfrost gelitten hat.	1,5 oder in 7 Jahren einmal.	2,8 oder in 4 Jahren einmal.	1,6

Die Zahl der Jahre sowohl in den einzelnen Jahrhunderten als im Durchschnitt von vier Jahrhunderten in welchen wegen nasser Sommerwitterung und Spätjahrsfrösten nur wenig und schlechter Wein gewachsen ist, übersteigen darnach die Beschädigungen durch Winterkälte und Frühjahrsfröste um ein bedeutendes.

§. 102.

Unter den einzelnen Jahrhunderten erscheint das von 1551 bis 1650 als das ungünstigste, in welchem der Wein wegen ungünstiger Witterung vierzigmal schlecht erwachsen ist, während in andern Jahrhunderten dieses Verhältniß nicht einmal die Hälfte davon erreicht und doch war jenes Jahrhundert zum größern Theil gerade diejenige Periode, wo der Weinhandel Württembergs in seiner größten Blüthe stand, und württembergische Weine fast in ganz Deutschland gesucht und verbreitet waren (§. 121), woraus wir den Schluß ziehen dürfen, daß man dazumalen in der Weinbehandlung weit sorgfältiger war, und daß man es weit besser als später verstand, die Weine auf eine angemessene Weise zu verbessern, wovon auch die aus jener Zeit noch vorhandenen Vorschriften über Behandlung und Verbesserung der Weine genügend Zeugniß ablegen (§. 88 bis 90).

Bemerkenswerth ferner ist, daß im sechzehnten und im siebenzehnten Jahrhundert öfters mehrere Jahre nach einander vorkommen, in denen ein guter Wein gewachsen, wie von 1420—1428, 1437 und 1438, 1464 und 1465, 1470—1476, 1478—1480, 1482—1484, 1499 und 1500, 1508—1510, 1513 und 1514, 1518 und 1519, 1629—1631, 1636—1638, 1644—1649, 1652—1655.

Was in spätern Jahren und besonders in neuerer Zeit seltener vorkommt, und daher rühren mag, daß früher mehr frühreifende Traubensorten gebaut wurden, die auch in minder günstigen Jahren noch einen guten Wein gaben. (§. 55.) „Auch hier zeichnen sich die Jahre 1551—1650 (oder eigentlich von 1521—1620) durch ungünstige Weinbauverhältnisse aus, indem während dieses ganzen Jahrhunderts nie mehrere gute Weinjahre hintereinander folgten.

Beschädigungen der unbedeckten Weinberge durch Winterkälte kommen neuerer Zeit weniger vor, als in frühern Jahrhunderten, wie z. B. von 1750—1850 nur 12 solcher Beschädigungen stattfanden, während dieses früher weit häufiger der Fall war; — der Grund hievon mag weniger in der Witterung als darin zu suchen sein, daß die Weinberge während des Winters früher weit seltener als neuerer Zeit niedergelegt und bedeckt (bezogen) wurden.

§. 103.

Ueber den Anfang der Weinlese liegen aus ältern Zeiten, vom Zabergau (Kirnbach, jetzt zum Großherzogthum Baden gehörig) und später aus der Gegend von Stuttgart und Heilbronn Notizen vor; sie beginnen mit dem Jahre 1609 und liefern nach den oben enthaltenen Angaben (§. 106) in einzelnen Zeitabschnitten folgendes Ergebniß:

Zeitperiode.	Anfang der Weinlese: Sept. v. 10.—20.	Sept. v. 21.—30.	Okt. v. 1.—10.	Okt. v. 11.—20.	Okt. v. 21.—31.	
Von 1609—1650 in 34 Jahren	1mal	3mal	9mal	13mal	8mal	Von 8 Jahren fehlen Notizen.
von 1651—1700 in 43 Jahren	2 „	3 „	18 „	17 „	3 „	Desgleichen von 7 Jahren.
von 1701—1750	—	8 „	28 „	12 „	2 „	
von 1751—1800	—	2 „	21 „	24 „	3 „	
von 1801—1850	—	1 „	4 „	23 „	22 „	
von 1851—1867	—	—	3 „	7 „	7 „	
Zusammen binnen 244 Jahren	3 „	17	83 „	96 „	45 „	
Durchschnitt in 10 Jahren	0,03	0,07	3,4	4,0	1,8	

Diesemnach ist der Anfang der Weinlese in den letzten 227 Jahren einmal eingetreten:

Vom 10—20. September binnen 76 Jahren.
„ 21—30. „ „ 13 „
„ 1—10. Oktober „ 3 „
„ 11—20. „ „ 2—3 Jahren.
„ 21—31. „ „ 5—6 Jahren.

Weil übrigens in dem gegenwärtigen Jahrhundert dieselbe weit öfter in das letzte Drittel des Monats Oktober gefallen ist, als in früheren Jahren, so könnte man daraus den Schluß ziehen, daß während desselben besondere ungünstige Weinjahre vorgekommen seien, oder daß unsere klimatischen Verhältnisse sich wirklich verändert haben, dieses scheint jedoch nach der oben (§. 101) gegebenen Nachweisung nicht der Fall zu sein, vielmehr kommt das öftere Verschieben der Weinlese in das letzte Drittel des Monats Oktober und bei einzelnen Traubengattungen bis in den Monat November, hauptsächlich daher, daß man auch bei uns, in Folge der vielfachen Bestrebungen zur Verbesserung des Weins, nach und nach zur Einsicht gelangt, daß durch die Spätlese in minder günstigen Jahren, die Weine bedeutend verbessert werden können und daß daher sowohl von den Regierungs- und Gemeindebehörden, als von vielen Weinproducenten auf möglichste Verschiebung der Weinlese gedrungen wird. Doch darf nicht übersehen werden, daß früher, vermöge der ausgedehnteren und dichteren Waldbestockungen, sowie der häufig angelegten Seen und Fischteichen die Thauniederschläge stärker gewesen sein mögen, und da durch solche Niederschläge die Zeitigung der Trauben wesentlich befördert wird, so mag dieser Umstand in ältern Zeiten hie und da auf den früheren Eintritt der Weinlese sowie insbesondere auch auf die Erzeugung einer bessern Qualität in geringen Weinjahren eingewirkt haben.

Welchen wesentlichen Einfluß die Waldungen auf die Fruchtbarkeit des Bodens ausüben, lernen wir daraus erkennen, daß durch die Ausrottung derselben ganze Länderstrecken ihre frühere große Fruchtbarkeit, wie z. B. Griechenland, die Romagna im Kirchenstaate u. s. w., verloren haben, auch leidet durch die neuerlich erfolgte unvernünftige Ausrottung der Wälder das südliche und westliche Frankreich häufig an großen Ueberschwemmungen, weil bei starkem Regenwetter, das Wasser an den ausgerotteten Waldungen keinen Damm mehr findet, sondern unaufhaltbar in die Thäler stürzt und dieselben überschwemmt. Nicht unwahrscheinlich ist es daher, daß durch die allzu starke Ausrottung der Waldungen an den Nord- und Ostseegestaden der Weinbau in dem nördlichen Deutschland wieder verdrängt wurde, und daß auch der dadurch begünstigte stärkere Zutritt der Nord-, Ost- und Westwinde hie und da auf unsere Weinbauverhältnisse besonders durch öftere Wiederkehr der Frühjahrs- und Spätlingsfröste, sowie durch kühle, trübe und regnerische Witterung einen nachtheiligen Einfluß ausüben mag. So wird von Tübingen schon 1785 gemeldet, daß dort ehmals eine solche Menge Wein wuchs, daß man sehr oft zu seiner Aufbewahrung nicht genug Fässer habe anschaffen können, während neuerdings der Wein bald nicht zur Reife komme, bald so sauer seie, daß man ihn kaum zum Essig gebrauchen könne, was daher komme, daß ehemals gewisse Waldungen ausgerottet worden seien, die vor dem ersten Anstoß des Nordwindes schützten oder wenigstens seine Heftigkeit mäßigten und wodurch die Winzer veranlaßt wurden, schon 1770 viele minder günstig gelegene Weinberge auszuhauen und zu Obstgärten anzulegen.

§. 104.

Einen vorzüglichen Anhaltspunkt zu genauer Beurtheilung der Güte des Weinmostes besteht im Wägen desselben im unvergohrenen noch ganz süßen Züstande; jemehr er Zuckerstoff besitzt, desto größer ist sein Gewicht nach den darnach construirten Wagen, wobei das specifische Gewicht des Wassers gewöhnlich zu 1000 oder zur Abkürzung = 1 angenommen wird.

Wir besitzen von Stuttgart Wägungen vom Jahr 1754 an,

14*

an welche sich später auch noch einige andere aus anderen Gegenden anschlossen, worüber wir folgende Uebersicht mittheilen können:

Jahrgang.	Specifisches Gewicht des Weinmostes im Stuttgarter			Mittleres Gewicht aus allen Beobachtungen.	
	niedern Feld	mittlern Feld	besten Feld		
1754	1051—1064	1067 —	1072—1075	1066,0	
1755	61 —	71— 72	79— 81	70,8	
1756	58— 64	62— 69	78— 79	69,1	
1759	56— 64	67— 69	78— 81	69,1	
1760	63— 64	69— 72	78— 83	71,5	
1761	67— 71	72— 76	78— 83	74,5	
1762	63— 64	67 —	71— 72	67,3	
1763	61 —	50— 53	— —	51,5	
1764	58— 61	67— 68	73 —	66,6	
1765	63— 64	67— 71	72— 76	68,8	
1766	63— 68	72— 74	78— 84	73,2	
1767	51— 55	56— 58	61— 69	58,3	
1768	58 —	61— 64	67— 72	63,3	
1769	51— 60	61 —	68 —	61,1	
1770	— —	60— 65	78 —	67,6	
1771	64 —	68 —	72— 78	69,0	
1772	53— 63	67— 68	71— 75	66,1	
1773	61— 64	67— 69	72— 78	68,5	
1774	64— 67	69— 72	75— 79	71,0	
1775	63— 67	69— 74	76— 81	71,6	
1776	50— 58	61— 65	68— 74	62,6	
1777	69— 70	72— 75	78— 82	74,3	
1778	64— 65	67— 69	71— 75	68,5	
1779	65— 67	71— 72	74— 83	72,0	
1780	61— 64	69— 74	74— 78	70,0	
1781	58— 63	67— 73	74— 79	69,0	
1782	58— 63	65— 67	69— 72	65,6	
1783	72— 75	76— 79	86— 90	79,7	
1784	56— 60	61— 67	72— 76	65,3	
1785	51— 56	58— 60	64— 65	59,0	
1786	54— 56	58— 59	65— 68	60,0	
1787	56— 61	64— 67	69— 77	65,6	
1788	54— 60	61— 67	71— 80	65,0	
					von 1789 bis 1800 incl. fehlen die Angaben über die Gewichtsverhältnisse und beginnen erst wieder mit dem Jahr 1801.

Stutt

Weinmostwägungen aus dem Weinberge des Stadtra

Grade nach der Wein

Gattung der Trauben.	1834	1835	1836	1837	1839	1840	1841	1842	1843	1844	1846	1847	1848
Burgunder (Clevner)	106	89	80	83	88	91	—	93	90	86	92	87	92
Roth-Urban	101	84	83	67	76	88	82	90	71	80	95	78	84
Schwarz-Urban	86	82	83	69	—	82	—	—	73	77	86	80	—
Grüne Sylvaner	84	96	92	64	95	83	83	94	80	77	88	80	83
Schwarze Sylvaner	—	95	95	74	90	84	—	95	81	82	94	—	91
Grüne Muskateller	83	84	89	70	—	78	76	89	61	72	91	75	79
Rothe Muskateller	—	—	—	—	—	—	—	87	68	71	84	75	83
Grüne Gutedel	80	78	85	69	76	85	80	79	80	69	78	77	78
Rothe Gutedel	—	80	83	70	80	—	82	88	82	—	—	—	—
Welsche (Trollinger)	75	75	80	61	74	76	73	77	65	74	85	81	75
Grüne Elblinge	75	84	84	63	81	85	—	76	68	65	77	70	78
Rothe Elblinge	—	—	—	67	82	76	78	78	80	72	85	72	80
Weiße Putzscheere	79	75	78	60	—	62	—	75	70	70	70	—	66
Velteliner	—	—	—	—	—	—	—	—	—	—	—	85	—
Fütterer	—	—	92	74	84	83	—	—	63	—	79	—	81
Affenthaler	—	—	—	—	—	—	—	—	—	—	—	—	—
Mischung aus dem Geschirr	79	78	80	56	75	68	76	72	69	73	84	72	75

[Zu Seite 724.]

Untertürkheim.

Weinmostwägungen aus den königlichen Weinbergen von der Weinlese im Monat Oktober.

Grade nach der Weinwage der Weinverbesserungsgesellschaft (Mechanikus Kinzelbach in Stuttgart).

Benennung der Traube.	1831 25. Okt.	1832 25.	1833 3.	1834 16.	1835 10.	1836 21.	1838 16.	1839 18.	1840 16.	1841 18.	1842 3.	1843 31.	1844 18.	1845 18.
Clevner	85	74	80	114	80	82	85	90	83	94	108	81	82	92
Roth-Urban	86	73	—	110	—	79	81	83	68	96	86	74	82	81
Schwarzurban	88	73	—	100	85	75	77	82	81	88	87	72	81	75
Grauer Sylvaner	88	77	74	100	80	86	91	92	87	83	83	84	88	90
Muskateller (weiß)	92	73	—	85										
Muskateller (roth)	100	70	—	120										
Weißer Gutedel	86	79	68	90	82	77	80	83	86	77	76	80	75	75
Rother Gutedel	80	73	—	82	—	78	77	82	88	75	84	80	83	79
Welscher (Trollinger)	85	70	71	82	75	85	82	77	72	78	84	75	80	76
Weißer Elbling	96	71	70	80	75	78	72	81	84	86	86	75	75	71
Rother Elbling	90	68	—	81	—	83	74	84	82	84	83	80	74	70
Sylvaner, weißer	88	90	70	95	83	80	83	91	96	92	92	70	80	83
Riesling, weißer	90	78	73	96	79	83	87	83	94	92	90	82	88	88
Blauer Portugieser	—	—	—	—	—	—	—	—	—	—	—	—	—	—
Mischling verschiedener Sorten	87	74	73	91	84	83	81	85	86	88	80	79	82	77

Benennung der Traube.	1846 26. Sept.	1847 31. Okt.	1848 25.	1849 28.	1850 26.	1851 27.	1852 16.	1853 20.	1854 24.	1855 24.	1856 24.
Clevner	85	102	87	96	83	76	86	75	77	84	85
Roth-Urban	96	75	83	84	88	70	80	75	80	88	87
Schwarzurban	92	74	83	83	67	70	81	70	75	81	85
Grauer Sylvaner	100	84	94	89	74	72	90	85	94	95	97
Muskateller (weiß)											
Muskateller (roth)											
Weißer Gutedel	80	80	78	83	73	73	76	72	83	87	82
Rother Gutedel	84	86	82	82	72	70	76	76	82	82	
Welscher (Trollinger)	80	75	76	72	67	68	82	79	80	86	79
Weißer Elbling	80	71	82	82	67	67	75	73	81	75	82
Rother Elbling	81	73	54	85	72	65	78	73	56	61	
Sylvaner, weißer	100	88	81	93	74	70	81	84	92	85	85
Riesling, weißer	90	85	98	86	74	71	83	83	90	90	83
Blauer Portugieser	—	—	—	—	—	—	—	—	—	—	—
Mischling verschiedener Sorten	93	94	90	83	71	76	80	75	85	85	87

Benennung der Traube.	1857 15.	1858 14.	1859 8.	1860 21.	1861 13.	1862 8.	1863 27.	1864 12.	1865 12. Sept.	1866 9.
Clevner	98	95	103	88	98	101	99	90	130	141
Roth-Urban	105	92	94	77	87	94	83	81	110	96
Schwarzurban	101	92	84	—	70	—	—	—	—	—
Grauer Sylvaner	100	99	88	77	80	84	80	87	131	98
Muskateller (weiß)										
Muskateller (roth)										
Weißer Gutedel	86	92	98	76	82	75	76	82	108	101
Rother Gutedel										
Welscher (Trollinger)	92	87	88	74	81	85	80	72	81	85
Weißer Elbling	82	81	85	71	83	81	78	77	85	85
Rother Elbling										
Sylvaner, weißer	101	88	103	75	95	97	81	80	112	136
Riesling, weißer	91	88	75	76	85	87	75	63	84	88
Blauer Portugieser	—	—	—	88	—	—	76	80	150	93
Mischling verschiedener Sorten	96	98	87	72	86	90	80	92	156	92

*) Wie sehr durch eine Spätlese die Qualität der Weine verbessert werden kann, möge dadurch erhellen, daß bei der Lese gewogen haben: 1834, 1841, 1842, 1843 den 6. November, Clevner 100, 70, 106, 100; 1835 Schwarzurbaner 87; grüner Sylvaner 97; grauer Ru[illegible] 84; Traminer 80; grüner Elbling 80; Welschtraminer 80; Riesling 83, 1843 128, 1846 120.

hs, Apotheker Kreußer in den untern Kriegsbergen.

age von Künzelbach.

1849	1850	1851	1852	1853	1854	1855	1856	1857	1858	1859	1860	1861	1862	1863	1864	1865	1866	1867
93	77	69	84	85	89	86	90	101	97	92	90	—	103	96	94	114	94	86
78	70	68	75	78	87	79	89	86	89	96	82	85	94	84	79	116	87	74
74	68	72	72	77	82	77	82	91	82	84	78	82	89	85	68	108	83	74
85	72	68	83	85	91	92	92	95	87	94	83	94	90	88	81	108	76	80
87	—	68	81	85	—	—	88	89	—	—	—	90	90	90	81	112	98	78
80	68	65	—	70	78	85	82	82	90	89	75	—	98	85	80	100	88	66
80	—	—	—	68	—	79	81	82	91	86	72	—	83	80	84	99	84	66
76	76	69	76	74	80	83	80	82	77	77	73	85	80	82	81	89	83	76
—	—	—	—	—	—	—	—	—	76	82	—	—	—	—	83	90	85	—
74	64	66	71	77	77	76	77	84	80	82	70	75	84	81	71	104	85	74
74	56	57	72	71	—	78	79	81	81	88	69	78	80	77	63	94	80	70
80	63	60	75	75	76	78	74	81	83	86	70	77	83	80	72	93	78	68
66	—	60	75	67	70	72	78	73	77	99	67	—	78	65	67	90	79	65
83	77	—	—	—	—	—	—	—	—	—	—	—	93	87	80	110	83	73
88	—	61	82	80	—	—	—	89	88	—	72	—	93	87	80	110	83	73
—	—	64	73	72	—	—	82	—	86	87	—	—	—	—	—	—	—	—
76	65	65	70	72	70	76	77	85	79	84	76	75	83	78	72	101	86	70

Jahre	Zu Stuttgart.				Marbach.				Eßlingen.			
	geringstes specifisches Gewicht.	höchstes specifisches Gewicht.	mittleres spec. Gewicht.		spec. Gewicht des Weinmostes.			mittleres Gewicht nach verschiedenen Wägungen.	geringstes spec. Gewicht.	höchstes spec. Gewicht.	mittleres spec. Gewicht.	
			Grade	Zahl der Wägungen	geringen	mittlern	besten				Grade	Zahl der Wägungen
1799	—	—	—	—	1048	1050	1055	1051,0				
1800	—	—	—	—	62	68	75	67,6				
1801	1045	1072	1060,5	15	50	58	59	55,7				
1802	60	76	74,8	18	72	74	77	74,5				
1803	69	74	65,0	18	58	60	66	61,3				
1804	65	71	65,7	23	—	66	68	66,0				
1806	49	65	59,0	22	57	62	67	62,0				
1807	70	82	68,5	22	57	66	71	64,3				
1808	65	70	64,8	25	65	66	72	67,6				
1809	—	—	—	—	47	52	54	51,0				
1810	65	81	66,9	19	50	63	68	60,3				
1811	70	90	81,3	27	74	78	84	78,6				
1812	57	68	63,0	19	58	60	65	61,0				
1813	56	67	61,0	15	52	56	58	55,3				
1815	—	—	—	—	64	68	70	67,3				
1817	44	77	51,2	10	48	55	57	53,3				
1818	63	80	73,2	12	61	68	76	68,3				
1819	65	82	73,2	18	66	72	74	70,5				
1820	54	65	59,4	15	55	69	73	65.9				
1821	49	69	53,5	23	—	—	—	—				
1822	70	91	80,0	33	71	77	80	76.0	1069	1089	1080,2	12
1823	51	63	61,0	23	58	62	68	62,7	—	—	—	—
1825	67	80	77,1	23	63	67	72	69,5	—	—	—	—
1826	60	75	65,0	10	—	—	—	—	55	78	67,0	50
1827	—	—	—	—	—	—	—	—	63	80	75,9	35
1828	58	95	68,4	13	—	—	—	—	59	84	69,1	58
1829	51	80	60,8	7	—	—	—	—	56	74	64,9	14
1830	—	—	—	—	—	—	—	—	54	88	74,0	34
1831	61	79	71	—	—	—	—	—	53	83	68,0	17
1832	—	—	—	—	—	—	—	—	53	80	64	41
1833	46	78	64	—	—	—	—	—	56	83	67	31

Weinmostwägungen aus dem Weinberge des Stadtraths, Apotheker Kreußer in den untern Kriegsbergen.

Grade nach der Weinwage von [illegible].

[illegible]	1834	1835	1836	1837	1839	1840	1841	1842	1843	1844	1846	1847	1848	1849	1850	1851	1852	1853	1854	1855	1856	1857	1858	1859	1860	1861	1862	1863	1864	1865	1866	1867
[illegible] (Kleiner)	104	53	60	88	88	31	—	93	80	66	82	87	82	95	77	60	81	83	80	86	90	105	87	92	90	—	103	96	94	114	91	88
[illegible]	101	84	53	67	76	88	82	90	71	50	86	78	84	78	70	65	76	76	87	78	86	88	88	96	82	85	34	81	72	116	87	71
[illegible]	88	82	54	89	—	82	—	—	73	77	56	80	—	78	88	73	77	77	87	72	82	91	82	84	78	82	81	83	88	106	93	74
[illegible]	84	86	88	64	85	83	83	34	89	77	88	80	85	90	72	68	83	85	91	98	94	95	97	94	88	91	90	88	81	108	76	80
[illegible]	—	95	56	74	50	64	—	82	81	62	84	—	86	87	—	98	81	86	—	—	86	83	—	—	—	90	90	90	81	112	88	74
[illegible]	82	84	88	70	—	78	76	80	61	72	91	75	70	90	68	45	—	79	78	86	83	83	90	88	73	—	86	86	50	130	98	88
[illegible]	—	—	—	—	—	—	—	67	68	71	84	76	83	90	—	—	—	66	—	75	81	85	81	80	72	—	83	88	84	90	84	86
[illegible]	89	75	83	63	78	85	50	78	80	68	78	77	78	76	76	68	76	74	80	83	86	82	77	77	73	85	80	82	81	83	88	78
[illegible]	—	83	83	79	83	—	52	88	82	—	—	—	—	—	—	—	—	—	—	—	—	—	76	98	—	—	—	—	53	90	85	—
[illegible]	75	75	80	65	71	78	75	77	62	74	85	85	75	76	64	66	71	77	77	78	77	84	80	82	70	73	84	81	71	104	88	76
[illegible]	73	84	84	63	81	85	—	70	68	63	77	70	78	78	56	37	72	71	—	76	78	81	85	86	68	75	80	77	93	84	80	70
[illegible]	—	—	—	67	82	78	78	78	89	77	85	72	80	90	65	80	75	75	76	75	74	85	82	98	70	77	83	80	78	93	78	66
[illegible]	79	76	76	66	—	62	—	75	78	73	70	—	86	90	—	80	75	87	70	73	75	73	77	90	67	—	76	86	87	90	79	85
[illegible]	—	—	—	—	—	—	—	—	—	—	—	82	—	88	77	—	—	—	—	—	—	—	—	—	—	—	83	87	80	110	86	73
[illegible]	—	—	82	74	84	83	—	—	83	—	78	—	81	88	—	81	88	85	—	—	—	80	88	—	71	—	93	97	98	110	83	73
[illegible]	—	—	—	—	—	—	—	—	—	—	—	—	—	—	—	84	73	72	—	—	82	—	86	87	—	—	—	—	—	—	—	—
[illegible]	75	76	80	56	75	66	78	74	58	72	84	72	76	74	65	86	70	72	75	78	77	88	79	84	71	75	85	78	72	101	84	70

Herrenberg.

Weinmostwägungen von den Fürstl. Hohenlohe-Oehringen'schen Weinbergen.

Gattung der Trauben.	1832	1833	1834	1835	1836	1837	1838	1839	1840	1841	1842	1843	1844	1845	1846	1847	1848	1849	1850
Rießling weißer .	65	80	95	84	95	79	83	80	74	83	92	70	79	77	92	76	85	78	64
Clevner	—	—	85	81	88	81	85	75	83-90	90	90	80	90	87	92-95	81	84	83	74
Traminer	76	76	102	91	89	81	92	87	90	87	94	71	86	82	95-100	88	99	85	70
Veltliner	71	—	—	86	97	77	78	80	83	80	85	71	73	68	92	74	72	76	59
Roth-Elben . . .	—	73	86	82	87	72	75	70	79	76	79	74	77	73	85	75	71	76	58
Weiß-Elben . . .	71	—	—	—	85	70	70	73	73	74	91	75	77	74	80-82	73	66	74	56
Rothe Gutedel . .	75	—	—	80	96	75	85	76	80	79	81	75	81	72	74-81	72	72	79	72
Weiße Gutedel . .	73	—	—	78	89	72	77	75	81	78	74-79	74	76	78	82	73	68	80	68
Grüner Sylvaner .	75	73	89	90	96	71	80	80	80	82	80	85	85	80	82-94	75	79	86	61
Rother Sylvaner .	—	—	—	88	95	—	80	65	81	84	76	78	86	82	71-81	73	78	80	62
Weißer Muskateller	—	—	108	80	87	68	77	75	—	79	76	76	72	76	95	73	71	71	60
Rother Muskateller	—	—	108	80	86	68	80	79	—	79	83	75	74	76	83-85	72	74	70	59
Blauer Scheidegger	—	—	86	87	80	63	63	—	—	71	67	—	63	69	85	—	—	—	—
Schwarzer Welscher (Trollinger)	—	—	80	77	78	69	77	70	71	71	73	62	78	75	83	70	73	74	67
Ruländer	—	—	—	—	—	—	—	76	90	89	87	81	84	89	90	84	91	94	75
Mischung des Ganzen	73	73	90	80	86-87	60	75	—	74	—	80	58	80	63	80-82	70	76	77	69

Jahrgang.	Heilbronn. Mittleres specifisches Gewicht.	Jahrgang.	Heilbronn. Mittleres specifisches Gewicht.
1811	86	1834	80
1812	71	1835	76
1813	60	1836	77
1814	62	1837	52
1815	76	1838	74
1816	61	1839	73
1817	52	1840	70
1818	78	1841	72
1819	76	1842	79
1820	63	1843	62
1821	61	1844	75
1822	84	1845	71
1823	66	1846	88
1824	70	1847	68
1825	78	1848	74
1826	74	1849	73
1827	77	1850	65
1828	73	1851	50
1829	65	1852	75
1830	78	1853	71
1831	76	1854	73
1832	67	1855	76
1833	68		

Jahrgang.	Güglingen. Gewicht nach der Hahn'schen Wage.	Einzelne Orte im Zabergäu.	Tübingen. geringstes Gewicht	höchstes Gewicht	mittleres Gewicht	Reutlingen und Mezingen. niedrigstes Gewicht	höchstes Gewicht	Clevner	Ruländer	Sylvaner	Traminer	Elben	Gutedel
1811	76—80 Durchschnitt (78.)												
1812	55—64 (59.)	(Pfaffenhofen 68)											
1813	56—64 (60.)												
1815	76												
1818	76	(Stockheim 80)											
1819	66—68 (67.)												
1820	58												
1822	76—78 (77.)	(Eibensbach 74)											
1823	62—67 (64.)												
1825	67												
1826	62—63	(Pfaffenhofen 67)			61,0	65	48	72					
1827	66	(Pfaffenhofen 69) (Eibensbach 63) *)	54	80	67,7	76	58	85					
1828	62—64 (63.)	(Stockheim 69)	52	79	66,9	72	54	86	89			60	
1829	51	—	41	59	53,3	55	40						
1830	60	—	59	78	67,4	67	51						
1831	—	—	55	83	67,9	68	50	87					
1832	—	— (Mezingen)	50 (46)	67 (65)	58,3 (55,6)	66	49	82					

1833	54	—	40	70	58,6	67	48						
1834	78—81 (79.)	—				89	65	93 u. 105	100	89	96	77 u.80	95
1835	—	—				67	50						
1836	—	—				82	62	92	84	82	81	65	79
1837	—	—				65	42	85	83	67	77	62	67
1838	—	—				71	52	87	91	75	84	60	77
1839	—	—				78	61	93	88	82	87	69	72
1840	—	—				84	54	90	—	—	76		
1841	—	—				87	62	99	97	85	82	67	
1843	46—47	(Clevner 71)											
1844	47—61 (54.)	—											
1845	50—55 (52.)	(Clevner 73)											
1846	76—80 (78.)												
1847	47—57 (52.)	(Clevner 71)											
1848	58—59												
1849	55												
1850	51												
1851	40												
1855	65												
1856	59	(Clevner 72) (Stockheim 68)											

*) Das mittlere specifische Gewicht wurde dadurch gefunden, daß man verschiedenen Weinmost von guten, mittleren und geringeren Lagen wog, das Gewicht zusammenrechnete und mit der Zahl der Wägungen dividirte. Die Veranlassung dazu gab Professor Schübler in Tübingen, der im Jahr 1833, leider zu frühe für die Wissenschaft, starb. Mit seinem Tode hören die einzelnen Wägungen, deren Sammlung und Zusammenstellung meistens auf.

Stellen wir nun nach diesen Zusammenstellungen Vergleichungen an zwischen dem mittleren Gewicht nach einzelnen Zeitperioden und zwischen den einzelnen Weinbaugegenden, so erhalten wir folgendes Resultat:

Der Durchschnitt des mittleren Gewichts war:

Jahrgang.	a. Stuttgart.	b. Untertürkheim. Königl. Weinberge.	c. Marbach.	d. Eßlingen.	e. Heilbronn.	f. Verrenberg von den F. Hohenlohe-Oehringenschen Weinbergen.	g. Güglingen nach der Hahn'schen Weinwage.	h. Tübingen.	i. Reutlingen und Mezingen.
v. 1754—1766 in 11 Jahren	1068,0								
v. 1767—1777 in 11 Jahren	66,6								
v. 1778—1788 in 10 Jahren	67,2								
v. 1800—1810 in 10 Jahren	65,6		v. 1799—1810 in 11 Jahren 62,0						
v. 1811—1820 in 10 Jahren	66,6		v. 1811—1825 in 11 Jahren 66,2		68,5		v. 1811—1820 v. 7 Jahren 68		
v 1821—1830 in 10 Jahren Durchschnitt	68,0 67			v. 1822—1833 in 9 Jahren 70,0	72,6		v. 1821—1830 v. 8 Jahren 62	v. 1826—1832 in 7 Jahren 63,2	v. 1826—1830 in 5 Jahren 58,6
v. 1831—1840 in 6 Jahren	von Weinbergen in den untern Kriegsbergen 72,6	v. 9 Jahren 83,4			71,3	v. 1831—1840 in 8 Jahren 76,3	v. 1831—1840 blos 1833 u. 34 66		v. 1831—1840 63,5
v. 1841—1850 in 9 Jahren	73,5	84,5			72,7		v. 1841—1850 v. 8 Jahren 56		
v. 1851—1867 in 17 Jahren	77,5	85,0							

Im allgemeinen ist daraus ersichtlich, daß das Gewicht des Weinmostes seit einem Jahrhunndert sich ziemlich gleich geblieben und in keinem Falle abgenommen hat, und daß, wenn in der Mitte desselben sich etwas geringere Gewichtsverhältnisse herausstellen, dieses hauptsächlich von dem damalen sehr in Aufnahme gekommenen Anbau geringer, vielausgebender Traubengattungen herkommen mag, was neuerer Zeit wieder mehr nachgelassen hat. (Vergl. §§. 61,63, 67.)

Zur Vergleichung der Weinqualität zwischen den einzelnen Weinbaugegenden lassen wir auch noch einige Gewichtsuntersuchungen von der Bodenseegegend folgen:

Gewicht vom Jahr 1827.

	geringstes:	höchstes:	mittleres:	Zahl der Wägungen:
Friedrichshafen	56	74,1	68,8	22
Berg . . .	55	65	62,3	6
Fischbach . .	52	68	61,1	8
Schnezenhausen	54	63	59,0	5
Robarach . .	53	63,5	60,0	5

Zu Friedrichshafen ferner:

	geringstes:	höchstes:	mittleres:
1827 von blauen Trauben . . .	71	79	76
von Dünnelbling oder Burgunder	65	76	70
von Dickelbling oder Sylvaner	58	64	60
von 3 Theilen blauer und 1 Theil weißer Trauben .	60	74	62½;
Gemisch von meist weißen Trauben	50	58	54
sodann Gewicht von			
1828 zu Friedrichshafen	50	68	58,5
1832 „ „	55	74	54,9

1833 zu Ravensburg weißes Gewächs 50 Grade.
„ „ „ blaues (rothes) 70 „
„ „ „ gemischtes 65 „
1834 „ „ von 75 bis 92 „

Hienach dürfen wir annehmen, daß in der Bodenseegegend auch in den besseren Jahren ein um 4—6 Grade leichterer Wein erzeugt wird, als in dem mittlern und untern Neckarthale.

Vergleichen wir noch weiter das Gewicht des Weinmostes von geringen, mittleren und guten Jahrgängen und nehmen wir dabei auf die oben angegebenen Differenzen zwischen dem mittlern und untern Neckarthale Rücksicht, so ergibt sich als Regel:

a) ein Weinmost unter 50 Graden, als nur aus unreifen Trauben erzeugt, gehört wegen allzuviel Säure nicht zu den trinkbaren Weinen;
b) ein Weinmost von 50—55 Graden wie 1799, 1809, 1817,

1821, 1837 und 1851 gehört zu den ganz geringen, und von 56—60 Graden wie 1801, 1813, 1816, 1829, 1847 und und 1850 zu den minder geringen;

c) ein Weinmost von 61—65 Grad zu den geringmittlern Weinen, wie 1803, 1806, 1808, 1810, 1812, 1820, 1823, 1845, und von 66—70 Graden zu den bessern mittlern Weinen wie 1800, 1804, 1807, 1815, 1826, 1828, 1832, 1833, 1840, 1848, 1849, 1852;

d) ein Weinmost von 71—75 Graden zu den guten Weinen wie 1802, 1818, 1819, 1825, 1827 und 1842;

von 76—80 Graden und darüber zu den ausgezeichneten Weinen wie 1783, 1811, 1822, 1834, 1846.

Weinmostwägungen von einzelnen Weinbergen, besonders in mittlerer und guter Lage, gewähren dagegen andere Resultate, indem z. B. nach dem — von dem Weinmoste der königlichen Weinberge zu Untertürkheim und zum Theil des Gemeinderaths Kreußer von Stuttgart — erhobenen Gewichte gerechnet werden darf:

für geringe Jahre ein Gewicht von 65—71 Grad.
„ mittlere „ „ „ „ 72—78 „
„ gute „ „ „ „ 79—84 „
„ ausgezeich. „ „ „ „ 86—96—100 Grad.

Weinmostgewichte von 90 und mehr Graden werden nach bisherigen Erfahrungen nie von dem mittlern specifischen Gewicht des gemischten Gewächses eines ganzen Orts erreicht, wohl aber von einzelnen vorzüglichen Weinberglagen, oder bei ungemischter Bestockung von vorzüglichen Traubengattungen.

§. 105.

Zu denjenigen Jahren, in welchen sehr gute Weine erzeugt wurden, gehören:

im fünfzehnten Jahrhundert

1432, 1437, 1467, 1471, 1472, 1473, 1475, 1479, 1480, 1483, 1499;

im sechzehnten Jahrhundert

1518, 1536, 1540, 1546, 1551, 1556, 1575, 1590, 1596, 1599;

im siebzehnten Jahrhundert

1605, 1615, 1616, 1629, 1631, 1655, 1660, 1666, 1670, 1676;

im achtzehnten Jahrhundert

1701, 1718, 1738, 1746, 1753, 1760, 1766, 1783;

im neunzehnten Jahrhundert

1811, 1822, 1834, 1846, 1857, 1865.

Zusammen in 465 Jahren 44 sehr gute Weinjahre, es kommt daher durchschnittlich auf 10 bis 11 Jahre ein vorzügliches Weinjahr.

Hinsichtlich der Qualität der Weine, werden im Mittelalter

vorzüglich zwei Gattungen genannt, nämlich: **Fränkischer Wein**, der aus gallischen Trauben gewonnen, und der bessere war, (vinum nobile oder melioris crementi) und **Hunnischer Wein**, der aus gewöhnlichen und geringeren Traubengattungen (§. 55) erzeugt wurde (Landgewächs vinum communis crementi).

Diese Unterscheidung entstand im Laufe des fünften Jahrhunderts, als die römische Herrschaft in Gallien nach der Eroberung desselben durch die Franken aufhörte, wahrscheinlich weil die damals angepflanzten edlern Traubengattungen aus dem neu eroberten Frankenlande nach Deutschland gebracht wurden, auch liefert jene Unterscheidung zugleich den Beweis, daß der Weinbau auch nach der Römerherrschaft in Deutschland unausgesetzt fortdauerte.

In zwei Urkunden von 1309 und 1311 wird bei einem Karren Wein bemerkt, „halb fränkischer und halb hunnischer", und unter den Einkünften der Rheingrafen zu Anfang des dreizehnten Jahrhunderts werden von einem Orte ein Karren fränkischer und zwei Karren hunnischer Wein beschrieben. (Anton, III. Bd. S. 309.)

Außerdem wurden die Weine in weiße und rothe eingetheilt, und auch die württembergischen Chroniken sprechen blos von diesen Gattungen; von sogenannten Schillerweinen wußte man früher nichts, vielmehr waren die rothen und weißen Weine schon in den ältesten Zeiten, namentlich aber im sechszehnten und siebenzehnten Jahrhundert berühmt und als gesundes und anmuthiges Getränke beliebt, so daß damit vom württembergischen Regentenhaus nicht nur vielfache Verehrungen an andere fürstliche Häuser gemacht, sondern auch, wie wir hienach sehen werden (§. 121), ein bedeutender Handel damit getrieben wurde. Die weißen Weine waren die vorherrschenden (§. 58.*)

Schon ältere Schriftsteller über die Naturgeschichte des Weins (Boccius) bezeichnen die Orte Stuttgart, Reutlingen, Eßlingen und Heilbronn als vorzügliche Weinorte.

Johannes Thafinger, ein geborener Tübinger, später lateinischer Schulmeister zu Freiburg im Breisgau, bezeichnet in seiner Schilderung Herzogs Ulrich als die bessern und besten Weingegenden: Cannstatt und sein Thal auf und ab, Waiblingen und das Remsthal; Stuttgart schildert er als die Wiege des Bachus und den Wein von Untertürkheim vergleicht er mit dem Nectar. Vom Enz und untern Neckarthale rühmt er die trefflichen Weine von Bietigheim und Besigheim so wie von Maulbronn und preist des Weinsberger Thales und des Zabergaues Milde und Fruchtbarkeit und sagt von Bönnig-

*) Auch zum Vermischen (Kühlen) mit fremden feurigen Weinen wurden die württembergischen Weine benützt. Die Grafen von Helfenstein, namentlich Graf Ulrich VIII. von 1292—1310 kühlten in ihrer Verschwendungssucht die italienischen Weine mit Neckarwein.

heim, seine setinischen Reben (Setia in Latium, Stadt mit gutem Weinbau) machen es glücklich.*)

§. 106.

Wie sehr besonders die württembergischen Weine auch im Auslande geschätzt wurden, mögen einige Beispiele zeigen. Graf Eberhardt I. von 1265—1325 vergab den Zehenten von Cannstatt an den Bischoff in Constanz, damit er auch Unterländer-Wein bekam, den man am Bischoffssitze sehr gerne trank. Im Jahr 1498 schickte der (eilfjährige) Herzog Ulrich seinem nachmaligen Schwiegervater, dem Herzog Albrecht von Bayern, zwei Wagen alten und neuen Wein, weil er glaube, „Den Herzog möcht zu Zeiten auch gelüsten suren Wein zu versuchen." Im Jahr 1499 (15. Novbr.) folgten wieder zwei Wagen alter und neuer Wein, wogegen Albrecht Salz und süßen Wein schickte und schrieb: „Die beide wir in ewer lieb Fürstenthum nit so gemein achten."

Im Jahr 1500 (13. Novbr.) aber schickte Ulrich wieder vier Wagen Neckarwein und sagt in dem Begleitschreiben: „Wie wol wir wissen Ewer Lieb an guten Weinen keinen Mangel zu haben, achten wir doch, daß dieselben bisweilen eines frischen Trunk erfordern." „Aehnliche Sendungen von frischem surem Neckarwein, der in der rechten Sommerzeit, so es recht heiß wäre, gar viel baß schmeckte" gieng den 9. Septbr., 17. Novbr. 1501 und den 3. Novbr. 1502, 2. März 1506 nach München, und dauerten fort bis Ulrich mit dem bayerischen Hofe zerfiel. Nach der Wiederaussöhnung bat sich Herzog Wilhelm im Jahre 1544 wieder Neckarwein aus, wogegen er „einen gueten Fürsten Drunck" versprach.**)

Aber nicht allein nach Bayern, das keinen Weinwachs hatte, sondern auch an den Oesterreichischen Hof, wo im eigenen Lande viel Wein produzirt wurde, und die guten ungarischen Weine bekannt waren, sowie auch an andere Höfe wurden im sechszehnten und siebenzehnten Jahrhundert viel Wein zur Verehrung versendet, was ein vollgültiges Zeugniß ist, für die Trefflichkeit der württembergi-

*) Sollte damalen noch eine Sage von dem römischen Ursprung des Weinbaues in der dortigen Gegend vorhanden gewesen sein? oder waren die früher angepflanzten Reben wirklich aus der Gegend von Setia. Gegenwärtig werden dort meistens nur gemeine vielausgebende Traubensorten gebaut.

**) Die in ältern Dokumenten gebrauchten Ausdrücke: sauer, frisch, dürfen nicht wörtlich genommen werden, sie werden durch den spätern Ausdruck rees verdeutlicht. Sauer bedeutet keine wirkliche Säure, sondern mehr die Kohlensäure des Weins, wie sie noch in dem Worte Sauerwasser vorkommt.

schen Weine. Besonders während der Occupation durch den schwäbischen Bund (1519 bis 1534) scheint man sich am Oestreichischen Hofe so sehr an den württembergischen Wein gewöhnt zu haben, daß sogar die Gemahlin des Erzherzogs Ferdinand, ob sie gleich als eine Tochter des ungarischen Königs Kennerin der ungarischen Weine sein mußte, im Jahr 1527 an den östereichischen Statthalter in Stuttgart schrieb: „Nun sein wir den Neckherwein, die wir unlange und sonst kain ander Wein getrunken haben, dermassen gewant, das uns gantz wider und schwör wär, andern Wein zu trinken, er soll ihr daher gueten vierdigen Neckarwein bey Zeitten senden ehe Sy versuert werden, damit wir auf den künftigen Sommer und sonderlich so uns Got der Allmächtige wiederum mit einem Jungen erben begaben würdt mit andern gueten Neckherweinen versehen sein in die Kindpeth."

Als König Ferdinand seinen Schenken um Wein an den Rhein sandte, mahnte er auch den Herzog Ulrich in einem Schreiben vom 30. September 1535 an das ihm gegebene Versprechen wegen Neckarweinen. Am 20. Febr. 1542 bot Herzog Ulrich in einem Schreiben an seine Räthe in Speyer dem dort befindlichen König Ferdinand Weine von Eßingen und andern Orten an, worauf der König erklärte, er wolle seinen Mundkeller in kurzen Tagen nach Maulbronn oder Stuttgart schicken.

Als Herzog Ulrich nach Wiedereroberung des Landes über seine Wiedereinsetzung mit dem kaiserlichen Hof unterhandelte, schrieb ihm sein Gesandter, daß es der Sache gut und förderlich sein würde, wenn er dem kaiserlichen Rathe Hoffmann eine Parthie Neckarwein verehre, da man ihm zu verstehen gegeben habe, daß er und sein Gemahl nur Nekarwein über Tische trinken.

§. 107.

Herzog Christoph sendete gleichfalls öfters Wein nach Wien. Im Jahre 1559 wurden 4 Faß mit Wangheimer, Fellbacher, Zwerg (bei Korb) und rother Metzinger dem Erzherzog Carl, Sohn des Kaisers Ferdinand, verehrt. 1564 sendete er seinem Freunde dem König, nachherigem Kaiser Maximilian, 15 Fässer durch einen Floßmann von Ulm nach Wien, worauf ihm Maximilian schrieb, „er nehme solche Weine als eine sondere und für ausbindig angenehme Verehrung an, er habe auch darunter etlich im Versuchen befunden die uns vorder anmüthig und allerdings unseres Trunks sind." Nach dem Herbst 1565 wurden wieder 1564 und 1565er Weine an Maximilian gesendet, worunter ein Eimer Wangenmer rother, „so da gerecht, wie sie von den Reben kommen und zum Theil noch unverjohren und in der Milch sind." Unter den gelieferten 19 Fässern sind von dem Kaiser „etliche, die gar unseres Munds und Trunks ausbündig gut befunden worden", obgleich die Jahre 1564 und 1565 nicht zu den guten Weinjahren gehörten, woraus sich schließen läßt, daß Christoph besonders in den eigenen hofkammerlichen Weinbergen ausgezeichnete edle Reben gehabt haben muß.

Später schrieb der Kaiser dem Herzog (den 16. Febr. 1568), daß er ihn nun eine gute Zeit hinein mit vielen trefflichen und fürbindig guten Weinen, „deren wir uns dann zu unserem eigenen Mundgetränke nimmer keines andern als etlicher derselben uns gar anmüthiger Weine gebrauchen", reichlich versehen habe, so habe er nicht unterlassen wollen, ihm dagegen ungarische und östereichische Weine zu überschicken. Diese Sendungen an den Kaiserlichen Hof dauerten fort, so lange Herzog Christoph lebte. (vergl. §. 51.)

Unsere Neckarweine standen überhaupt zur damaligen Zeit in einem solchen guten Ruf, daß auch von andern Orten Geschenke damit dem Kaiser gemacht wurden: So schenkte die Stadt Augsburg schon auf dem Reichstage 1474 dem Kaiser zehn Faß Neckarwein und nicht selten mußte ein Wagen Wein ein Friedensstifter werden. So ließ Herzog Heinrich von Braunschweig dem Herzog Christoph, mit dem er im Streite lag, durch seinen Kanzler andeuten, Christoph solle, als der Jüngere, durch eine Weinverehrung die Hand zum Frieden bieten.

Noch rühmlicher als nach Oestreich war es für die württembergischen Weine, daß selbst an den Hessischen Hof, wo doch Rhein- und Frankenweine leicht zu bekommen waren, Neckarweine gesendet wurden, die dort als „Ehrentrunk" angesehen wurden. Landgraf Ludwig von Hessen schreibt den 18. Mai 1592 an Herzog Ludwig von Württemberg: „Wir haben Ew. L. schreyben und dann sechs Vierling Faß Neckarweins, damit Ew. L. uns freuntlich verehren, wohlverwarlich empfangen. Wann daß dann daran vndt daß wir solcher Weine beneben Andern unsere habenden Ehrenweinen in zutragenden Gesellschaften vor einen Ehrtrunk zu gebrauchen haben, von Ew. L. sonders freundlichen Angenehmen Gefallen geschehen."

Weinversendungen an den hessischen Hof müssen längere Zeit öfters vorgekommen sein, denn Herzog Christophs Tochter Eleonore, Wittwe des Landgrafen von Hessen Darmstadt, schrieb 1597 an Herzog Friedrich, der die von ihrem Bruder Herzog Ludwig jährlich gespendete Weinportion zu schmälern began, er möchte ihr doch einen guten Trunk Neckarwein, 2—3 Fuder schicken: „Dieweil ich nun allein das alte Mütterlein bin, denn das alt Herz wird bisweilen matt, daß ihm ein gutes Trünklein wohlbekommt." Bei der Labung mit diesem Wein lebte das Altmütterlein noch volle 21 Jahre.

Die Weinversendungen an den kaiserlichen Hof dauerten auch unter den Nachfolgern Christophs, Friedrich I. und Johann Friedrich fort, was derselbe als ein löbliches Herkommen gut aufnahm, und den Herzogen bei fürfallenden Gelegenheiten alle Bereitwilligkeit und guten Willen zusicherte. Herzog Friedrich macht jedoch in einem solchen kaiserlichen Schreiben vom 8. Januar 1598 eigenhändig die Randbemerkung „der effectus wäre einmal Zeit".

Bewinghausen, ein Diener Herzogs Friedrich I., schickte von Stuttgart alljährlich 2 Eimer Neckarwein an einen Korrespondenten in Prag. Eben dieser Herzog sagt in einem Brief vom Juli 1595, daß er maximum vinorem quantitatem an fremde Fürsten schicke, und Schriftsteller aus der damaligen Zeit (Cellius) melden, daß viele auswärtige Große und Fürsten sowie der Kaiser selbst, die württembergischen Weine lieb gewonnen haben.

Als im Jahre 1608 Herzog Johann Friedrich die Belehnung bei dem Kaiser nachsuchte und dieselbe Anstand fand, so hatte schon die Zusicherung etliche Faß Neckarwein an den Kaiser und an einige seiner vornehmsten Räthe zu senden, sowie die Verehrung einiger Pferde aus den herzoglichen Gestütten die gute Wirkung, daß die Belehnung alsbald vor sich gieng.

Auch nach dem dreißigjährigen Kriege thaten die Neckarweine noch gute Wirkung, denn als Herzog Eberhardt III. im Jahre 1650 Gesandte nach Wien schickte, um dort seine Sache zu führen, sandte er mehr denn 100 Eimer Neckarwein an den kaiserlichen Hof, wovon 12 dem Kaiser und der übrige Vorrath den Ministern geschenkt wurde. Obgleich der Herzog in seinem Schreiben bemerkte, daß er den Wein gebe, so gut er ihn nach eilfjährigem Mißwachs habe, so fand doch sowohl der Kaiser als sein Hofpersonal den Wein so gut, daß er vor allen andern in Ehren gehalten und von dem Kaiser zu seinem Leibtrunk erwählt wurde. Ebenso schickte Eberhardt III. im Jahre 1652 in dankbarer Erinnerung an die Verwendung der schwedischen Regierung für die Wiederherstellung des Hauses Württemberg beim westphälischen Friedensschluß, der Königin Christine „83 Vierlingfaß Neckarwein" wie er im Ausschreiben vom 13. Mai desselben Jahres sagt: „Unsern Landen und Leuth zum Besten und derselben beständigem guten Aufnehmen".

Der berühmte Herzog Marlborough der am 13. Juni 1704 im Lamm zu Groshepbach bei seiner Zusammenkunft mit Prinz Eugen und Herzog Eberhardt Ludwig von Württemberg den Remsthaler Wein gekostet hatte, bezog in den Jahren 1704, 1705 und 1706 Wein aus Würtiemberg sowohl für sich selbst, als für die Königin Anna von England.

Durch Dekret vom 15. Oktbr. 1704 an die Kammerschreiberei, befahl der Herzog „6 Eimer des besten und stärksten Neckarweins, so die weite Fahrt, sonderlich über die See leiden dürfte, in doppelte, wohlverwahrte Fässer eingepackt an den Duc de Marlborough zu schicken, der den Wein der Königin von England präsentiren wolle."

Man kaufte 10 Eimer 7 Imi 7 Maas, den Eimer zu 60 fl. bei dem geistlichen Verwalter Fulda in Weinsberg. Im Jahre 1705 bekamen die Königin und der Herzog 12 Faß Wein und zwar 8 Faß rothen und 4 Faß weißen von den Jahrgängen 1701, 1703 mit 17 Eimern 9 Imi, den Eimer zu 70 fl. (Württembergische Jahrbücher 1824 I. Th. S. 159, 1836 I. Th. S. 182.)

Mit dem Beginn des achtzehnten Jahrhunderts scheinen übrigens die Weinversendungen an auswärtige Höfe, wahrscheinlich aus den bereits in §. 59 und 98 angeführten Gründen, nachgelassen und allmählig ganz aufgehört zu haben.

§. 108.

Zu denjenigen Orten und einzelnen Weinberglagen, in welchen früher, und zum Theil noch jetzt, vorzügliche Weine erzeugt wurden, gehörten:

zu Stuttgart, die Falkerthalten,
„ Untertürkheim, der Mönchberg,
„ Uhlbach oder Rothenberg, der Widenberger (an der Stammburg Württemberg),
„ Stetten, der Haraber und Füßlinstobel,
„ Kleinheppach, der Greyner,
„ Großheppach, der Klingenberger,
„ Korb, die Zwerghalde,
„ Beutelsbach, Käser oder Kaisershalde.*)
„ Haslach, der Fellmer,
„ Maulbronn, der Reichshalter und Eilfinger.

Sodann namentlich die rothen Weine von Metzingen, Wangen, Beinstein, Fellbach, die hauptsächlich aus Clevner- oder Burgunder-Trauben erzeugt wurden (§. 57), woraus sich auch erklären läßt, warum besonders die Weine zu Metzingen und Wangen früher zu den edleren gezählt wurden, während sie vor noch nicht langer Zeit wegen ihrer Putscheren-Trauben und der daraus stammenden geringen Weine sehr verrufen waren.**)

Jene edlen Weine nannte man Gewächsweine, wahrscheinlich weil sie entweder ganz oder wenigstens theilweise aus edlern Traubengattungen (Gewächs) namentlich Clevner, Traminer, Muskatel-

---

*) Im Jahr 1646 ist nach einem Lagerbuche von $3\frac{1}{4}$ Morgen Kaiser- oder Frankhweingarten die Rede, deren besonders guter Wein zum Hofhalt in Stuttgart abgegeben werde. (Oberamtsbeschreibung von Schorndorf, S. 126.)

**) Auch in Reutlingen müssen früher gute Traubensorten gepflanzt worden sein, denn 1651 werden 1000 Stück Rebstöcke nach Eßlingen verkauft. (Gailer, I. Th. S. 604.)

ler, Velteliner erzeugt und ihnen dadurch oder durch besondere Bereitung ein fester Charakter beigebracht wurde. So waren besonders die Traminerweine aus dem Zabergau von Stockheim und die Muskatellerweine von Laussen und Brackenheim, sowie die besonders bereiteten Velteliner-Weine berühmt und gesucht. (§. 56.) Nach den Rathsprotokollen von Gröningen (Mark) von den Jahren 1578 und 1595 werden Traminer, Gutedel, Elsäßer und Rheinwein zu den Gewächsweinen gerechnet.

Diese Gewächsweine waren in den Kellereien in der Regel ein Gegenstand besonderer Aufmerksamkeit und Sorgfalt und nicht selten wurden sie zu Geschenken an auswärtige Höfe verwendet. Als Graf Ulrich der Vielgeliebte im Jahr 1462 25 Eimer jährliche Weingült an das Stift zu Ellwangen für 1100 Gulden verkaufte, welche dasselbe aus den Kellereien zu Stuttgart und Waiblingen nach Belieben auswählen durfte, behielt er sich das Gewächs aus der Falkerthalde bei Stuttgart, aus dem Mönchberg zu Untertürkheim, von der Kaisershalde zu Beutelsbach, Zwerg zu Korb und aus dem Haradter und Füßlins Tobel zu Stetten vor. (Steinhofer, III. Th. S. 125.)

Als Kaiser Carl V. am 31. Mai 1546 auf dem Schloße Horneck übernachtete, verehrte ihm die Stadt Heilbronn Traminer von Stocksberg bei Brackenheim.

Von den Weinen welche 1546 Herzog Ulrich den Häuptern des Schmalkaldischen Bundes ins Lager schickte, behagte dem Landgrafen Philipp von Hessen vornehmlich der Wein von Wangen, weil er gegen das Podagra gut seie. (Heyd, Herzog Ulrich III. B. S. 390.)

Unter dem Besoldungswein, welchen Herzog Christoph seinem ehemaligen treuen Hofmeister Tiffernus aussetzte, war auch ein Eimer Wangener. Den 17. Juni 1559 verehrt Herzog Christoph dem Erzherzog Karl von Oestreich 4 Faß mit Wangheimer, Fellbacher, Zwerg und rothen Metzinger.

Daß damals der Metzinger sehr beliebt gewesen, ist auch aus einem Schreiben Herzog Christophs an den Kellereibeamten in Urach vom 30. Oktober 1565 ersichtlich, indem er sich erkundigt nach rothem und weißem Metzingerwein, „der sich da noch süß trinkt, und etwas rees und stark sei, welcher auch die Süße ein Monat zwei oder drei behalten möge und uns ein Muster desselben zum Versuchen zu schicken."

Ebenso schrieb Christoph den 26. Mai 1566 an die Rentkammerräthe, daß er des Markgrafen, Churfürsten zu Brandenburg Sohn, Markgraf Johann Friedrich, Herzog Wolfgangen Pfalzgrafen Sohn, Herzog Ludwig Philipp, desgleichen Graf Günther von Schwarzenberg, auf ihren Zug in Hungarn wider gemeiner Christenheit Erbfeind den Türken, jedem 2 Fuder Neckarwein bewilliget habe; „Darumb so ist unser Befelch, Ir wellendt alsobald und on ainchen Verzug vier Fuder des Weins, wie man uns denselben alber

15*

über vnser Tafel zum speisen von Kirchen und sonsten zugeschickt hat, vnd dann 2 Fuder rothen und weißen Mezinger oder ander dergleichen Wein zusammen thon lassen."

In den aus Veranlassung von Hoffesten erschienenen Gedichten wird solcher Gewächsweine häufig rühmend gedacht, wovon einige Beispiele unter den Anmerkungen folgen.*)

---

*) Nikodemus Frischlin, der in einem lateinischen Gedicht die Hochzeitfeier des Herzogs Ludwig (1575) besingt (übersetzt 1578 von Carl Christoph Beyer), nennt folgende dabei vorgekommene Weine:

Gewächswein.

Die Wein sind mir nicht all bekannt,
Ja dieser edel Rebensaft
Gab edel und unedel Kraft.
Dieser Wein waren's so viel,
Der ettlich ich erzählen will.
Der Widenberger gieng gern ein,
Von Laufen gar köstlich Wein.
Und dann der starke Elsinger
So müd Bein macht, die Zungen schwer.
Auch fehlt kein Beutelsbacher Wein
Und den Heppacher schenkt man ein,
Den rothen Fellbacher geschlacht,
Der Mönchberger bald trunken macht,
Der fröhlichmachend Beinsteiner,
Der roth und weiße Wangheimer
Die oft gut Vers helfen erdenken,
So mans Poeten thut einschenken,
Dergleichen noch viel ander Wein,
So zu Stuttgart gewachsen sein.
Und sunst auch Neckarwein gar kräftig,
Auch gut Trinkwein von Tübingen
Sah man gen Stuttgart bringen.

Die künstlich bereiteten Weine.

Gemachte Weine man gleichfalls hat
Als Hippokras und den Klaret
Und eingemachte g'sott'ne Tränk
Die man den Gästen da einschenkt.

Doch kamen dabei auch viele fremde Weine vor, aus Istrien, aus dem Venetianischen, Krain, Tyrol, Veltelin, Burgunderwein aus Besançon, Rheinweine von Bingen, Markobronn, dem Rheingau, Seckenheimer aus der Pfalz, Steinwein aus Franken, Muskateller von Elsaßzabern.

In einem Neujahrsgedicht von Cellius von 1603 werden folgende ausgezeichnete Weine unseres Vaterlandes besungen:

Die schon früher bezeichneten edlen weißen Weine zu Stetten kommen später (zu Anfang des achtzehnten Jahrhunderts) unter dem Namen „Brodwasser" vor, was daher kommen solle, daß eine Hofdame, die diesen weißen durchsichtig klaren Wein lieb gewonnen hatte, ihn für Brodwasser ausgab.

Den 12. Sept. 1730 verantwortet sich Amtmann Kuon zu Stetten, gegen die Reichsgräfin von Würben, geborne Grävenitz, wegen des Brodwassers, so er der Frau Geheimeräthin von Hiltmann verweigert haben solle.

Neuerlich wird von diesem Gewächswein, wahrscheinlich durch Veränderung der Traubengattung, weniger als früher erzeugt, wodurch sich der Name Brodwasser immer mehr verliert.

3. Weinpreise.

§. 109.

Nicht minder wie der Weinnaturalertrag und die Weinqualität gewähren auch die Weinpreise von frühern Jahrhunderten in Vergleichung mit den neuern Preisen vielfaches Interesse. Es kommt jedoch dabei noch weiter in Berücksichtigung, daß der Werth des Geldes in den einzelnen Zeitperioden ein sehr verschiedener, und insbesondere vor der Entdeckung von Amerika und vor dem Gold- und Silberzufluß von daher, ein weit höherer war, als in späteren Zeiten

---

Was sing ich von dem lieben Wein?
Viel tausend Futter gangen ein,
Ein jedes Jahr, da Gott der Gut
Unsre Sünden nicht strafen thut.
Und solche köstlich lieblich Wein,
Die Kaiser, Königen angenehm sein.
Will nur anzeigen fünf allein,
Da ihr doch sonst noch vielerlei sein;
O Wangemer edler Rebensaft,
O Hebbacher was gibst du für Kraft!
O Münchberg, Elfinger, Falkhart
Wie theuer bist im Münchner Markt.

In der poetischen Beschreibung des Festes, das Herzog Friedrich I. 1605 als Ritter des Hosenbandordens gab, führen Frischlin und Cellius an: Rothen Wangemer, Cäsar, rothen Velbacher, Weidenberger, rothen Beinsteiner, Roßwager, Lauffener Muskateller, rother Remser, Eilfinger, Reinshalden, Lichtensteiner (wahrscheinlich von einem Berge bei Neidlingen, Oberamts Kirchheim), Eger, Sachsenheimer, Münchberger, Zwerg, Falkhart, Fellmer, Rodamer.

und daß somit bei Beurtheilung der einzelnen Preise darauf besondere Rücksicht zu nehmen ist.

Auch der Fein- oder Silbergehalt der Münzen spielt dabei seine besondere Rolle, wir werden daher Gelegenheit nehmen, hierauf besonders aufmerksam zu machen am geeigneten Orte.

Zu näherem Verständniß der ältern Weinpreise führen wir hier an, daß man damalen nach Pfunden, Schillingen, Pfennigen und Hellern rechnete; 1 Pfund Heller hatte 20 Schillinge, 1 Schilling 12 Heller, also 1 Pfund 240 Heller. Als aber der Heller (von der Reichsstadt Hall, wo sie zuerst geprägt wurden) immer geringer ausgemünzt wurde, schlug man Pfennige zu 2 Heller, 1 Pfund war daher = 240 Pfennige oder 480 Heller.

Um die Hälfte des vierzehnten Jahrhunderts kam die Rechnung nach Kreuzer auf. Der Gulden wurde stets zu 60 Kreuzer à 4 Pfennige oder 6 Heller und das Pfund Heller nicht ganz zu 43 Kreuzer gerechnet.

Anfänglich oder in einzelnen Gegenden, wie z. B. in Ulm, scheint man blos 3 Pfennige auf 1 Kreuzer und deswegen die Pfennige auch Dreier genannt zu haben.*)

Der Preis des Guldens in Schillingen veränderte sich dagegen je nachdem die Schillinge und Heller an Gehalt zu oder abnahmen.

Nach Eifert (Beschreibung der Stadt Tübingen 1849 (1. Th. S. 309) betrug der Werth des Schillings nach dem jetzigen Geldcours:

1 Schilling von	1240 . . .	$40\frac{1}{2}$	kr.
„	1265 . . .	$24\frac{25}{51}$	kr.
„	1354—1368 .	$17\frac{1}{4}$	kr.
„	1396 . . .	$10\frac{15}{29}$	kr.
„	1404 . . .	$9\frac{9}{14}$	kr.
„	1523 . . .	$7\frac{41}{52}$	kr.

Später (1608—1628) wurden 14 doppelte und 28 einfache Schillinge auf einen Gulden gerechnet, so daß also 1 Schilling $2\frac{1}{2}$ kr. galt, und 20 Schillinge oder $42\frac{6}{7}$ kr. ein Pfund ausmachten.

Nach der Zollordnung von 1661 sollte der Schilling zu 3 kr. gerechnet werden.

Auch die Weinmaaße, nach welchen in den einzelnen Orten gerechnet wurde, waren sehr verschieden, wir bemerken daher, daß das Eßlinger Maaß, das vielfach verbreitet, und namentlich in Stutt-

*) Nach der württembergischen Münz- und Medaillenkunde von Binder S. 5 (1846) hatte ursprünglich der Heller und Pfennig gleichen Werth, so daß demnach der gleiche Werth an einem Orte in Pfennig, am andern in Hellern ausgedrückt wurde. In Schwaben wurde meist nach Pfund-Heller und in Bayern nach Pfund-Pfennig gerechnet.

gart schon in den ältesten Zeiten eingeführt war, unserm gegenwärtigen Flüssigkeitsmaaße entspricht, wonach 1 Fuder 6 Eimer, 1 Eimer 16 Imi und 1 Imi 10 Maas hat. In Heilbronn hatte das Fuder 20 Eimerlen, 1 Eimerle 24 Maas,

8 Eimerlen = 1 württemberger Eimer 9 Maas,
6 Maas = 5 „ Maas.

Am Bodensee, das sogenannte Seefuder, das auch zu Tübingen im Gebrauche war, hatte 30 Eimer oder 10 Ohm, und 1 Eimer = 32 Maas, 1 Seefuder = 4 Eimer Eßlinger oder Württemberger Maas. In Tübingen bestand 1 Ohm aus 12 Viertheilen und 1 Viertel aus 6 Maas; 2¼ Ohm = 1 Württemberger Eimer. *)

In Ravensburg giengen auf ein Seefuder 32 Eimer und auf 1 Eimer 20 Maas = 2 Imi württembergisch.

In Ulm hatte der Eimer 120 Maas und 2 Eimer weniger 25 Maas, also 215 Maas waren = 1 Eßlinger Eimer.

Das Verhältniß des in Mergentheim und überhaupt im Tauberthale gebräuchlichen Maaßes zu dem württembergischen ist §. 99 angegeben.

Auf diese verschiedene Maaße muß daher Rücksicht genommen werden, wenn bei einzelnen Orten von dem Preise per Fuder, Eimer oder Maas die Rede ist.

§. 110.

Was nun die Weinpreise anbetrifft, so sind zwar darüber schon aus den ältesten Zeiten gesammelte Notizen vorhanden; diese erhielten aber erst eine feste Grundlage, als in der Mitte des fünfzehnten Jahrhunderts (1456) die württembergische Regierung die Anordnung traf, daß künftig, um Streitigkeiten über Schlag und Kauf und dem Wucher der Weinhändler vorzubeugen, in dem Hauptorte eines jeden Bezierksamtes worin Weinbau betrieben wurde, nach der Weinlese eine Weinrechnung gemacht werden solle.

Dieses geschah denn zu Stuttgart erstmals 1468 durch die

---

*) Nach Steinhofer I. Th. S. 187 wurde auch zu Tübingen von 1471 bis 1557 nach Ohm gerechnet: 1 Ohm hatte 60 Maas, also 2½ Ohm und 10 Maas = 1 Eimer. Ob, was Heyd behauptet (W. Jahrbücher 1837, I. H. S. 153), in Tübingen früher nach Seefuder gerechnet wurde, bleibt daher noch im Zweifel. Nach dem Hausbuche des Klosters Blaubeuren scheint es zwar wirklich der Fall gewesen zu sein, es werden jedoch in diesem auf 1 Tübinger Ohm 72 Maas oder 64 Maas Eßlinger Eich gerechnet. Dagegen irrt Heyd, wenn er 1½ Eimer 25 Maas Ulmer Eich für 1 Eßlinger Eimer annimmt, indem nach dem gedachten Hausbuche 2 Eimer weniger 25 Maas Ulmer Meß auf 1 Eßlinger Eimer giengen.

Siebener, nämlich 2 Rathsherrn 1 Unterkäufer (Makler) und 4 von der Gemeinde, welche geloben mußten, diese Rechnung zu machen:

„nach gleichen, ziemlichen, billigen Dingen, Niemand zu lieb, Niemand zu leid, als sie Gott darum verantworten wollen, und dabei anzusehen und zu bedenken, Läuf und Käuf des vergangenen Jahrs auch was sonst billig und nothdürftig dazu sey, mit Ausnahme der süßen (süßgemachten) Weine; hierauf die Rechnung dem Vogt und Magistrat mitzutheilen, und was man darüber rathschlage bis in den Tod verschweigen."

Diese Anordnung fand auch in den benachbarten Reichsstädten Anklang. In Eßlingen wurde daher schon 1463 die erste Weinrechnung gemacht, wozu der Rath 5 Mitglieder verordnete, die schwören mußten, die Rechnung zu machen zum Gleichsten als sie konnten und dabei anzusehen die gewonnenen Landesläufe und Käufe, auch wurde bestimmt, daß künftig Rechnung und Schlag allweg eins sein solle.

In Ravensburg wurde schon 1360 verordnet: der Rath solle alljährlich um den Wein einen Kauf sprechen, und da alle Käufe um uns ansehen, (d. h. auf die Käufe der Nachbarorte Rücksicht nehmen) — es sei Güte des Weins und anderes das dazu gehört.

Wir lassen nun eine kurze Uebersicht über die Weinpreise in den einzelnen Jahrhunderten folgen, wozu wir bemerken, daß dieselben sich in den ersten Jahrhunderten hauptsächlich auf Stuttgart beziehen:*)

---

*) Ueber die Weinpreise in verschiedenen Orten Württembergs nach einzelnen Jahrgängen vgl. württembergische Weinchronik von Dr. Carl Pfaff; Eßlingen 1865 im Verlag von Conrad Weychardt.

Jahrgang.	Preis per Eimer.	Bemerkungen.
1271	12 Groschen	bei Ulm.
1275	5 Schilling 4 Pf. oder 10 kr. 4 Pf.	
1287	Das Fuder zu Heilbronn 32 kr.	
1289	5 Schill. 4 Heller.	
1318	1 Reichsthaler.	In diesem Jahre verkauften zwei Herren von Weinsberg dem Kloster Lichtenstern ein jährliches Fuder Wein für 40 Pf. Heller.
1319	1 fl. 15 Schill.	
1320—25	21 Schill. 4 Heller. = 43 kr.	
1333	32 kr.	Ausschank die Maas 1 Heller.
1370	—	Die Maas 1 Schilling wegen Mißwachs.
1372	—	Wegen reichen Herbstes 6 Maas 1 Pfennig.
1394	10 Bazen.	Ein Fuder 4 fl., die Maas 1 Heller.
1421—29	—	Wegen reichen Herbstes die Maas 3 Pfennig.
1426	13 kr.	Man konnte im Wirthshause das erstemal die Zeche nicht bezahlen, sondern mußte, um nur für 1 Heller zu trinken, zweimal kommen.
1429	—	Wegen geringen Herbstes die Maas schon wieder 1 Schilling.
1430	—	1 Maas 7 Pfennige (theuer) oder Dreier, weil 3 Pfennige auf 1 kr. giengen.
1432	—	1 Maas 1 Heller, in Ulm $2\frac{1}{2}$ Ulmer Pfennige. Wenn Jemand eine Maas holte, gab man ihm, wegen Menge des Weins noch einen rothen Hosennestel dazu.
1434	4 fl. bis 4 fl. 5 Sch.	Große Theuerung.*)
1445	—	1 Maas 1 Heller, der beste 2 Pfennig.
1446	—	1 Maas 1 Pfennig.
1448	—	1 Maas 1 Dreier, in Ulm 2 Dreier.

*) In welchen Verhältnissen die Preise der württembergischen Weine zu denjenigen anderer Länder standen, läßt sich ungefähr aus den Preisen schließen, welche die Weinhändler in Ulm im Jahr 1434 als Ankaufspreise angaben:

Elsäßer 11 Ulmer Eimer 10 Maas zu 70 Pf. 15 Sch. = 51 fl. 48 kr.
Elsaßer 7 Ulmer Eimer 30 Maas zu 41 Pf. 6 Sch. 6 Heller = 29 fl. 39 kr.
Breisgauer 3 Ulmer Eimer 30 Maas zu 17 Pf. 1 Sch. 3 Heller = 12 fl. 12 kr.
Neckarwein 2 Ulmer Eimer 10 Maas zu 9 Pf. 10 Sch. = 6 fl. 51 kr.
wornach der Ankauf des Breisgauer Weins fast doppelt, der des Elsäßers fast 5 und 8mal so hoch als der des Neckarweins zu stehen kam. Ohne Zweifel sind darunter aber auch die Frachtkosten begriffen. (Württemb. Jahrbücher 1836, 1. H. S. 173.)

Im Jahr 1471 kostet der Eimer rother Rheinwein 4 Pf. 8 Sch., 4 Pf. 4 Sch., 13 Pf. 20 Sch. 1500 5 Pf. 5 Sch., Opferwein 7 Pf. 15 Sch., zu einer andern Zeit „rother Reinwein" 8 Pf. minder 5 Schilling.

Durchschnitt von den Preisen der einzelnen Jahrhunderte.

Zeitperiode	Stuttgart.		Eßlingen.		Heilbronn.		Brackenheim.		Bönnigheim.		Besigheim.		Mundelsheim.		Waiblingen.		Schorndorf.		Reutlingen.		Tübingen.		Kocherthal.		Mergentheim.	
von	fl.	kr.	fl.	kr.	fl.	kr.	fl.	kr.	fl.	kr.	fl.	kr.	fl.	kr.	fl.	kr.	fl.	kr.	fl.	kr.	fl.	kr.	fl.	kr.	fl.	kr.
1456—1500	2	49	2	41	—		1	59	—		—		—		2	32	3	3	—		2	35	—		—	
1501—1550	3	55	4	1	3	21	2	57	—		—		—		3	35	3	55	4	52	3	29	—		—	
1551—1600	7	30	7	45	6	43	6	31	—		10	16	—		6	19	7	53	5	25	6	35	—		—	
1601—1650	12	20	13	16	13	19	12	4	—		13	2	12	4	12	58	13	—	8	54	11	34	—		—	
1651—1700	11	5	9	36	9	4	10	19	—		11	30	11	8	9	10	9	21	8	16	9	4	—		7	14
1701—1750	12	3	fehlt		11	46	10	31	10	53	13	4	12	46	9	51	fehlt		9	14	8	51	—		7	57
1751—1800	29	19	fehlt		27	5	22	52	22	33	28	32	30	13	fehlt		31	8	18	35	22	38	37 Von den letzten 18 Jahren.	33	17	48
1801—1850	38	16	31	16	32	23	27	51	27	40	36	57	43	13	24	27	30	4	22	14	26	14	28	33	29	46

Bei der allgemeinen Vergleichung dieser Preise finden wir, daß dieselben gegen die Preise des gegenwärtigen Jahrhunderts gestiegen sind, seit

400 Jahren um das 12fache,
300 Jahren „ „ 8 bis 10fache,
200 Jahren „ „ 3fache.

Seit 100 Jahren sind sich dieselben mehr gleich geblieben, doch zeigt sich in der zweiten Hälfte des vorigen Jahrhunderts gegen die erste Hälfte gleichfalls ein ziemliches Steigen der Preise.

Gehen wir aber auf eine nähere Prüfung der einzelnen Preise ein, so finden wir weiter, daß namentlich während der Kriegsjahre von 1620—1650, von 1690—1706 und von 1790—1815 wegen der größeren Consumtion durch die Kriegsvölker und der dadurch entstandenen stärkeren Nachfrage, eine außerordentliche Steigerung der Preise statt fand, obgleich durch die Anpflanzung geringerer, mehr ausgiebiger Traubensorten zugleich eine Verschlechterung des Weins eintrat. (§§. 59 bis 61.) Kriegsjahre sind daher der Weinveredlung nie günstig, auch tritt nicht selten nach Beendigung derselben ein desto größerer Abschlag, besonders der geringeren Weine ein, so daß der Gewinn, den der Weingärtner durch die Anpflanzung ausgiebiger Traubensorten zu erzielen sucht, dadurch sich sehr vermindert und wenn man die Folgen in Erwägung zieht, nur zum Nachtheil desselben ausfällt.

Wie sehr übrigens die Preise der neuerlich zur Anpflanzung gekommenen edlern Weine von denjenigen der gewöhnlichen Weine abweichen, darüber geben die Verkaufspreise aus einzelnen Kellern Nachweise, indem z. B. aus dem Schloßkeller in Stuttgart Rießling und Clevner Weine die Flasche um 1 fl. 54 kr., also der Eimer zu 660 fl.; aus dem Keller des Dr. Zeller in Heilbronn im Jahr 1844 Rießling von 1842 zu 232 fl. und Clevner zu 180 fl. per Eimer; aus dem Keller des Dr. Sicherer daselbst im Jahr 1853 Rießling von 1846 zu 252 fl., Traminer von 1846 zu 211 fl. per Eimer; aus dem Keller des Grafen von Neipperg zu Schwaigern Clevner, Traminer und Rießling zu 200, 276, 278 und 330 fl. der Eimer verkauft wurden.

Mit dem Preise der Weine giengen diejenigen der Weinberge Hand in Hand.

Zu Eßlingen kostete der Morgen Weinberge im Jahre 1314 in den Burgweingarten 60 Pfd. Heller, 1321 in den Neckarhalden 50 Pfd. Heller; am Ochsenberg und im Heimbach 30 Pfd.; zu Hedelfingen 18 Pfd. Heller (Pfaff Eßlingen S. 174); zu Stuttgart sank 1428 bei dem Unwerthe des Weins der Preis der Weinberge so sehr, daß Einer von Adel, Hermann Münsinger, dem Grafen Ulrich von Württemberg 1½ Morgen wohlgebauten Weinberg in der Reinsburg um 5 fl. verkaufte (Steinhofer, I Th. S. 134) während gegenwärtig in der gleichen Lage der Morgen 2 bis 3000 Gulden kosten dürfte.

Im Jahr 1444 wurde in der Gegend von Kirchheim ein Morgen Weinberg für 80 Pfd. Heller verkauft, der ein Jahrhundert früher um die Hälfte wohlfeiler war. (Cleß, II. Th. II. Abthlg. S. 691.)

Die Preise der Weinberge haben daher seit jenen Zeiten gleichfalls um das Zehn- bis Fünfzehnfache zugenommen.

VII. Weinconsumtion, Weinschank.

1. Weinconsumtion.

§. 111.

Die alten Deutschen kannten den Wein nicht, Bier aus Korn bereitet, Meth und Schotten waren ihre gewöhnlichen Getränke.

Mit dem Wein wurden sie erst durch die Römer bekannt, galten jedoch schon zu Cäsars und Tacitus Zeiten als große Zecher.*)

Der Weingenuß im Allgemeinen mag erst mit der Einführung des Weinbaues im Großen begonnen (§. 3) und zunächst auf den adeligen Burgen und in den Klöstern seinen Anfang genommen haben, da diesen bald nach ihrer Stiftung, wie z. B. dem Kloster St. Gallen, damit es ihnen nicht an dem edlen Getränke des Weins fehle, Weinberge in schon früher bestandenen Weinbaugegenden geschenkt wurden. (§. 11.)

Nach der Einführung des Weinbaues wurde auch bald der Wein

---

*) Wie die Römer über das deutsche Getränke, das Bier, urtheilten, ist aus einem Gedichte des Kaisers Julian (351—361) ersichtlich, in welchem es nach deutscher Uebersetzung heißt:

Was bist du? Wein? Wo kommst du her?
Dich kenn ich nicht beim Wein ich schwör.
Der Wein schmeckt wie ein Göttertrank,
Du schmeckst nach eines Bocks Gestank. (Bockbier??)
Die Deutschen, so der Trauben entbehren,
Dich hat gesotten aus Gerstenähren.
Ein Gerstenbrüh du heißen magst,
Nicht Rebensaft, dann du auch plagst
Den Leib mit unlüstigem Krachen
Nicht wie Wein fröhlich Leut kannst machen.

(Sattler, Gesch. des Herzogthums Württemberg, I. Th. S. 181.)

ein sehr beliebtes Getränke der Deutschen, das bei allen Versammlungen sowie bei allen öffentlichen und Privatgesellschaften eine Hauptrolle spielte.

Nie wurde eine öffentliche Versammlung von den Reichs- bis zu den Gemeinde- und Zunftversammlungen herab gehalten oder Geschäfte wie Käufe, Tausche, Gutsübernahme, Aufnahme oder Entlassung von Lehrjungen u. s. w. abgemacht, oder ein Familienereigniß, wie Hochzeit, Taufe, Leichenbegängniß u. s. w. gefeiert, wo der Wein nicht in vollem Maaße gespendet wurde und bis auf den heutigen Tag, „eingedenk des sehr wahren und in Deutschland, besonders aber in Schwaben eingebürgerten Sprüchwortes: „Der Wein erfreuet des Menschen Herz", geht selten ein Ereigniß des Familien- oder Geschäftslebens vorüber, das nicht mit Wein gefeiert wird, wie denn auch viele in der deutschen Sprache aufgenommenen Worte und Ausdrücke z. B. Weinkauf, Ehrenwein, Leichentrunk, Trinkgeld u. s. w. darauf hindeuten, und wenn man bei irgend einer Versammlung eine Person besonders ehren will, so wird ein „lebe hoch" mit gefüllten Gläsern ausgebracht und auf deren Gesundheit geleert. Erschien in einem Hause ein Gast, so wurde ihm zunächst der Ehrenwein in einem Pokale, den man „Willkomm" (poculum gratulatorium) hieß, gebracht und den er, weil es als Ehrensache angesehen wurde, vollständig austrinken mußte. Solche Pokale von ansehnlicher Größe wurden namentlich auf den fürstlichen und adelichen Schlößern gehalten und es galt als Beweis von Kraft und Deutschheit, solche so zu sagen in einem Zuge austrinken zu können. Den Ruf eines großen Trinkers stellte man fast ebenso hoch als den Ruhm der Tapferkeit. Ja sogar bei Lehensverleihungen spielte der Becher eine Hauptrolle und die Leerung desselben war eine sinnbildliche Darstellung deutscher Kraft und Ritterlichkeit.

Bei Belehnung eines Hohenloh'schen Vasallen heißt es: „Nach abgelegtem Eide wird von des Herrn Senioris und Lehens Administratoris Hochgräflichen Gnaden und auch den anwesenden Ministris zur neuen Lehensempfängniß gratulirt und sofort ihnen zur hochgräflichen Tafel angesagt, da er dann nach dem alten deutschen Herkommen den großen Lehenbecher, ein Oehringer Maas haltend, Bescheid und damit vel quasi eine Probe thun muß, ob er auch ein gut Deutsch geborener von Adel, und hiernächst dem Vaterlande gute Dienste leisten könne." (Lünig corp. jur. feud. Germ. T. 3 pag. 70.)*)

*) In einem vor 300 Jahren erschienenen Schenkenbuch wird gesagt:
Trinke nie ein Glas zu wenig,
Denn kein Pfaffe oder König
Kann von diesem Staatsverbrechen
Deine Seele ledig sprechen.

§. 112.

Die ältesten Trinkgeschirre waren Muscheln oder Hörner von Thieren, häufig von erlegten Auerochsen, von denen der Kern herausgenommen wurde und die zugleich als Beweis ihrer Heldenthat auf der Jagd getragen wurden. Sie waren so eingerichtet, daß man auf denselben blasen konnte, was bei den Opfern durch die Priester geschah, so wie wenn man gegen den Feind ins Feld zog, und wurden schon zu Cäsars Zeiten zu den festlichen Gastmählern mitgenommen; ihre Mündungen waren mit Silber eingefaßt. In ein solches Horn giengen 2 Maas Wein, daher mag sich auch die in den ältesten Zeiten stattgefundene Belehnung mit dem Horn (investitutio per cornu) schreiben. Später treten an die Stelle der Hörner, Trinkgeschirre von edleren Stoffen, die Pokale oder Humpen von nicht geringerer Größe, die häufig von Silber oder Gold sehr kunstreich gearbeitet und einzelne sogar mit Edelsteinen besetzt waren.

Solche Pokale fand man auch auf Rathhäusern der Städte und sogar mancher Dörfer, denn auf das Wohl der Gemeinde wurde nicht selten bei einem Becher Wein berathen oder die Berathung damit beschlossen, zu welchem Behuf wohlhabende Städte und Dörfer bis in die Zeiten des dreißigjährigen Krieges und viele auch noch nachher, ihre eigenen wohlgefüllten Gemeindekeller hatten, aus welchen die „Herren auf dem Rathhause" manchen guten Gedanken geschöpft haben mögen.

Die Stuttgarter Stadtordnung vom Jahr 1492 machte jedem neu eintretenden Richter zur Pflicht, einen silbernen Becher mit seinem Wappen im Werth von 4 fl. auf die Rathsstube zu bringen. (Sattler, Geschichte der württemb. Grafen IV. Beilage 56.)

Vor dem dreißigjährigen Kriege muß überhaupt ein solcher Wohlstand in Deutschland geherrscht haben, daß, wie Aeneas Silvius, nachheriger Pabst Pius II. (gestorben 1464) sagt: „es gebe in Deutschland kein Wirthshaus, in dem man nicht aus silbernem Becher trinke." Aber auch bei weniger feierlichen Gelegenheiten ergriff man gerne jedwede Veranlassung den Becher zu leeren. Schon unsere heidnischen Vorfahren hatten den Brauch ihren Götzen zuzutrinken, und glaubten daher auch den Gast zu ehren, wenn man ihm einen Becher zutrank und dieser Brauch wurde denn auch von den bekehrten Heiden und neuen Christen beibehalten; bis auf den heutigen Tag gilt das Zutrinken (Zubringen) eines Glases Wein oder Bier für etwas Ehrendes, dessen Annahme, ohne zu beleidigen, nicht zurückgewiesen werden dürfe.

Man trank auf das Wohl von Lebenden und am Jahrestage Hingeschiedener auf das Wohlergehen des Verstorbenen. Man trank bei Verlöbnissen den Ehrenwein, bei Beerdigungen den Leichentrunk, beim Abschluß eines Contrakts den Weinkauf. Welch großer Verbrauch an Wein bei solchen Feierlichkeiten statt hatte, mögen nur einige Beispiele zeigen: Beim Beilager von Graf Eberhards Tochter Sophia mit dem Herzoge Johann von Lothringen 1361 floß zu Stuttgart ein künstlicher Springbrunnen mit Wein. (Steinhofer, I. Th. S. 85.)

Aehnlich als Graf Eberhard der Aeltere (im Bart) im Jahre 1474 sein Beilager mit der Mantua'schen Prinzessin Barbara zu Urach feierte, bei dem 14,000 Personen mit 3000 Pferden zusammen kamen.

Auch bei spätern Hochzeiten fürstlicher Personen gieng es hoch her und wurde der Wein nicht gespart, vielmehr Land- und Gewächsweine aufgetragen soviel man begehrte, so namentlich bei der Hochzeitfeier Herzogs Ludwig im Jahr 1575, wie aus der Beschreibung von Frischlin (§. 108) zu ersehen ist, und bei der Vermählung des Herzogs Johann Friedrich im Jahre 1609. So speiseten dabei ohne die Fürsten- und Herrentafel zu Hofe 9600 Personen an 1200 Tischen, und wurden 1413 Eimer gewöhnlicher und 57 Lägel süßer Wein verbraucht.

Uebrigens war nicht bloß am Württembergischen, sondern auch an anderen Höfen der Weinverbrauch bei fürstlichen Hochzeiten und anderen Gelegenheiten ein sehr bedeutender. Als Graf Günter von Schwarzburg mit Anna, Tochter des Grafen von Delmenhorst, im Jahr 1560 zu Arnstadt Beilager hielt, giengen auf: 20 Fässer Malvasier, 25 Fuder Rheinwein, 30 Fuder Frankenweine, 6 Fuder Neckarweine und 234 Fässer Bier. Die Wagenknechte und anderes Gesinde erhielten 1010 Eimer Landwein und 120 Lagerfaß Bier. In der Küche wurden verbraucht 10 Fässer Bieressig und 16 Fässer Weinessig.

Kaiser Karl V. brachte zu einer Fürstenversammlung in Regensburg 3000 Eimer Wein und ein Erzherzog von Oestreich ließ 2000 Eimer (doch wohl nur östreichische Eimer) für seine Tafel nachführen.

§. 113.

Mit dem Weinverbrauche an den fürstlichen Höfen hielt derjenige in den Klöstern gleichen Schritt und war gleichfalls sehr bedeutend.

An manchen Klostertischen wurden an hohen Festen mehrere halbvolle Becher mit verschiedenen Weinen zum Riechen und Versuchen herumgegeben, um den stärksten herauszufinden. Es gab Aebte, welche so viele Weine im Keller hatten, daß es unmöglich war, nur die Hälfte davon bei einem Male zu versuchen. Im 14ten Jahrhundert als die Aebtissin des Klosters Schänis sich selbst von den Einkünften zu viel zueignete, brachten es die übrigen Klosterfrauen durch einen Spruch der Schiedsrichter dahin, daß einer jeden jährlich 2 Eimer Wein als Pfründwein und ein Mütt Kernen für den Schenkwein ausgesetzt wurde.

Nach dem Hausbuche des Klosters Blaubeuren wurde, obgleich dasselbe nicht im Weinlande lag, fast bei jeder kleinen Verrichtung, welche Handwerksleute oder sonstige Personen im Kloster hatten, Wein gegeben.

Zur Bedienung derselben sowie sonstiger Gäste war ein eigener Gastknecht angestellt. Wie üppig man in den Klöstern lebte, ist noch da und dort aus einzelnen Gemälden ersichtlich. In dem Vorhofe der Klosterkirche zu Maulbronn war eine Gans abgemalt, an welcher eine Flasche, Bratwürste, Bratspieß u. s. w. hiengen, neben einer zur nassen Andacht gar wohl componirten Fuga mit unterlegtem Text, jedoch nur mit den Anfangsbuchstaben

A. V. K. L. W. H.
(Alle voll, Keiner leer, Wein her)

Auch auf den Universitäten war das Weintrinken Regel und es gieng bei manchen Gelegenheiten viel Wein auf. Bei einer Wittwe Nägelin zu Tübingen die einen Kosttisch hielt, tranken bei einem Gelage 16 Theilnehmer 50 Maas Wein. Ein andermal tranken vier Studenten im Contubernium 30 Maas Wein, und bei einem Schmaus, den Magister Faber sechs Sachsen gab, giengen 30 Maas Wein auf.

In den württembergischen Kanzleien gab es Morgen-, Schlaf- und Untertränke, damit die Räthe und Schreibersknechte, wie man damalen die subalternen Kanzleibeamten nannte, nachher wieder fleißig arbeiteten. Diese Gaben müssen sich auf ein sehr altes Herkommen gegründet haben, denn schon die zweite Regimentsordnung von 1498 schreibt vor: „Man soll den Schlaftrunk geben denjenigen so davor schrieben und von Alters her geben ist. Desgleichen soll mit der Morgensuppen und Untertrinken auch also gehalten werden.

Als die Räthe in ihrem Bedenken gegen Herzog Christoph berührten, daß die Hofbecher in den Kellereien etwas abgenommen werden dürften, so schrieb der Herzog zurück, daß er sich solches gefallen lasse, aber dafür halte, daß mit den Suppen-, Schlaf- und Untertränken in der Kanzlei eine bessere Ordnung fürgenommen und damit etwas Namhaftes erspart werden möchte. In der erneuerten Hofordnung von 1556 verordnete er daher, daß fürderhin in der Kanzlei zum Untertrunk mehr Wein nit gegeben werde, dann in der Oberrathsstube 1 Glas (= $^1/_2$ Maas), in der Rentkammer 2 Gläser, in der Visitation (Verwaltung des Kirchenguts) 1 Glas, in der Landschreiberei 1 Glas und in der Oberschreibstube 1 Glas.

Auch die württembergischen Prälaten ließen sich ihren Morgen-, Tisch- und Schlaftrunk baß schmecken; letzterer in einigen Imi Eilfinger Wein bestehend, machte sogar einen Theil der ordentlichen Besoldung höherer kirchenräthlicher Beamten aus, und auch die württembergische Landschaft hatte einen Keller, ebenso gut versehen als ihre Küche.

§. 114.

Der Wein war demnach fast das ausschließliche Getränke, indem die Bereitung des Obstmostes entweder ganz verboten oder sehr beschränkt und das Bier noch von so geringer Qualität war, daß es auch mit geringen Weinen nicht konkurriren konnte. Ueberdies wurde das Bierbrauen insbesondere in den Weinbaugegenden möglichst beschränkt oder gar nicht erlaubt. Durch das Generalrescript vom 30. Septbr. 1710 wurden in dem Lande alle Braustätten aufgehoben, so mit keinem Privilegio reali versehen waren, und nach dem Theuerungsjahre 1770 wurde durch das Generalrescript vom 5. Dezbr. 1770 verordnet: „daß in denen Landesgegenden, welche mit Weinwachs versehen sind, das Bierbrauen zu Ersparung der zum Brodbacken tauglichen Früchte eingeschränkt bleiben solle.

Auch in den Reichsstädten suchte man das Bierbrauen und das Biertrinken zu beschränken. In Reutlingen kommt es schon 1577 vor und war während des dreißigjährigen Kriegs erlaubt, jedoch mit der Beschränkung auf eine gewisse Quantität, auch wurde das Bier zu 2 und 3 Kreuzer per Maas taxirt, während die Maas Wein nicht mehr als 2 bis 4 Kreuzer kostete. Den 24. April 1697 wird von dem Rath beschlossen, daß „diese Sudelei“ in allweg abgethan seie und bei 10 fl. Strafe Bier weder gebraut noch eingeführt werden dürfe. Später jedoch wurde dieses Verbot wieder zurückgenommen. (Gailer, Reutlingen S. 110.)

Bei der hohen Werthschätzung des Weins war es daher auch ein allgemeines Herkommen, daß man Fürstliche und andere angesehene Personen häufig Geschenke mit Wein machte. Als Kaiser Karl IV. mit seiner Gemahlin im Jahr 1365 durch Heilbronn reiste, gab die Stadt vielen Schenkwein, unter Andern: 1 Eimer des Kaisers Schwester Sohn, 1 Eimer des Kaisers Schreibern, 6 Maas dem Kanzler, 2 Eimer dem Erzbischoff von Prag, 10 Maas des Kaisers Burg Grafen.

Die Stadt Ravensburg verehrte dem Kaiser Maximilian I. bei seiner Anwesenheit daselbst 1515, neben Geld und einem vergoldeten Becher, ein Fuder Wein und dem Gefolge gleichfalls Geld und Wein. 1563 bei dem Aufenthalte des Kaisers Ferdinand I. neben einem vergoldeten Becher, 200 fl. in Gold, zwei Fuder Wein, darunter 2 Faß rother alter, 2 Faß weißer alter und 2 Faß neuer weißer.

Auch der Reutlinger Wein wurde, unerachtet des ihm später von Prinz Eugen ertheilten verdächtigen Lobes, zu Geschenken verwendet. Als Herzog Wilhelm Ludwig 1676 sich auf einer Jagd in Pfullingen befand, schickte ihm die Stadt Reutlingen als ihrem

Schirmherrn, neben Anderem 1 Eimer rothen und 1 Eimer weißen siebenziger Wein. (Gailer, Reutlingen S. 284.)

§. 115.

Auch das gemeine Volk und sogar die Weiber sollten sich des Weins erfreuen, zu welchem Behuf in einzelnen Orten alte Herkommen oder besondere Stiftungen bestanden, nach welchen an bestimmten Tagen unentgeltliche Weinabgaben stattfanden.

Nach dem Statutenbuche des Orts Weilheim, Oberamts Kirchheim, vom Jahre 1572 war es ein altes Herkommen, daß zur Herbstzeit die Zehntherrn ein Fäßchen Wein in der Kelter aufsetzten, „daraus sollen und mögen die alten Rebleute des Tags im Aus- und Eingehen einen ziemlich bescheidenen Trunk thun". Diese Weinabgabe bestand bis zum Jahre 1834. (Oberamtsbeschreibungen von Kirchheim S. 287.)

In Gemrigheim war die Klosterskellerei in Folge der Stiftung einer alten Edelfrau schuldig, während des Herbstes zum beliebigen Trunk der Insassen ein Fäßlein Wein aufzustellen und immer wieder zu füllen so oft es leer zu werden anfange. Wegen Mißbrauchs verordnete Herzog Christoph 1552, daß die Abgabe von 3 Eimer 4 Imi 6 Maas nicht überschritten werden dürfe und setzte den Urbanstag als den Tag der Austheilung des Weins fest, woher man diesem Stiftungswein den Namen Urbeleswein gab. Später wurde der Pfingstmontag hiefür bestimmt, an dem jeder Bürger 2 Maas Wein und ein Laiblein Brod empfieng. 1843 wurde die Abgabe abgelöst. (Klunzinger, Laufen S. 113.)

In dem Zabergau wurden an manchen Orten sogenannte Weiberzechen schon von den ältesten bis auf die neuesten Zeiten gehalten. In Ochsenbach feierte man ein solches Fest jedes Jahr, das man „Bonede" nannte. Dasselbe, ohne Zweifel von Bona Dea, einer Göttin der römischen Frauen, bei deren Feste keine Männer erscheinen durften, hatte sicherlich seinen Ursprung aus dem Heidenthume, und Bonifacius, der das Zabergau bekehrte, mußte wahrscheinlich in einer so weinreichen Gegend der Neigung der Einwohner nachgeben und hie und da von alten eingewurzelten Gebräuchen Etwas stehen lassen. Früher nahm das Fest schon früh Morgens seinen Anfang und war mit einem Frauengericht verbunden. Es wurde ein Durchgang gehalten und vor demselben alles Unanständige angebracht. Wenn ein Weib wegen Unreinlichkeit in der Küche oder bei Erziehung ihrer Kinder angeklagt war, so wurden die Schuldigen dadurch gestraft, daß sie z. B. im Oehrn ihre Kinder säubern, an dem Brunnen vor dem Rathhause Kübel u. s. w. fegen mußten, während die andern schmausten. Nachdem später die Abstellung dieses Frauengerichts erfolgte, gieng das Fest mehr in ein

Fest der Unsittlichkeit über. An dem bestimmten Tage (der Bauernfastnacht) versammelten sich die Frauen von Ochsenbach Mittags 12 Uhr auf dem Rathhause, wo schon ein Faß Wein bereit lag, und Schultheiß und Bürgermeister den Kellner machten und den Wein austheilten. Die Frauen setzten sich mit Krügen um die Tische, obenan die Weiber der Gemeinderäthe, die die Freiheit und den Vorzug hatten zu trinken so viel sie wollten, jede der übrigen Weiber dagegen erhielt nur ½ Maas Wein und zwei Wecken. Wenn diese jedoch mehr trinken wollten, so schenkten sie sich aus den Gefässen der Rathsweiber ein, die immer wieder aufgefüllt wurden, so lange Wein im Fasse war. Gesetz war, daß das, was dabei vorgieng, das Jahr über nicht ausgeplaudert werden und aus leicht erklärlichen Gründen keine Frau vor der andern und vor Nacht vom Rathhause gehen durfte.

Die dabei erschienenen Musikanten erhielten Wein, Butterkuchen und **Bocksbraten**, und wie bei dem Feste der Bonae Deae zu Rom ein Bock geopfert wurde, so mußte auch bei der Weiberzeche zu Ochsenbach ein Bock sterben.

Die Kosten des Festes wurden aus einer reichen Stiftung bestritten, die nicht nur in Ochsenbach, sondern auch in andern Orten z. B. in Kleingartach, Güglingen, zu diesem Zwecke vorhanden war.

In Ochsenbach findet jetzt die Zeche am Pfingstmontag statt, wo die ehrsamen Dorffrauen nach Herzenslust ihr Krüglein leeren und es auch ihren Männern zu bieten nicht versäumen. (Klunzinger, III. Theil S. 176.)

In Kirchhausen, Oberamts Heilbronn, hatten die dortigen Einwohner von ihrer Grundherrschaft nach dem deutschorden'schen Lagerbuche von 1581 folgende stiftungsmäßige Abgabe zu empfangen:

für jeden neugebornen Knaben	6	Maas	Wein, welcher erst neuerlich abgelöst wurde.
„ jedes neugeborene Mädchen	4	„	
„ „ neugetraute Ehepaar	6	„	
„ Neujahrswein . . .	2—6	„	
„ Fastenzeche	4	„	

Weiberzechen kamen übrigens auch zum Theil in Orten vor, wo nie Weinwachs existirte, wie z. B. zu Mühlheim, Oberamts Sulz, bis zum Jahr 1812, in Weilheim, Oberamts Tübingen, bis zum Jahr 1789, so daß dadurch nur noch mehr die Vermuthung bestätiget wird, daß solche Feste römischen Ursprungs seien.

Auch für Männer bestanden ähnliche Stiftungen, wie z. B. vom Bürgermeister Lindenspühr in Stuttgart, der neben Geld ein vergoldetes Trinkgeschirr in Form eines Löwen stiftete mit der Bestimmung, „daß solches mit den jährlichen Versammlungen anwesend aller dieser Donation inserirter Personen, zu gutem Angedenk mein des Stifters vorzustellen und in friedliebender guter Confidenz einander herum zu bieten."

16*

Eine gleiche Stiftung machte 1687 ein Hofrichter Freiherr v. Closen mit einem Kapital von 300 fl. und einem silbernen Becher mit der Bestimmung, daß die Zinse aus diesem Kapital zu einer kleinen Collation am letzten Tage des Hofgerichts verwendet, der Becher dabei aufgestellt und der Stiftungsbrief verlesen werden solle. Ebenso stiftete Freiherr v. Schütz und 1746 Hofgerichts-assessor von Galen silberne Becher zum Gebrauche bei feierlichen Hofgerichtsmahlzeiten. (Akten der Stuttgarter Rathhausregistratur.)

Der häufige und feierliche Gebrauch der Becher gab überhaupt bei verschiedenen Gelegenheiten Veranlassung zur Verehrung von silbernen und vergoldeten Bechern und bis auf den heutigen Tag bestehen die Ehrengeschenke, welche berühmten Männern oder sonst hochgeschätzten Personen gemacht werden, häufig in silbernen und vergoldeten Pokalen.

§. 116.

Bei der großen Weinconsumtion und bei den bedeutenden Weinvorräthen, welche sich überall vorfanden, entsteht daher die Frage, ob denn der Ertag der Weinberge abgenommen habe (§. 99) und ob unser Weinerzeugniß überhaupt ein geringeres geworden seie?

Bei näherer Erörterung derselben haben wir jedoch in Betracht zu ziehen,

a) Daß die Bevölkerung in älteren Zeiten um $^1/_4$ bis $^1/_3$ geringer war als gegenwärtig, wodurch sich der durchschnittliche Weinverbrauch per Kopf höher belief.

b) Früher war, wie bereits bemerkt, der Wein fast einziges Getränke, ja sogar Arzneimittel, während neuerer Zeit neben dem Wein eine Menge Obstmost, Bier, Branntwein und Kaffee consumirt wird, welcher Verbrauch den Weinverbrauch bedeutend übersteigen dürfte.

c) Die angebaute Weinbergfläche war früher nicht geringer als gegenwärtig, sondern viel größer (§. 24, 29—52), obgleich die Bevölkerung geringer war. Zwar ließ man die Weinberge, um feinere Weine zu erzeugen, viel älter als in neuerer Zeit werden, dagegen war nicht wie gegenwärtig durchschnittlich der vierte Theil derselben ausgereutet und als Kleefeld unbestockt, man verlegte sich weit mehr auf successive Erneuerung der Weinberge durch Einlegen und Vergruben einzelner Reben (§. 53), auch waren die Weinberge enger als neuerlich bestockt (§. 54), was alles dazu beitrug, daß auf der Gesammtweinbaufläche nach Verhältniß mehr Wein erzeugt wurde als gegenwärtig.

d) Der weniger getheilte Weinbergbesitz brachte größere Vorräthe in eine Hand, man konnte und wollte die neuen Vorräthe nicht sogleich absetzen, die Consumtion alter Weine war daher weit größer als neuerlich, wo in vielen öffentlichen Weinschenken wenig alter Wein mehr getrunken wird, und weil der alte Wein auch dem starken Trinker weniger schadete, so konnte ein solcher auch mehr Wein consumiren, ohne daß dadurch Nachtheile für seine Gesundheit entstanden.

f) Auch die Ein- und Ausfuhr an Wein stellte sich günstiger für Württemberg als neuerer Zeit. Die Ausfuhr war früher weit beträchtlicher, indem Württemberg einen großen Theil von Oberschwaben und Altbayern mit Wein versorgte (§. 121—123) während gegenwärtig der Absatz des Weins fast ganz auf die innere Consumtion beschränkt ist (§. 126). Die Einfuhr dagegen war geringer, indem man sich auch bei festlichen Gelegenheiten doch weit mehr als neuerlich an das eigene Gewächs hielt, und selbst an fürstlichen Höfen begnügte man sich in der Regel mit dem selbstgewonnenen Landweine.

Fassen wir nun das Ganze zusammen, so läßt sich die aufgeworfene Frage dahin beantworten, daß gegenwärtig bei der baldigen Verjüngung älterer Weinberge und bei der ausgiebigen Bestockung zwar per Morgen mehr Wein erzeugt werden mag als früher, daß dagegen in ältern Zeiten das Gesammterzeugniß nach Verhältniß größer, feiner und edler und daher auch die Weinconsumtion stärker war, d. h. der Weinbau und die Weinconsumtion wurden nach rationelleren Grundsätzen als neuerlich betrieben.

§. 117.

Mit der Zunahme der Gesittung und der Einführung anderer Genüsse namentlich des Kaffee- und Biertrinkens, verlor sich nach und nach auch das häufige, übermäßige, zum Theil erzwungene Trinken und fast nur noch auf den Universitäten ist das Vor- und Nachtrinken, jedoch statt Wein, gewöhnlich nur noch in Bier eingeführt. Auch das Zutrinken hat sich unter den höhern Ständen ganz verloren und kommt nur noch bei feierlichen Gelegenheiten der Landbewohner vor (das Bringen und Bescheidthun); statt daß aber früher der Becher geleert wurde, wird gegenwärtig nur noch genippt, so daß in dieser Beziehung nicht mehr nöthig ist, Verbote zu erlassen, vielmehr scheint, daß, was früher zu viel geschehen ist, jetzt zu wenig geschieht, indem durch den Kaffee und das Bier die Weinconsumtion sich bedeutend vermindert hat, und der Weingärtner bei dem Mangel an Käufern nicht selten mit dem Absatz seines Weines in Verlegenheit kommt.

Ueberhaupt scheint, besonders durch den häufigen Genuß des Kaffees und das viele Tabakrauchen unser Nervensystem nach und nach so geschwächt zu werden, daß Manche den regelmäßigen Genuß des Weins gar nicht mehr ertragen können, und durch das viele nicht aufheiternde, sondern mehr betäubende Biertrinken will sich auch unser geselliger, fröhlich und heiterer schwäbischer Charakter verändern, indem es wirklich eine auffallende Erscheinung ist, daß in Städten und Dörfern über den Zerfall der früheren Geselligkeit, wodurch unser Schwaben unter allen deutschen Stämmen sich besonders auszeichnete, immer mehr geklagt wird, und der Niedere wie der Hohe mit der Pfeife oder Cigarre im Mund sich in stolzer Selbstzufriedenheit hinter sein Bierglas zurückzieht.

Wie sehr der Weinverbrauch abgenommen hat, ist aus den in den württembergischen Jahrbüchern von 1843 II. Heft S. 92 und 1850 IV. Heft S. 210 enthaltenen Zusammenstellungen über den Getränkeverbrauch in Württemberg ersichtlich, wornach 1727 jedoch ohne Abzug des ausgeführten Weins — 4 Imi 1,1 Maas auf den Kopf kamen, während der Durchschnittsverbrauch von 1827 bis 42 nach Abzug der Ausfuhr und Hinzurechnung der Einfuhr blos 1 Imi, 0,32 Maas und von 1844—50 nur 1 Imi 5,5 Maas beträgt. Dagegen hatte das Biererzeugniß von 1828—42 um 342,454 Eimer zugenommen, so daß durchschnittlich 4 Imi 7,27 Maas und von 1844—50 5 Imi, 0,5 Maas auf den Kopf kommen.

Neben dem bereits Angeführten hat zur Verminderung der Weinconsumtion neuerlich auch noch der weitere Umstand beigetragen, daß die königlichen und gutsherrlichen Kellereien fast überall aufgehoben und die an die geistlichen und weltlichen Diener abgegebenen Weinbesoldungen in Geld verwandelt wurden, indem die Besoldungsweine in der Regel von den betreffenden Beamtenfamilien consumirt wurden, während jetzt bei den zum Theil geringen Besoldungen das Weinäquivalent nicht mehr zu Anschaffung von Wein, sondern zu andern drängenden Ausgaben verwendet wird, viele Privatkeller deshalb kein Weinlager mehr enthalten und die Eigenthümer sich vom Genusse des Weins immer mehr entwöhnen.

2. Weinschank.

§. 118.

Mit der Weinconsumtion ist der Weinschank enge verbunden. Wie fast alle Rechte, so war ursprünglich auch der Weinschank ein Recht der großen Landeigenthümer, daher schon Karl der Große in seiner Wirthschaftsverordnung befahl, daß diejenigen Beamte, welche Weinberge haben, nicht weiter als 3 oder 4 Kränze von Weinreben haben sollen, d. h. öffentliche Schenken, an welchen Kränze zum Zeichen des Ausschanks ausgehängt wurden.

Der gemeine Weinbauer konnte zwar seinen selbsterzeugten Wein im Großen frei verkaufen, allein im Kleinen ihn auszuschenken war ihm nicht erlaubt. Zwar fieng man frühzeitig an ihm das Schenkrecht unter gewissen Einschränkungen zu gestatten, doch behielt sich der Grundherr wenigstens eine bestimmte Zeit vor, oder bei besonderen Gelegenheiten, Jahrmärkten, Messen, Kirchweihen u. s. w. den Ausschank allein auszuüben, wodurch das Weinbannrecht, d. h. das Recht entstand, Andern den Weinverkauf im Kleinen entweder ganz oder zu gewießen Zeiten zu untersagen. In einer Ordnung von 1144 heißt es: zu Martini fängt der Weinbann an und dauert bis neuer Most getrunken wird. Nach dem Kellerei-Lagerbuch von Weinsberg von 1528 stand zu Grantschen, sowie in einem großen Theil des vormaligen Amtes Weinsberg, der Herrschaft Württemberg das Recht zu, „auf den Kirchweyhin" Wein zu schenken von Sonntag Abend so man die Vesper läutet bis Montag Abend nach der Vesper, und darf dazwischen allda sonst Niemands kein Wein schenken um das Geld."

Dieses Weinbannrecht kam jedoch durch Kauf, Tausch, Schenkung, kaiserliche Privilegien oder auf andere Weise nach und nach in andere Hände, namentlich suchten die Städte dasselbe zu erwerben und eine bürgerliche Nahrungsquelle daraus zu machen, oder wurde dasselbe, weil es die Grundherren oder einzelne Orte nicht immer selbst ausüben konnten, an Einzelne verpachtet oder als Lehen oder Eigenthum gegen eine bestimmte Abgabe, Bannweingeld, Ohmgeld, abgetreten.

Schon im Jahr 1182 ward Speier von Friedrich I. vom Bannwein befreit. Straßburg erkaufte von seinem Bischof Heinrich 1252 den freien Weinschank und den Bann um 400 Mark Silber. Vor dem Verkaufe hatten alle Weinschenken daselbst von Ostersonnabend an sechs Wochen lang von jedem Fuder Wein, das sie verkauften, dem Bischof eine Ohm zu geben, auch hatte derselbe früher schon den Weinbann Einem zu Lehen gegeben, der Einzelnen den Weinschank erlauben konnte.

Die Deutsch-Ordenscommende in Heilbronn hatte vertragsmäßig den Weinschank zwischen Ostern und Pfingsten. (Jäger, Geschichte der Stadt Heilbronn 1828, II. Bd. S. 160.)

Das Recht zum Weinschank wurde häufig auch „Weinmarkt" genannt; so erhielte die Stadt Mainz 1294 einen Weiler, Filzbach, mit dem Weinmarkt daselbst und 1346 verpachtet Erzbischof Heinrich zu Mainz seinen Weinmarkt in Algersheim an den dortigen Schultheißen für 30 Mark Pfennige jährliche Abgabe. In größern Städten existirten anfänglich besondere Plätze, wo die Weinverkäufer ihre Stände aufschlugen und ihren Wein verzapften, nachdem aber der Schank an Einzelne als Lehen oder Eigenthum verliehen war, wurde er in die Wohngebäude derselben verlegt. Dies führte zu der Errichtung von Tabernen- oder Schenkwirthschafts-Gerechtigkeiten mit dinglichem Recht, d. h. zu dem Rechte, in einem bestimmten Gebäude das Wirthschaftsrecht beständig ausüben zu dürfen.

Unter den Einkünften Kaisers Rudolph kommt in einem Orte vor: „Die Herrschaft hat auch da das Recht, wer Win schenken will, sol die Tabern empfahen von der Herrschaft und sol geben zu Zins 1 Swin, das 5 Schilling wert seyn soll."

In der Reichsstadt Ravensburg verordnete der Rath 1378: „es soll Niemand in der Stadt Trinkstuben halten, als eine, die unter einem Burgermeister sind, und darnach in jeder Zunft auch eine und nit mehr.

Doch scheint das kaiserliche Recht zur Verleihung von Trinkstuben nicht ganz erloschen gewesen zu sein, denn 1555 ertheilt Kaiser Karl V. das Privilegium: „daß die Stadt Ravensburg diejenigen 4 Zech- oder Trinkhäuser, so hievor auf kaiserliche Verordnung bei Aufhebung der Zünfte gesperrt worden, wieder aufthun mögen, dieweil befunden worden, nachdem der Wein, so daselbst erbauet und wachse, nit wie an andern Orten beschieht, sammenthaft verkauft und weggeführt, sondern allein durch die Bürgerschaft mit dem Most ausgeschenkt würde." (Eben, I. Th. S. 170 und 462.)

§. 119.

Mit dem Uebergang des Wirthschaftsrechts in Privathände änderten sich auch die früheren Verhältnisse. Wie im Mittelalter alles, was ein Gewerbe betrieb, sich zu besondern Gesellschaften (Zünfte) vereinigte, so geschahe dieses auch bei den Weinschenken und die Landes- und Ortsobrigkeiten sahen sich veranlaßt, dieselben, ebenso wie die mit ihnen verbundenen Gewerbe, unter polizeiliche Aufsicht zu nehmen, und die Rechte und Pflichten derselben durch besondere Ordnungen zu regeln. In Mainz trifft man schon ums Jahr 1300 drei Gilden Weinschröder an, welche dem Erzpriester jährlich 3 Karren Wein abgeben mußten. In Eßlingen bildeten die Kärcher, Grenzler und Wirthe zusammen eine Zunft. (Pfaff Eßlingen S. 682.)

Die Ordnungen, welche erlassen wurden, beziehen sich theils auf die Ausübung des Wirthschaftsrechts, theils auf den Ausschank oder das Ausschankverbot gewießer Getränke, theils auf die Wirthstaxen, theils und hauptsächlich auf die Sicherung der von den Weinschenken zu entrichtenden Abgaben.

Das Stadtrecht der Stadt Stuttgart von 1492 gebietet den Wirthen, ihren Wein, selbst wenn er in Folge einer schlechten Weinlese im Preise steige, nicht theurer auszuschenken als sie ihn aufgethan und ausgerufen hätten, es soll aber auch Niemand mehr Wein auf einmal erkaufen, als er zu seinem Hausbrauch auf einen Tag nöthig habe. (Heyd Grafen, V. Bd., Beil. Nr. 15 S. 53.)

Im Jahr 1552 wurden zwei Rathsherrn und zwei von der Gemeinde zu Aufseher der Wirthe bestellt, neben diesen kommen aber 1609 noch drei Weinkusterer und 1610 zwei Voressenschauer vor. (Pfaff, Stuttgart. I. Th. S. 291.)

Früher scheint es keine beständige Weinschenken gegeben, sondern bloß die Inhaber der Tabernen besaßen dieses Recht, dagegen gab es in Stuttgart und ohne Zweifel auch in andern Orten privilegirte Weinschenken, welche denjenigen Wein, den einzelne Bürger verwerthen wollten, gegen eine bestimmte Gebühr für letztere auszuschenken die Berechtigung hatten.

Auf unvermischten Ausschank wurde genau gesehen, und besonders strenge war das Vermischen des Weins mit Obstmost untersagt. Auch der Ausschank neuen Weins war nicht sogleich erlaubt, weil man, so lange wenigstens die grobe Hefe sich nicht gesetzt hatte, das Trinken desselben für schädlich hielt. Durch das Generalrescript vom 18. Okt. 1706 wurde deshalb verordnet, daß kein unvergohrner neuer Wein ausgeschenkt werden solle, namentlich nach der bisherigen Observanz nicht vor Alt-Martini (den 23. Nov.), in welcher Zeit die Weine völlig vergohren und die Hefe sich ziemlich gesetzt habe.

§. 120.

Da die Besoldungen der geistlichen und weltlichen Diener früher fast ganz in Naturalien bestanden und ihnen dann überlassen blieb, solche zu verwerthen, so war auch ihnen der Ausschank ihres Besoldungsweines gestattet.

Schon die erste Umgeldsordnung vom 15. Mai 1565 schreibt vor, daß von allen und jeden geistlichen und weltlichen Dienern und Unterthanen, Niemand ausgenommen, welche bei getriebener Wirthschaft oder beim Zechen Wein ausgeschenkt hatten, ihre Umgeldsgebühren an baarem Gelde alsbald eingezogen werden solle.

Später muß dieses verboten worden sein, aber noch den 31. Mai 1741 erlaubte man den Hof- und Kanzleibedienten wieder, ihren eigenen und Besoldungswein auszuschenken, nur das Ausschenken von erkauften Weinen wurde von Neuem untersagt. Als sich im Jahre 1667 die Bürgerschaft zu Tübingen über das allzuviele Weinschenken der Professoren (bei ihren Kosttischen) beklagte, indem sie dadurch an ihrer Nahrung behindert werde, antwortete der Senat, daß man sich in den Grenzen des Privilegiums halte, das jedem Professor erlaube, jährlich 2 Fuder (12 Eimer) auszuschenken.

Im Heilbronner Gebiet hielten auch die Pfarrer einen Weinschank. So wurde dem Pfarrer zu Neckargartach von dem Rathe zu Heilbronn erlaubt, Wein zu schenken wie von Alters her, ohne dem Wirth Umgeld zu bezahlen.

In dem Haller Gebiete that der Rath im Jahr 1580 den Spruch: Kein Priester solle Wein vom Zapfen schenken oder fürkaufen (zum Verkauf einlegen), milderte jedoch zwei Jahre nachher dieses Verbot dahin, daß sie ihren Pfründ- und anerbten Wein gegen Erlegung des Umgelds ausschenken dürfen. Dagegen wurde auf die Anzeige, daß der Pfarrer in Oerlach noch immer Wein schenke, mit nicht geringer Verschimpfung des Ministerii und Aergerniß der Gemeinde den 29. März 1658 beschlossen, demselben die Wirthschaft niederzulegen.

Dieser Weinschank der Geistlichen war jedoch später überall untersagt.

Der Mangel an öffentlichen Bekanntmachungsmitteln und da man doch wissen und bekannt machen wollte, wer Wein schenke, führte sodann zur Bestellung öffentlicher Ausrufer. Wollte ein Bürger seinen Wein ausschenken, so ließ er öffentlich ausrufen: „Holendt All Wein bei N. N., der hat uffgethan ein guten newen Wein, ein voll Faß, die Maas um . . . Pfening.“ — Der concessionirte Schenkwirth dagegen ließ ausrufen: „Kerendt All ein In N. Würzhaus Der hat uff gethon ein guten newen (alten) Wein, ein voll Faß die Maas umb . . . Pfening.

Nach der neuesten Gesetzgebung darf jeder Weinproducent, der nur seinen aus eigenen oder gepachteten Weinbergen erzeugten, und keinen erkauften Wein einlegte, denselben im ersten Jahre ein Vierteljahr lang ununterbrochen ausschenken, was mit oberamtlicher Erlaubniß auf weitere 3 Monate erstreckt werden kann.

Wie sich im Mittelalter alles nach Ständen sonderte, so hatte, beim Mangel geeigneter öffentlicher Locale, besonders in den Städten fast jeder Stand auch seine besondere Trinkstube, namentlich die Zünfte, die Rathsherren, die Stadtjunker u. s. w., wo sie sich versammelten und auch manche Berathungen gepflogen wurden.

In Rottenburg am Neckar bestand zu den Zeiten Kaiser Friedrichs, Maximilians, Ferdinands und der Erzherzogin Mechtilde, welche 1479 daselbst residirte, eine eigene Herren-Trink- und Zechstube, die ihre Herren und Gesellen aus dem Adel, Geistlichen und Bürgerstande zählte. Diese Gesellschaft hatte ihr eigenes Gebäude, ihr eigenes Geräthe und ihre Knechte. Es mußte täglich je ein anderer aus der Gesellschaft der Wirth sein, und durfte sich dessen Keiner weigern. Vier Stubenmeister und dann ein größerer Ausschuß von 12 Mitgliedern hatten das Recht, die Ordnung zu handhaben, Späne zu schlichten, zu strafen und aus der Gesellschaft auszuschließen.

Die ersten vom Adel waren Mitglieder, ihre Namen waren auf eine besondere Tafel verzeichnet, sowie ihre Wappen in den Fenstern der Stube prangten. Kaiser Maximilian bastätigte nicht nur die Ordnung, sondern war selbst auch Mitglied. (Oberamtsbeschreibung von Rottenburg S. 149.) *)

*) In der Bibliothek zu Stuttgart befindet sich ein Theil der Wirthstafeln in Holz und mit Wachsguß, woran die Namen mehrerer noch lebender Geschlechter als Gäste mit ihren Zechen verzeichnet sind.

In Ulm hatten schon 1526 die Kauf- und Handelsleute eine besondere Trinkstube, die man die Unterestube nannte im Gegensatz zur Obernstube, dem Gesellschaftshause der Ulm'schen Patrizier, die noch im Jahre 1815 existirte. (Beschreibung der Stadt Ulm von Dietrich S. 29.)

Und wem ist nicht der berühmte Bremer Rathskeller bekannt, der noch bis auf den heutigen Tag als Trinkstube benützt wird. In der Stadt Hall wurde 1519 beschlossen, weil, wenn außer der Rathszeit die Fünfer zusammen kommen, sie im Kalten zu ihres Leibes Schaden sitzen müssen, eine Trinkstube zu errichten, um bei einer Maas Wein der gemeinen Stadt Nutzen reiflich zu überlegen, dahin ihre Söhne, um von andern Ausschweifungen abgehalten zu werden, auch der gemeinen Stadtpriesterschaft und andere Rathsfreunde gehen und mit Bau- und Werkmeistern der Stadtgeschäfte bedacht werden können. In Ravensburg wurde bei dem dort 1311 stattgefundenen Turnier eine adeliche Trinkstube gegründet und 1397 eigene Statuten für dieselbe entworfen. Es bildete sich daraus nach und nach ein Gesellschaftshaus, das erst den 11. Mai 1818 von den damals noch lebenden fünf Mitgliedern verkauft wurde. (Eben I. Th. S. 475 und 484.)

In diesen Trinkstuben hatte sich durch Gewohnheit ein eigenes Trinkrecht gebildet, worauf mit Strenge gehalten wurde. Trinklieder, Trinksprüche, Trinkwitze hatten ihre besonderen Gesetze. Diese Gebräuche waren entstanden aus der unschuldigen Sitte, den Gast durch Darreichung eines Bechers zu ehren, was aber frühzeitig zu dem Zu-, Vor- und Nachtrinken und zu den bereits angeführten Mißbräuchen im Trinken (§. 115) führte.

VIII. Weinhandel in älterer und neuerer Zeit.

§. 121.

Der Weinhandel geht bis zu den ältesten Zeiten zurück; dessen Entstehung läßt sich aber ebensowenig urkundlich nachweisen als der Zeitpunkt der Einführung des Weinbaues (§. 7 und 8). Nicht unwahrscheinlich ist es aber, daß der Weinhandel nach größerer Ausbreitung des Weinbaues, sowie insbesondere nach der Gründung der Städte (§. 10) und Klöster (§. 9 und 11) seinen regelmäßigen Anfang nahm, indem in erstern Handel und Gewerbe Schutz fanden, letztere dagegen zu gottesdienstlichen Zwecken schon vielen Wein brauchten, auch waren deren Bewohner schon frühzeitig dem Weine sehr zugethan. Diese Vermuthung stimmt mit der Thatsache überein, daß schon in den Jahren 936—1002 (§. 15) Weine aus Süddeutschland nach England gesendet worden sind, und daß schon im Jahre 972 Kaiser Otto I. dem Kloster Kempten das Privilegium ertheilte, seinen Bedarf an Wein aus dem Neckargaue zollfrei einzuführen. (Württembergische Jahrbücher 1850 II. Heft S. 113).

Der Weinhandel scheint anfänglich hauptsächlich von den fürstlichen Kellereien und von den Kellereien der im Weinlande gelegenen Klöster getrieben worden zu sein, und nicht selten besaßen diese Herrschaften in den größeren Städten eigene Weinlager, die zum Handel bestimmt waren.

So hatten die Mönche zu Bebenhausen schon im 13. Jahrhundert zu Ulm ein kleines Kloster, die St. Georgenkirche mit geräumigem Keller gebaut, von wo aus sie fast ganz Ulm mit Wein versahen, so daß immer zwei Faßhahnen in Bewegung waren. Auch die Grafen von Württemberg besaßen, besonders unter Graf Eberhardt dem Greiner, einen Keller zu Ulm, und ebenso das Kloster Reichenau, das bis 1446 ein besonderes Haus in Ulm hatte. In Reutlingen trieben die Mönche zu Bebenhausen gleichfalls einen, wiewohl beschränkten, Weinhandel. (Sattler, Grafen. I. Th. S. 260.)

Dieser Weinhandel erregte den Neid der Städte umsomehr, als besonders die Klöster vermöge päbstlicher oder kaiserlicher Privilegien die Weine zoll- und abgabenfrei verkaufen durften, wie dieses nicht blos bei den Bebenhauser-, sondern auch bei dem Elisabethkloster zu Ulm, sowie bei dem in Söflingen (bei Ulm) der Fall war, indem letztere schon 1253 durch eine Bulle von Pabst Innocenz von allen Weinabgaben befreit wurden. (Jäger, Schwäbisches Städtewesen S. 355, 715.)

Die Städte suchten daher diese privilegirten Weinhandlungen möglichst zu beschränken oder käuflich an sich zu bringen, und so gelang es auch den Ulmern, den Mönchen zu Bebenhausen ihre Rechte 1415 abzukaufen. Auf diese Weise wurde der Weinhandel wie der Weinschank (§. 118) nach und nach ein bürgerliches Gewerbe; er gewann sehr an Ausdehnung und kam dadurch erst in seinen rechten blühenden Stand.

Unter den schwäbischen Städten zeichneten sich im Weinhandel besonders die Reichsstädte Eßlingen und Heilbronn, sowie Stuttgart und als Speditionsplatz die Reichsstadt Ulm aus. In den Reichsstädten befand sich der Weinhandel hauptsächlich in den Händen der Geschlechter (Patrizier), welche eine Art von Monopol damit trieben, so daß manche im Herbst 500—1000 Eimer Wein von den Weingärtnern kauften, diese nach Bequemlichkeit bezahlten und den Wein dann an Fremde mit großem Gewinn absetzten. Aus diesem Gesichtspunkte müssen daher auch manche Verordnungen angesehen werden, die, wie wir hienach zeigen werden, zum Schutze und zur Beförderung des Weinhandels erlassen wurden.

Im Allgemeinen war jedoch der Verkauf des Weins im Großen Niemand verwehrt und der Weinhandel war daher, wie noch jetzt, ein freies Gewerbe, das häufig betrieben wurde, um disponible Capitale nutzbringend unterzubringen, weil damalen wenig Gelegenheit zum Ausleihen solcher gegeben und das Ausgeliehene, bei der Mangelhaftigkeit der Pfandgesetzgebung, nicht sehr sicher angelegt war; auch gab dieses bei dem allgemeinen Verbrauche des Weins Veranlassung, daß in einzelnen Städten, wo kein Wein wuchs, besondere Weinmärkte errichtet wurden.

Der Absatz des württembergischen Weins gieng hauptsächlich nach Oberschwaben in die dortigen Klöster, nach Bayern und nach Oesterreich, aber auch in die Schweiz, nach Norddeutschland und den Neckar und Rhein hinab in die Niederlande und sogar bis nach England.

Abt Berthold von St. Gallen (1270 Zeitgenosse Rudolphs von Habsburg), ein Freund der Ritter und der Sänger, der den Edeln alljährlich ein Fest gab, wobei der Wein nicht gespart wurde, bezog neben den Botzner-, Clevner- und Elsäßerweinen auch Neckarweine, die der damalige Berichterstatter als edle Weine bezeichnete, und die selbst in den größeren Städten noch eine theure Seltenheit gewesen seien. (Pfister, Geschichte von Schwaben. I. Th. S. 397.)

Der Wein von dem bekannten guten Weingebirge, der Schimmelsberg zu Weinsberg, gieng ehedem lange Zeit nach London, und um die württembergischen Weine, die sonderlich in heißen Zeiten anmuthig und berühmt seien, auch unter sich hinab in die Niederlande bequem versenden zu können, wollte schon Herzog Christoph den Neckar schiffbar machen lassen, und trat deßhalb mit Heilbronn in Unterhandlung. (Pfister, Herzog Christoph. I. Bd. S. 511.)

Von Heilbronn aus wurde im 15ten Jahrhundert und wahrscheinlich schon viel früher (1291) ein bedeutender Weinhandel mit Nürnberg getrieben, von wo aus die Weine bis nach Norddeutschland und in die Hansestädte verführt wurden, so daß, als man dort die besseren süddeutschen Weine kennen lernte und sich solche durch den Handel regelmäßig verschaffen konnte, der in einzelnen Gegenden Norddeutschlands eingeführte Weinbau (§. 18) nach und nach wieder aufhörte. Auch mit andern bayerischen Städten, namentlich Augsburg und Regensburg, sowie mit den oberschwäbischen Klöstern stand Heilbronn in lebhaftem Verkehr mit Wein, und 1635 wurde sogar Heilbronner Wein an den kaiserlichen Hof nach Wien geschickt.

Wie weit die Neckarweine versendet wurden und wie geschätzt dieselben waren, erhellt nicht nur aus den Weinverehrungen, welche die württembergischen Fürsten verschiedenen deutschen Höfen machten, und aus dem Lobe, das denselben gespendet wurde (§. 105—107), sondern auch aus einem Schreiben des Markgrafen Christian von Brandenburg vom 28. Mai 1651 an den Herzog Eberhardt III. von Württemberg: „Nachdem Uns von den Medicis gerathen worden, Uns an den Neckarwein zu gewöhnen, Wir aber dergleichen unverfälscht und ungeschmiert bisher zu Nürnberg nicht bekommen können, als werden Wir veranlaßt, Ew. L. wie hiermit geschieht, freundlich zu ersuchen, Sie wollen Unß die sonderbare Freundschaft erweisen, und in Dero Land und Fürstenthumb, durch einen von Ihren Bedienten Ein Fuder gerechten Neckarwein erkaufen zu lassen u. s. w." In Folge dieses Schreibens wurden unterm 8. Juni 1651 „vier Faß voll Neckarweins, so gut solcher dißmals an aigenem Trunkh in hiesiger Hofkellerei zugegen." verehrt und bis Heidenheim geführt, worauf sich Markgraf Christian in einem Schreiben vom 21. Juni 1651 bedankte.

Bei der schlechten Beschaffenheit der Straßen in ältern Zeiten und den schwachen Communikationsmitteln zwischen den einzelnen Städten und Ländern waren es vorzugsweise die natürlichen Communicationswege, die Flüsse, die zur Versendung schwererer Lasten, wie z. B. der Weine benützt wurden, daher bot namentlich die von Ulm ab schiffbare Donau die beste Gelegenheit dar, die württembergischen Weine in die nicht Weinbau treibenden Gegenden von Bayern und Oesterreich zu versenden, wobei die Stadt Ulm den Hauptstappelplatz bildete. (Dietrich, Beschreibung von Ulm. S. 29. 72. 152.)

Schon frühe muß die Donauwasserstraße zur Ausfuhr des Weins nach Bayern benutzt worden sein, denn schon 1235 bezog Bayern Wein aus Schwaben, und 1351 legte die Stadt Regensburg ein Umgeld von 6 Pfennigen auf 1 Eimer Elsäßer und Neckarwein, so wie überhaupt die Neckarweine im Bayerischen den gleichen Zoll zahlen mußten, wie der fränkische, der österreichische und der ungarische Wein.

Durch den Zusammenfluß von Weinen zu Ulm aus verschiedenen Gegenden gestaltete sich nach und nach daselbst ein ausgedehnter Weinmarkt, zu welchem Zwecke die Stadt einen eigenen Weinhof und 1535 einen Weinstadel errichtete, der mehrere große Keller hatte, in denen die nicht verkauften Weine gelagert werden konnten.

Auf diesem Weinmarkte solle nach der Erzählung von Felix Faber es unter den Käufern und Verkäufern so lärmend wie auf einem Jahrmarkt zugegangen und auf denselben vor 1521 öfters an einem Samstag 300 Wagen Wein gekommen sein, die bis zum Mittag alle verkauft waren, worauf der Wein nach Oberschwaben, Bayern, Oesterreich und Ungarn kam.

Noch im Jahre 1606 wurden am letzten Mai 800 Fässer Wein aus Württemberg nach Ulm gebracht, von denen am gleichen Tag 600 Fässer nach Oberschwaben abgeführt, 144 Fässer von

Ulmer Wirthen eingelegt, und der Rest im Weinstadel aufbewahrt wurde. (Faber, Historia Suevorum. S. 233.)

Der Weinmarkt in Ulm wurde hauptsächlich von Württemberg und von den Reichsstädten Eßlingen und Heilbronn mit Wein versehen. Fast das ganze Jahr hindurch kamen Weinwagen aus dem Neckar- und Remsthale und aus dem Zabergau in Ulm an, von wo aus dann der Wein theils auf der Donau versendet, theils auf der Axe nach Oberschwaben und Bayern verführt wurde. Besonders war Eßlingen in ältern Zeiten der Hauptsitz des schwäbischen Weinhandels nach Oberschwaben und Bayern und muß namentlich in bedeutendem Verkehr mit Ulm gestanden sein, indem die meisten Weine von dort nach Ulm versendet wurden. Neben den Neckarweinen wurde daselbst aber auch noch mit ausländischen Weinen Handel getrieben, denn schon 1531 legte die Stadt Eßlingen auf fremde Weine als: Malvasier, Muskateller, Elsäßer, Rheinthal und wälsche Weine ein Umgeld. (Pfaff, Eßlingen. S. 179. 180.)

Auch auf den Ulmer Weinmarkt kamen frühzeitig neben den Neckarweinen rothe und weiße Rheinweine (1404), Mainweine aus der Gegend von Würzburg, Breisgauer und Elsaßer Weine sowie italienische Weine aus der Gegend von Bozen, und künstliche d. h. Gewürz- und Kräuterweine, unter dem Namen Rappes und Span (1510), so daß Ulm einen der größten Weinmärkte in Deutschland besaß.

Neben Ulm bestanden übrigens auch noch in andern Donau- und bayerischen Städten, namentlich in Regensburg, Augsburg, Nürnberg, München u. a. O. Weinmärkte und mit den erstern stand, wie bereits erwähnt, namentlich die Stadt Heilbronn in bedeutendem Weinverkehr. Noch im Jahre 1700 setzte der Rath zu Eystatt den Magistrat in Heilbronn in einem Schreiben vom 19. Juli in Kenntniß, daß dort, sowie in Ingelstadt, 3 Meilen weiter entfernt als Eystadt, Weinmärkte errichtet worden seien, und lud die Weinhändler zu deren Besuche ein, wobei die Eröffnung gemacht wurde, daß was bis Nachmittags 2 Uhr nicht verkauft, entweder eingelegt oder weiter verführt werden könne, während in Ulm die Bestimmung galt, daß, was auf den Markt gebracht, an keinem andern Orte verkauft werden durfte, sondern was übrig blieb, in den Weinstadel gelegt werden mußte.

§. 123.

Der Weinverkehr wurde übrigens nicht blos zu Wasser, sondern auch regelmäßig auf der Achse betrieben. Schon die ältesten Schriftsteller erwähnen, daß fast das ganze Jahr Fuhrleute Weine aus dem Zabergaue, Remsthale u. s. w. nach Bayern, dem Ries und Oberschwaben führten.

Der Verkehr mit Bayern sowie auch mit Oberschwaben muß

einer der beträchtlichsten gewesen sein, was daher kam, daß beide Länder Erzeugnisse hatten, woran es in dem andern fehlte und wodurch stets eine gute Rückfracht gesichert war. Brachten württemberger Fuhrleute Weine nach Bayern, so nahmen sie Salz als Rückfracht mit; kamen bayerische Salzfuhrleute nach Württemberg so war der Wein ihre Rückfracht.

1502 führten zwei württemberger Fuhrleute Weine bis nach München, und 1503 ein Waiblinger nach Landshut. Mit Oberschwaben wurden gegen Wein häufig Früchte ausgetauscht. Als Herzog Christoph Vorrathskästen (Fruchtspeicher) anlegen ließ, brachten die Weinfuhrleute Früchte als Rückfracht. (Pfister, Herzog Christoph. I. B. S. 522.)

Bei diesem beträchtlichen Verkehr mit Bayern und Oberschwaben bildete die Stadt Schorndorf mit ihrem großen Kaufhaus eine Zwischenstation, wo zwischen Käufer und Verkäufer ein lebhafter Wein-, Salz- und Fruchhandel getrieben wurde. Schon 1489 baute die Stadt ein großes Kornhaus zur Aufbewahrung der großen Menge von Getreide, das von der Alp, von Rotenburg an der Tauber, von Nördlingen und Bayern kam. Unter dem Rathhause waren zwei große Salzbehältnisse. Sehr bedeutend muß jedoch der Weinhandel gewesen sein, da er gegen das Land mit 50,700 fl. versteuert wurde und Schorndorf fast dreimal mehr Weinberge als gegenwärtig besaß. Einen weitern Beweis dafür liefert die damalige starke Bevölkerung, über 4400 Seelen, die, wenn bei der gegenwärtigen von 3893 Seelen schon sehr über Uebervölkerung und Nahrungslosigkeit geklagt wird, bei der damaligen geringeren Cultur des Bodens, nicht hätte bestehen können, wenn der ausgedehnte Handel nicht Erwerb und Nahrung gebracht hätte. (Rösch, Schorndorf. S. 42 und 139.)

Auch Stuttgart trieb schon ums Jahr 1500 einen bedeutenden Weinhandel und betheiligte sich namentlich während des dreißigjährigen Kriegs in ausgedehntem Maaße bei demselben, doch muß er in der letzten Hälfte desselben wieder bedeutend abgenommen haben, denn im Mai 1647 klagte der Magistrat, daß seit Juni 1646 nicht mehr als 1619 Eimer Wein auf die Achse verkauft worden seien. Hieran seie vornehmlich auch die große Unsicherheit der Straßen schuld, welche die Fuhrleute abhalte, so zahlreich wie früher zu kommen. Diejenigen aber, welche kommen, bringen selten Geld mit, sondern meist Frucht oder Salz, indem sie sagen, wenn sie mit leeren Wagen fahren, vermuthen die Soldaten Geld bei ihnen und plündern sie unterwegs aus. Man mußte deshalb, um den Weinhandel nicht vollends ganz in Verfall gerathen zu lassen, das Salz an Zahlungsstatt annehmen. Die Weinunterkäufer erhielten eine Anweisung auf die Herzogliche Salzkasse, mußten aber oft lange auf Bezahlung warten, weil man die Einnahme dieser Kasse bei der großen Geldnoth häufig zu andern Ausgaben brauchte. (Pfaff, Stuttgart 1. Th. S. 300—302.)

Von dem Weinhandel in Oberschwaben und am Bodensee ist nicht viel bekannt, derselbe scheint nie eine große Ausdehnung gehabt, und wie noch gegenwärtig sich blos auf das Land selbst und seine nächste Umgegend beschränkt zu haben; er wurde hauptsächlich von den dortigen Klöstern, welche im Besitz vieler Rebgüter und großer Keller waren, betrieben. (§. 52.)

§. 124.

Der blühende Handel, den Schwaben und namentlich Württemberg mit seinen Weine betrieben hatte, erlitt durch den dreißigjährigen Krieg einen schweren Stoß, indem nicht nur während desselben die alten Handelswege, wie z. B. nach Oesterreich durch Religionshaß und andere Umstände sich verloren, sondern auch und hauptsächlich die dem Weinhandel gewidmeten Kapitalien zu Grunde giengen, und in Städten und Dörfern die Bevölkerung zu arm geworden war um viel Wein zu consumiren.

Nach dem Kriege suchte man zwar dem in Verfall gerathenen Weinhandel auf verschiedene Art wieder aufzuhelfen, die dünne Bevölkerung und die große Verarmung ließ sich aber nicht so schnell beseitigen, zumal da durch die französischen Raubkriege zu Ende des siebenzehnten und Anfang des achtzehnten Jahrhunderts die Scenen des dreißigjährigen Krieges erneuert wurden, und die Unsicherheit des Besitzes somit fast ein volles Jahrhundert fortdauerte. Hauptsächlich hat aber inzwischen die Anpflanzung geringer und unpassender Traubengattungen und besonders die dadurch herbeigeführte Erzeugung der sogenannten Schillerweine (Mischung von roth und weißen Trauben), sowie die stark getriebene Weinverfälschung (§. 25, 26, 59—61, 94, 95) den verderblichsten Einfluß auf den Weinhandel ausgeübt, indem dergleichen geringe, charakterlose Weine im Auslande nur wenige oder gar keine Abnehmer fanden. Zu dieser Zeit scheint daher der Weinhandel ins entferntere Ausland, namentlich in die Schweiz, Oesterreich, die Reichsstädte Regensburg, Augsburg und Nürnberg und von hier aus nach Norddeutschland nach und nach gänzlich aufgehört zu haben, und ebenso ist auch von jener Zeit an der Weinmarkt in Ulm allmählig eingegangen, und nur noch der minder bedeutende direkte Weinhandel mit Bayern, besonders durch die Salzfuhrleute, scheint fortgedauert zu haben.

Wie sehr der Weinhandel abgenommen hatte, ersehen wir aus den Klagen, die damalen von einzelnen Städten geführt und aus den Anstalten, die zur Emporbringung desselben getroffen wurden, die aber, weil sie auf keine nationalwirthschaftliche Grundsätze gebaut waren, und häufig nur ein engherziges Sonderinteresse im Auge hatten, öfters das gerade Gegentheil bewirkten.

Im Jahre 1671 wurde von dem Magistrate in Stuttgart gegen die Küfer schwere Klage geführt, weil sie den Weinfuhrleuten in die Wirthshäuser und auf den Straßen nachliefen und ihnen oft 20 und mehr Weinmuster brachten, namentlich von außerhalb der Stadt gewachsenen Weinen, so daß man fast gar keinen Wein mehr auf die Achse verkaufe. Anno 1672 wurde daher eine eigene Weincommission „zu Wiederaufbringung und Aufrechthaltung des Weinhandels in Stuttgart" niedergesetzt, deren Vorschläge dahin giengen, daß man den Fuhrleuten in der Wahl der Weine freie Hand lassen, die Salzfuhrleute für ihr Salz Wein zu nehmen nöthigen und den Wirthen des Oberlandes freien Weinhandel gestatten solle, weil sie vornämlich auch geringe Weine kaufen. Den Küfern wollte man das Recht, ihren Kunden Weine zu verkaufen, nicht ganz nehmen, untersagte ihnen aber jeden Mißbrauch. Den Unterkäufern und Weinziehern befahl man, sich genau an Ordnung (Instruktion) zu halten, verbot ihnen das unmäßige Weintrinken in den Kellern und schaffte die sogenannte Schwenkmaas d. h. den Gebrauch ab, die Fässer, ehe man sie füllte, mit Wein auszuschwenken; dessenungeachtet wollte der Weinhandel in Stuttgart doch nicht recht gedeihen, indem im ersten halben Jahre 1680 nur 467 und darunter 323 Eimer von Hof- und Kanzleibedienten verkauft wurden; am 22. Nov. 1680 forderte man daher verschiedene Vögte auf, die Wirthe und Fuhrleute in ihren Amtsbezirken zu fragen, warum sie sich so sehr scheueten in Stuttgart Wein zu kaufen, worauf die Antwort dahin ausfiel, daß hier die Kosten für Zehrungen, Stallmiethe, für Eicher, Spanner, Faßführer, fürs Laden und Urkundenschreiben viel größer als irgendwo im Lande seien, namentlich fordere man im Rechenstüblen von jedem Gulden 1 kr. sogenanntes Wechselgeld (wegen schlechten Geldes) auch seien die Wege schlecht, der Wein aber meist gering und unverhältnißmäßig theuer.

Die Abbestellung der Mißbräuche im Rechenstüblen und bei den Unterkäufern wurde öfters aufs Neue eingeschärft, 1709 zur Controle ein eigener Weinschreiber und 1712 ein besonderer Wein-Inspektor aufgestellt.

Alle diese und andere ähnliche Anstalten, welche man in Stuttgart und andern Städten traf, wollten aber, weil dadurch die Qualität des Weins sich nicht verbesserte, nichts fruchten, der Weinhandel, welcher früher von einem großen Theil der Bürgerschaft getrieben wurde, gerieth nach und nach in die Hände weniger, welche zwar ihren Bedarf im Herbste in großen Quantitäten einkauften und ihn auch mit Gewinn wieder verkauften; im Ganzen war aber dieser Handel im Vergleiche mit dem früheren unbedeutend, er war mehr für den innern Verkehr berechnet, die auswärtigen Absatzwege verloren sich dadurch immer mehr und insbesondere war es für den württembergischen Weinhandel ein großer Verlust, daß die Weinmärkte in Ulm und andern Donaustädten nach und nach aufhörten, wodurch die Absatzplätze im Großen fehlten und der Weinhandel um so mehr auf den Kleinverkehr herabsinken mußte, als sich manche auswärtige Käufer, um der Weinverfälschung zu entgehen, sich daran gewöhnten, ihr Weinbedürfniß während des Herbstes unmittelbar von den kleinen Producenten, statt wie früher im Frühjahr von den großen Weincommerzianten, zu erkaufen.

§. 125.

Die württembergische Regierung sowie auch die Magistrate der Reichsstädte suchten durch verschiedene Anordnungen den, wie sie sich ausdrückten, gänzlich ruinirten und in Zerfall gerathenen Weinhandel wieder emporzubringen. Dieselben scheinen jedoch von keinem nachhaltigen Erfolg gewesen zu sein. So wurde namentlich durch die Generalrescripte vom 15. Dezember 1680, 30. September 1710, 5. Oktober 1736 und 23. September 1751 den Landfuhrleuten der Handel mit Weinen, weil dadurch verhindert werde, daß wenig Fuhren aus Bayern und von der Donau ins Land kommen, so wie den Ausländern das Einlegen neuer Weine im Lande gänzlich untersagt, auch das Einführen fremden Mostes, bei Strafe der Confiscation verboten u. s. w. Auch suchte man mit Bayern besondere Salzlieferungsverträge abzuschließen, bei welchen als Rückfracht der württembergische Wein dienen sollte, dieselben kamen jedoch nicht zu Stande, weil sich in den churbairischen Landen der Gout der Neckarweine fast ganz verloren habe, auch seien die Neckarweine durch die Menge der in das Land gekommenen Wertheimer- oder Frankenweine gänzlich in Decadence gekommen.

Als unter Herzog Alexander die Salzlieferung an verschiedene Handelsleute in Donauwörth veraccordirt war, wurde denselben zur Bedingung gemacht, daß sie württembergische Weine dagegen zu nehmen haben, in einer Urkunde von 1738 beschwerte sich jedoch diese sogenannte Donauwörth'sche Wein- und Salz-Compagnie darüber, daß sie die churbairischen Lande mit fränkischen Weinen wenigstens um ein Drittel wohlfeiler als mit württembergischen fourniren könne, indem jene Weine den Bayern weit angenehmer als die Neckarweine seien, also daß man nicht, wie in vorigen Zeiten, letztere pur, sondern entweder mit fränkischem Wein gemischt, oder statt dessen die puren Kocher- oder Tauberweine bekomme. Dieser Salzlieferungsvertrag wurde nach dem Tode Herzogs Alexander 1738 wieder aufgehoben.*)

---

*) In den Verhandlungen über den Salzlieferungsvertrag mit den Handelsleuten zu Donauwörth wird derselbe als sehr nachtheilig für das Land geschildert, auch ist aus denselben ersichtlich, daß bei dem Abschlusse

§. 126.

Von Seiten Baierns wurde der Weinabsatz dahin auch noch dadurch erschwert, daß dasselbe die eingeführten fremden Weine mit einem starkem Impost von 12 fl. per Eimer belegte, was Veranlassung gab, daß mit demselben wegen der Aufhebung dieser drückenden Auflage in Unterhandlung getreten wurde, worauf endlich den 9. Oktober 1781 ein besonderer Salz- und Weinhandelsvertrag zu Stande kam, wornach die freie und unbeschränkte Einfuhr der württembergischen Neckar- und anderer Landweine in sämmtliche bayerische Lande dahin gesichert worden, daß solche niemals wieder mittelbar oder unmittelbar behindert oder beschwert, noch außer den altüblichen Abgaben mit irgend einem neuen Impost belegt werden sollen. Zur Erleichterung der baiern'schen Weinkäufer und zu desto zuverläßigerer Emporbringung des Weincommerces wurde jedem Unterthan sowie auch den Klöstern und Corporationen des Herzogthums Ober- und Nieder-Baiern, vom 1. Januar 1782 an, eine Prämie von 5 fl. für jeden Eimer Landwein zugesichert, den sie in den württembergischen Landen erkaufen, ferner wurde, um den baierischen Fuhrleuten, welche Wein bei uns holten, eine Herfracht, und den württembergischen Fuhrleuten, welche Weine ins Baierische führten, eine Rückfracht zu sichern, verordnet, daß die damaligen württembergischen Salzcontrahenten, die Handelsleute Notter und Comp., jedem Weinfuhrmann, der sich bei den Faktoren zu Friedberg, Donauwörth und Landsperg u. s. w. melde, auf Rechnung gedachter Contrahenten eine Ladung mit Salz verabfolgen lassen sollen, welches Salz sodann an denjenigen Orten, wo der Wein gekauft wird, zur Beförderung des reciproquen Handels, in dem Salzstadel anzunehmen, und billige Fracht dafür zu bezahlen seie.

Durch diese Uebereinkunft hoffte man den Weinhandel mit Baiern zu sichern und in neuen Flor zu bringen; auch fand wirklich bis zum Anfange des neunzehnten Jahrhunderts noch, ein ziemlich lebhafter Weinverkehr besonders mit den baierischen und oberschwäbischen Klöstern statt, wohin namentlich von Heilbronn aus viel Wein abgesetzt wurde. Als aber in Folge des Lüneviller Friedens (1801) die Klöster aufgehoben wurden und später durch die Errichtung der Salinen Friedrichshall, Wilhelmsglück, Rothenmünster und Schwenningen auch der Salzhandel mit Baiern aufhörte, so verlor sich auch der Weinhandel mit demselben bis auf einzelne kleinere Sendungen, die in keinen Betracht mehr kommen. Jetzt, nachdem für die württembergischen Weine keine neuen Ab-

des Vertrags der bekannte Jud Süß 10,000 fl. Chatoulgeld erhielt; bei der Aufhebung des Vertrags im Jahr 1738 zahlte die herzogliche Regierung 30,000 fl. Entschädigung.

satzwege gefunden, vielmehr der Verkauf nur auf den inneren Verkehr, besonders auf die Alp, Oberschwaben und den Schwarzwald beschränkt, das frühere Einfuhrverbot aufgehoben war, und der starke Verbrauch während der letzten Kriegsjahre aufgehört hatte, sah man erst ein, daß nicht allein die Aufhebung der Klöster und die Aenderung anderer früherer Verhältnisse, sondern die häufig geringe Qualität des Weins selbst (§. 27.) die Schuld trage, daß solche ins Ausland keinen Absatz mehr, vielmehr die Consumtion der bessern Weine des letztern in Württemberg immer mehr Eingang fand.

Nach statistischen Notizen wurde in Württemberg ein- und ausgeführt, indem betragen hat:

im Jahr 1826 die Einfuhr 11,799 Eimer, die Ausfuhr 561 Eimer
„ „ 1827 „ „ 11,333 „ „ „ 1123 „
„ „ 1828 „ „ 10,610 „ „ „ 1340 „
und nach einem mehrjährigen Durchschnitt bis
1828 die Einfuhr 7300 Eimer, die Ausfuhr 827 Eimer.

Nach späteren Notizen

a) Die Einfuhr.

Jahr.	Von Baden.	Von Baiern.	Von dem preußischen Hohenzollern	Vom übrigen Ausland.	Zusammen	
					Eimer.	Flaschen.
v. 1841—1856						
in 16 Jahren	—	—	—	—	270,084	
Durchschnitt	—	—	—	—	16,880	
v. 1857—1862						
in 5 Jahren	81,827	13,604	416	911	96,758	112,346
Durchschnitt	16,365	2,721	83	182	19,351	22,469 =70 Eim.

b) Die Ausfuhr.

v. 1841—1856	—	—	—	—	83,080	
Durchschnitt	—	—	—	—	5,192	
v. 1857—1862	19,680	18,743	6,675	11,837	56,935	438,067
Durchschnitt	3,936	3,748	1,335	2,367	11,387	87,613 = 274 E.

Der Mehrbetrag der Ein- gegen die Ausfuhr hat schon hie und da zu dem Schlusse geführt, daß Württemberg nicht so viel Wein producire, als es nöthig habe, dieses beruht jedoch auf einer gewießen Täuschung, denn während manche Weingärtner in dem Weinlande für ihr Erzeugniß keinen Absatz finden, sondern dasselbe durch Selbstausschank kümmerlich verwerthen müssen, werden in den Nicht-Weinbaugegenden des Schwarzwaldes und in Oberschwaben sehr viele Weine aus dem Breisgau und Rheinbaiern eingeführt, weil von dorther der Transport und hie und da auch die Preise des Weins billiger sind, als in dem entfernten württembergischen Unterlande. Bei der Consumtion des durch den Selbstausschank der Weingärtner verwertheten Weines liegt aber kein besonderes Bedürfniß vor, sondern die Weingärtner trinken zum größern Theil den Wein selbst gegenseitig aus, so daß, wenn man das auf diese Weise ohne wirkliches Bedürfniß gewissermaßen aus Gefälligkeit consumirte Quantum mit dem der Mehreinfuhr vergleicht, jenes das letztere ohne Zweifel übersteigen wird.

Jedenfalls hat in der neuesten Zeit die Ausfuhr ansehnlich zugenommen und es gehen namentlich viele Weine nach Nordamerika, so daß der Weinhandel von Württemberg neuerlich auch eine Stelle in dem allgemeinen Welthandel einnimmt, was auch die, die Einfuhr bedeutend übersteigende Ausfuhr der Flaschenweine beweist, indem diese hauptsächlich in werthvollen moussirenden Weinen bestehen, die besonders nach Norddeutschland, Rußland, England, Amerika versendet werden, so daß, wenn man den Geldwerth der ein- und ausgeführten Weine mit einander vergleichen könnte, sich eher ein Activ- als Passivhandel mit dem Auslande herausstellen würde.

Diese für den württembergischen Weinhandel günstigen Resultate, sind hauptsächlich durch die neuerlich auch bei einem großen Theile des Weingärtnerstands eingetretenen Bestrebungen in der Verbesserung des Weinbaues durch Anpflanzung passender zum Theil edler Traubengattungen herbeigeführt worden; ein vorzüglicher Gewinn für den württembergischen Weinhandel ist es aber, daß in Folge der Anpflanzung edler Rebsorten und namentlich der Clevnerrebe von (§. 67.) Kaufmann Keßler, der, als früherer Geschäftsführer einer Weinhandlung in Rheims, das dort beobachtete Verfahren in Bereitung moussirender Weine auf das vaterländische Weinerzeugniß übertrug, im Jahr 1826 zu Eßlingen eine Fabrik moussirender Weine gegründet wurde (die erste in Deutschland), deren Fabrikat bald so beliebt war, daß jährlich achtzigtausend Flaschen abgezogen und diese nicht nur in die deutschen Staatengebiete abgesetzt, sondern auch in entferntere Länder des Nordens und Ostens ausgeführt werden konnten.

Diese Fabrik besteht unter der Firma „Keßler und Comp." heute noch, auch sind neben derselben noch einige andere Fabriken, anfänglich zu Heilbronn und Weinsberg und später in Stuttgart entstanden, deren Fabrikat fortwährend genügenden Absatz findet, daher dieser Zweig des Weinhandels als heimisch betrachtet werden darf.

Außer diesen sind auch schon in andern Gegenden Deutschlands, wie z. B. in Mainz und Würzburg, Fabriken moussirender Weine errichtet worden, weil aber nicht überall die dazu erforderlichen Traubengattungen in gehöriger Menge gebaut werden, so erschienen neuerlich jedes Jahr zur Herbstzeit in der Gegend von Heilbronn und Weinsberg die Inhaber verschiedener ausländischer Fabriken, um Traubeneinkäufe, besonders von Clevnern zu machen, die sie dann ungebeert und unzerdrückt keltern, und den auf mehrere hundert Eimer sich belaufenden Wein in ihre Fabriken zur weitern Behandlung verführen lassen, wodurch sich kein unbedeutender Handelsverkehr mit dem Auslande entwickelt hat und auch noch weiter entwickeln wird, wenn die Weingärtner nicht wieder durch die Anpflanzung ähnlicher aber schlechter Traubengattungen, wie z. B. der Müllertraube (schwarzer Rießling), ihr Produkt in Mißkredit bringen.

IX. Weingärtnerszünfte und Weinverbesserungs-Vereine.

§. 127.

Wie in der schutzlosen Zeit des Mittelalters die einzelnen Gewerbegenossen zum persönlichen und zum Schutze des Gewerbs sich näher verbanden und besondere Vereine oder Zünfte bildeten, so ahmten auch die Weingärtner, wenigstens in den größern Städten, diese Sitte nach und errichteten besondere Weingärtnerzünfte, daher wir im sechzehnten und siebzehnten Jahrhundert zu Stuttgart, Tübingen, Eßlingen, Heilbronn und Reutlingen verschiedenen solcher Zünfte begegnen.

Der Zweck dieser Vereine war jedoch weniger auf die Verbesserung als auf die Erhaltung des bestehenden Weinbaues gerichtet, daher sich deren Zunftordnungen hauptsächlich auf die Erlernung und rechtzeitige Verrichtung der Arbeiten in den Weinbergen, auf die Regulirung des Lohns dafür, auf die Zunfteinrichtung und die Ordnung in den Zunfthäusern beziehen. (§. 54, 74, 75.)

Nach der Stuttgarter Zunftordnung von 1644 bestanden:

1) die Vorstände in dem aus der Mitte des Gerichts ernannten Obmann und aus den von der gesammten Weingärtnerzunft erwählten drei Zunftmeistern und fünf weitern Personen, den sogenannten Fünfern, durch welche alle fürlaufende Streitigkeiten zu erörtern und von den Zunftmeistern die Strafen und sonstige Gefäll, unter Urkund des Obmanns zu verrechnen waren.
2) Die Zunftstube war auf dem Armbrusthaus und eine besondere Stubenordnung auf einer Tafel verzeichnet.

3) Wer auf Vorladen durch den Stubenknecht bei der Zunft nicht erschien, wurde jedesmal um sechs Kreuzer gestraft.

4) Wer einen Lehrjungen annahm, mußte solchen ein- und ausschreiben lassen; die Lehrzeit dauerte mindestens zwei Jahre.

5) Die Weingartknechte sollen zu keiner andern als der gewöhnlichen Zeit, an Ulrici oder Weihnachten ein- oder austreten können, und die gegenseitige Aufkündigung wenigstens einen Monat geschehen, bei Strafe einer kleinen Frevel.

6) Kein Burger, Burgerssohn oder unverburgerter Einwohner durfte eine Weingartarbeit verrichten, bevor er bei der Zunft eingeschrieben war.

7) Für das Ein- und das Ausschreiben wurden besondere Gebühren und ein jährliches Leggeld von 6 Kreuzer bestimmt, auch außerdem für die Uebertretung der Zunftordnung verschiedene Strafen festgesetzt.

8) Obmann, Zunftmeister und Fünfer sollen jeden Monat mindestens einmal auf der Stube zusammenkommen und berathschlagen, welche Arbeiten in der nächsten Zeit vorzunehmen seien. Die Säumigen sollen zur Strafe gezogen werden.

Nach den besondern Stubenordnungen theilte sich die sehr zahlreiche Weingärtnerzunft in Stuttgart in zwei Gesellschaften, in die der alten und in die der jungen Weingärtner. Die Stubenordnung der ersten vom 22. Juli 1578 und die der letztern vom 28. Sept. 1646 schreiben vor: „Alle guten Gesellen sollen auf der Stube einer wie der andere gehalten werden, jeder aber auch die Ordnung getreulich zu halten verpflichtet sein, und wenn er dieses nicht thue oder den Stubenzins nicht zu rechter Zeit bezahle, ausgeschlossen werden. Schwören und Fluchen, auch übermäßiges Zu- und Volltrinken waren verboten; Spiele aber zur Kurzweil um baares Geld erlaubt. Wer etwas beschädigte oder zerbrach, mußte es von Stunde an ohne Widerrede gut machen, wer sich unartig aufführte, Händel anfieng oder die Karten zum Fenster hinauswarf, die Stubenflasche voll Wein zahlen.

Wer von den Mitgliedern sich verheirathete, hatte nach altem Herkommen der Gesellschaft eine Hochzeitsuppe oder dafür fünf Schilling zu geben.

§. 128.

Ebenso alt wie die Weingärtnerzunft in Stuttgart scheinen auch diejenigen in andern Städten gewesen zu sein.

Nach der Ordnung der Stadt Heilbronn von 1490 (§. 74) scheint schon damalen eine Verbindung der Weingärtner bestanden zu haben. Im Jahre 1631 war die ganze Zunft schon längst organisirt, der sogenannte Kerzenmeister vorstanden, 1709 erhielten die jungen Weingärtner eine neue Ordnung und 1732 erkundigte sich Burgermeister und Rath zu Eßlingen bei Heilbronn, wie es bei der Weingärtnerzunft ratione des Meisterstücks gehalten werde, worauf Heilbronn den 5. April 1732 antwortete, daß es kein Meisterstück gebe.

In Eßlingen erhielten die Weingärtner 1656 eine neue Ordnung, weil die ältere nicht richtig verfaßt und untauglich war. Nach ihr sollten die Zunft-Obermeister das Zunftvermögen verwalten, für richtige Beobachtung der Baulohnstaxe und der Hirtschaftsrechte sorgen, Feldsteußler, Wegpfleger, Weingartschützen einsetzen und beaufsichtigen und vereint mit dem Mitmeister jährlich 4 Stokkieser wählen. Der Stubenknecht führte die Aufsicht über das Zunfthaus. 1650 erhielten die ledigen Gesellen der Zunft auf ihre Bitte, eine eigene Stubenordnung, die ihnen zwar Spiele zur Kurzweil und Zechen auf der Zunftstube erlaubte, alles Schmähen und Streiten aber verbot, und Gehorsam und Achtung gegen die Mitmeister empfahl. (Pfaff, Eßlingen S. 661.)

In Bönnigheim bestand schon 1589 ein Rebgericht, d. h. ein Weingärtnerzunftgericht, das seine eigene Ordnung und eine noch vorhandene Lade hatte. (Klunzinger, I. Th. S. 135.)

In Reutlingen und Tübingen bestanden gleichfalls Weingärtnerzünfte, wie die zum Theil noch bis auf den heutigen Tag bestehende Winzerfeste nachweisen.

In Reutlingen kommt schon 1364 Heinz Herbrecht als Zunftmeister der Weingärtner vor, auch bestand daselbst der humane Gebrauch, daß, wenn ein Weingärtner krank war, die Zunft mit Erlaubniß des Bürgermeisters etliche Willfährige abordnete, die an Sonn- und Feiertagen vor dem Gottesdienst für ihn arbeiteten. (Gailer, I. Th. S. 603.)

In Tübingen erhielten die Weingärtner den 11. August 1656 eine besondere Zunftordnung.

In Rottenburg am Neckar wurde schon im Jahre 1438 eine Urbansbruderschaft gestiftet, indem Probst Niklaus Maurer (aus der Vorstadt Ehingen) 24 Bauleuten am Martinsberg mehrere Gefälle und Rechte übertrug, namentlich einen Schützen zur Aufsicht der Weinberge aufzustellen, die Zeit des Lesens anzusagen ꝛc. Diese Urbansbruderschaft feierte den 25. Juni 1838 ihr vierhundertjähriges Bestehen und hat sich neuerlich die Weinverbesserung in Rottenburg sehr angelegen sein lassen.

Ulm hatte gleichfalls eine eigene Weingärtnerbruderschaft, deren Vorsteher ein Rathsherr und ein Patrizier waren. Dieselbe besteht noch und gehören zu ihr alle Gartenbesitzer in deren Gärten früher Wein gebaut wurde. (§. 51.)

In Ravensburg wurde noch 1769 eine durchgreifende Revision und Ergänzung der Rebbauordnung beschlossen und festgesetzt:

1) Die Söhne von Rebwittwen sollen das Graben und Schnei-

den von einem hiesigen oder fremden erfahrenen Rebmann gründlich erlernen und sich darüber mit Zeugnissen ausweisen, bevor die Wittwe einen solchen Sohn in eines Bauherrn Reben arbeiten lassen darf.

2) Der Rebleuten Söhne sollen wenigstens zwei Sommer auf die Wanderschaft gehen in der Art, daß sie einen Sommer auswärts arbeiten und einen Sommer ein Stück Reben in der Stadt allein bauen, das hernach von der Rebschau genau zu prüfen und zu ermessen seie, ob sie als ein tauglicher Rebmann zum Heirathen zugelassen werden sollen. Früher soll kein Hochzeitconsens ertheilt werden. (Eben, II. Th. S. 7.)

§. 129.

Mit den Weingärtnerzünften waren in manchen Orten besondere Festlichkeiten verbunden, die gewöhnlich am Urbanstage, dem Schutzheiligen der Winzer, abgehalten wurden. Es scheint, daß die zum Christenthum bekehrten Heiden manche ihrer Gebräuche, sowie ihre Schutzgötter ins Christenthum mit hinübernahmen, und daß dieses auch von den Verkündigern des Christenthums, jedoch unter andern Namen gestattet wurde, d. h. es wurden ihnen christliche Schutzheilige gegeben. Die Weinbauer wählten dazu den heiligen Urban (wahrscheinlich Papst Urban, † den 25. Mai 230). Daher bis auf den heutigen Tag der St. Urbanstag (der 25. Mai) glaubigen Weinfreunden noch ein vorzüglicher Festtag ist. Nach einer andern Sage war Urban einer der mit Gall nach Deutschland gekommenen Glaubensboten, der namentlich in Schwaben gelehrt und dort die christliche Religion eingeführt habe (§. 9). Soviel scheint jedenfalls sicher zu sein, daß die irischen Glaubensboten von Papst Gregor dem Großen die Anweisung erhielten, sich den wilden Bewohnern unter möglichster Beibehaltung ihrer bisherigen Gebräuche zu nähern, indem dadurch die christliche Lehre mehr Eingang finde.

Früher trug man am St. Urbanstage in manchen Orten das Bildniß des Heiligen herum und zog dann, wenn das Wetter schön und heiter war, mit lustigem Frohlocken in ein Wirthshaus, trat aber Regenwetter ein, so wurde der Heilige in einen Brunnen geworfen.

In einer alten Seitenkapelle der Stiftskirche in Stuttgart, die schon vor der Erbauung der Kirche gestanden haben solle, befindet sich noch bis heute der Heilige St. Urban, mit der Hape in der Hand, auch feiern die Weingärtner in Stuttgart, zwar nicht regelmäßig, aber doch noch von Zeit zu Zeit, besonders bei einem guten Stand der Reben, wie 1822 und 1840 am St. Urbanstag ein Freudenfest. In Heilbronn wurde früher, wenn in der Nacht vor dem Urbanstage der Weinstock nicht erfroren war, gleichfalls ein sogenanntes Urbansfest gefeiert.

Auch in Franken und besonders in Nürnberg wurden in den frühesten Zeiten und bis zum siebzehnten Jahrhundert von den Weinausrufern und Küfern der Urbanstag durch Umzüge, wobei das Bild des heiligen Urban herumgetragen wurde, gefeiert. Regnete es an diesem Tage, so ward der St. Urban ohne Gnade in den der St. Lorenzkirche gegenüber befindlichen steinernen Wassertrog geworfen, regnete es aber nicht, so wurde derselbe getauft, indem er von den Häusern von oben herab mit Wasser begossen wurde.

In andern Orten fanden besonders im Frühjahr besondere Winzerfeste statt. In Tübingen zogen die Weingärtner am Donnerstag nach Fastnacht Mittags 12 Uhr in ihren Festkleidern mit Butte und Haue in der Stadt herum; voraus wurde ein Kreuz getragen, an dessen einem Arm eine Brezel und am andern ein Häring, und oben drauf eine Flasche befestigt war. Dem Zuge folgten an einem Seile abgetheilt zuerst die alten, dann die jungen Weingärtner, an dem sie sich gegenseitig hin- und herzerrten, indem die einen zogen und die andern nicht fahren ließen, so daß der Zug bald vorwärts bald rückwärts sich bewegte.

Durch dieses Fest sollte die Zeit der wiederbeginnenden Arbeit begrüßt und zugleich des Rebwerks Art und Wesen dargestellt werden, das bald hinter sich, bald für sich geht, bald glückt, bald zurückschlägt, immer aber earnet (erarbeitet) sein will. Dieses Raupenfest, wie eine alte Urkunde es nennt, wurde bis ins Jahr 1590 gefeiert, dann witterte aber Kanzler Hafenreffer heidnischen Unfug darunter und wußte die Vögte zum Verbote desselben zu bestimmen. (Klüpfel, Tübingen 1. Th. S. 51.)

In Reutlingen wird von alten Zeiten her noch jetzt von der Weingärtnerzunft der „aunselige Möntich" (1854 den 10. Juli) gefeiert. Bei diesem Feste versammelt sich die Weingärtnerzunft auf und bei ihrer Zunftstube, wo vom Zunftvorstande über die Bedeutung des Festes eine Rede gehalten wird. Dann geht es in die Kirche zum Gottesdienst in Prozession, voraus wird der heilige Urban nebst Insignien des Weingärtnergewerbes getragen, hierauf folgt die Musik und dann zwei Träger mit der Zunftfahne. Vom Gottesdienst weg geht es vor die Zunftstube zurück, wo die Fahnenträger unter Gesang und Musik die Zunftfahne flaigen (schwingen) und dann vor die Häuser der städtischen Beamten, zu derer Ehrenbezeugung das Fahnenflaigen wiederholt wird. Das Ganze wird mit einem Essen und mit Tanz beschlossen.

§. 130.

Bei diesen Festen und Zunftversammlungen spielten die silbernen Pokale der Zünfte und namentlich der Pokal der Weingärtnerzunft in Stuttgart eine besondere Rolle, indem mit demselben die verschiedenen Toaste ausgebracht und daraus in der Runde von der ganzen Versammlung getrunken wurde. Der Stuttgarter Pokal wurde nach der Aufschrift im Jahre 1661 von Hansjörg Mautzen, Jörg Messerichen und Conrad Kachler gestiftet, er stellt den aus einer Rebe geschnitzten heiligen Urban vor, der mit einem silbernen Butten auf dem Rücken auf einem Postament von gleichem Metall in getriebener Arbeit ruht, in der rechten Hand einen Stock, in der linken zwei Trauben von Silber trägt und mit einer silbernen Halskrause verziert ist. Der Butte bildet den Pokal, der außerdem noch mit verschiedenen Gegenständen geziert ist, die zum Weinbau und zur Weinbereitung gehören, und die zu verschiedenen Zeiten von Freunden des Weinbaues gestiftet wurden und an silbernen Ketten an dem Urban angebracht sind. Ferner mit verschiedenen Medaillen, unter welchen eine goldene von Herzog Friedrich II. nachher König Friedrich von Württemberg vom Jahre 1802, eine gleiche von König Wilhelm vom Jahr 1819; eine ähnliche, gestiftet aus Veranlassung des Regierungsjubiläums am 27. Sept. 1841, eine goldene Medaille von dem Kronprinzen Karl und seiner Gemahlin der Großfürstin Olga, gestiftet aus Veranlassung des feierlichen Einzuges in Stuttgart am 23. Sept. 1846 ꝛc. Durch diese Stiftungen wollten die hohen Geber zugleich ihr besonderes Interesse für den Weinbau und den Weingärtnerstand an den Tag legen.

Gegenwärtig (1868) ist der Urban mit 75 einzelnen Geräthschaften und Medaillen geziert, auch ist eine eigene gedruckte Beschreibung desselben von dem Weinbaufreunde Hofrath Sick in Stuttgart vom Jahre 1836 vorhanden, in welcher der Urban mit seinen Zierrathen näher beschrieben und ein Gedicht „der Weingärtnerspruch“ enthalten ist.

Die Weingärtnerzunft in Reutlingen besitzt gleichfalls ein Bild des heiligen Urban, „das Rebenmännchen“, das eine goldene Denkmünze zum Andenken an die Augsburger Confession auf der Brust trägt, mit silbernen Anathemen aus dem siebzehnten und achtzehnten Jahrhundert bedeckt ist und in alten Zeiten zu Spiel, Tanz und Zechen am St. Urbanstag umhergetragen wurde. (Gailer I., S. 603.)

§. 131.

Der Zunftzwang scheint jedoch bei den Weingärtnern nie strenge ausgeübt worden zu sein, auch war dazu keine besondere Veranlassung vorhanden, so daß der Zweck dieser Zünfte nach und nach fast ganz verloren gieng und nur noch die jährliche Lohnregulirung zum Gegenstande hatte.

Durch das Zusatzgesetz zu der allgemeinen Gewerbeordnung vom 22. April 1828 wurde die Zünftigkeit der Weingärtner, die sich überdies nie auf das ganze Land, sondern nur auf einzelne Städte erstreckte, gänzlich aufgehoben.

Statt dieser Zünfte verbanden sich in Stuttgart und Heilbronn die Weingärtner — wohl fühlend, daß, statt Verfolgung der alten Zunftzwecke, es am nöthigsten seie, auf eine durchgreifende Verbesserung des Weinbaues und der Weinbereitung hinzuwirken — zu freien Gesellschaften. Auch in andern Orten, wie z. B. in Waiblingen wurden unter den Weingärtnern Vereine geschlossen, um die Erzeugung eines guten Weins zu fördern und ihr Interesse sonst wahrzunehmen.

Von Seiten der Regierung aber suchte man durch belehrende Erlasse auf eine zweckmäßigere Behandlung des Weinbaues und der Weinbereitung einzuwirken (§. 65, 70, 81, 83) und setzte sogar im Jahre 1824 für die beste auf Erfahrung gegründete Beantwortung der Frage: wie der württembergische Weinbau, die Zubereitung des Weins im Herbst und die Behandlung desselben im Keller zu verbessern seie, einen Preis von vierzig Dukaten aus, der jedoch, so viel dem Verfasser bekannt ist, nie zur Vertheilung kam.

Der allseitig erwachte Eifer für die Verbesserung unseres Weinbaues gab die Veranlassung, daß im Jahre 1824 unter der Leitung des Hofdomänenraths v. Gock ein patriotischer Verein unter dem Namen „Gesellschaft für die Weinverbesserung" zusammentrat, der sich nach den ausgegebenen Statuten zum Zweck setzte:

1) auf die Veredlung des württembergischen Weins und auf die Emporbringung seines Kredits zu wirken und zu diesem Behufe
2) die in den verschiedenen Gegenden des Landes üblichen Wein- bau- und Weinbehandlungsarten kennen zu lernen, die Gebrechen, an welchen beide leiden, und die sichern Mittel zu deren Abhilfe zu erforschen, hiebei insbesondere die Behandlungsarten, welche einst in einzelnen Gegenden des Landes zu der Zeit üblich waren, als sie noch bessere Weine lieferten, zu berücksichtigen, und die erprobt gefundenen Mittel und Grundsätze in den Weinorten des Landes möglichst zu verbreiten.
3) Möglichst viele Beispiele über die nach Lage und Boden geeignetste Bestockung der Weinberge sowohl, als über eine zweckmäßige Behandlung des Weins in den verschiedenen Weingegenden des Landes herbeizuführen, und
4) die für Württemberg besonders geeigneten Rebsorten, mittelst Abgabe von Schnittlingen und Stöcken an Weinbergbesitzer

entweder unentgeltlich oder gegen billige Preise zu verbreiten. Dazu kam später, 1827 erstmals

5) Die Aussetzung von Preisen von zehn bis siebenzig Gulden für Weingärtner, welche die größte Fläche guter und mittelguter Weingärten mit edeln Rebsorten anpflanzten, welchen später noch silberne Medaillen beigefügt wurden.

Dem Vereine kann jeder unbescholtene Württemberger beitreten, der geneigt ist, zur Beförderung der Gesellschaftszwecke mitzuwirken.

Die erforderlichen Geldmittel werden durch jährliche Beiträge der Mitglieder aufgebracht, auch erhält die Gesellschaft zur besseren Verfolgung ihrer Zwecke keine unbedeutende Beiträge aus der königlichen Privat- und Staatskasse.

Im Jahre 1828 schloß sich diesem Vereine ein anderer Verein „der württembergische Weinbauverein“ an, der auf Aktien à 50 fl. gegründet wurde und zum Zwecke hat, in den verschiedenen Theilen des Landes Weinberge anzukaufen, solche mit edlen Rebsorten zu bestocken, sie auf eine rationelle Weise zu bebauen und dadurch „als Musterweinberge“ zur Nachahmung aufzustellen.

Die Geschäfte beider Vereine werden durch Gesellschaftsausschüsse, die in Stuttgart ihren Sitz haben, geleitet, und jedes Jahr findet daselbst eine Generalversammlung statt, bei der die Rechenschaftsberichte erstattet und Berathungen über die weitere Verfolgung der Vereinszwecke gepflogen werden.

Durch diese zum Theil mehr als dreißigjährigen Bestrebungen hat die Weinverbesserungsgesellschaft mehr als 20 Millionen edler Rebschnittlinge und Stöcke meistens unentgeltlich an die Weingärtner Württembergs vertheilt, so daß in fast allen Theilen des Landes, theils kleinere, theils größere Anlagen von edlen Reben, namentlich Clevner, Burgunder, Rießling und Traminer entstanden sind (§. 67), von welchen wirklich gute und edle Weine erzeugt werden, die natürlich auch im Auslande Anerkennung finden. (§. 126.)

Von Seite des Weinbauvereins aber sind gegen 13 Morgen Weinberge in verschiedenen Gegenden des Landes angekauft und mit edeln Rebsorten bepflanzt worden, bei welchen hauptsächlich die gestreckte Rheingauer Erziehungsweise zur Anwendung kommt, die neuerlich auch von Weingärtnern, wie z. B. in Stuttgart, Untertürkheim und Weinsberg durch die Einführung der Rahmenerziehung Nachahmung findet.*)

*) Der Weinbauverein wurde im Jahr 1863 aufgelöst und die Weinberge verkauft, nachdem die meisten Actien durch Erbschaft ꝛc. in die Hände anderer Personen gekommen waren, die weniger Interesse für den ursprünglichen Zweck zeigten.

Neben diesen Anstalten suchte man den Eifer für verbesserte Weinbereitung auch noch dadurch zu wecken und anzuregen, daß man junge oder erfahrene ältere Weingärtner, theils auf Kosten der Weinverbesserungsgesellschaft und der betreffenden Korporationen oder landwirthschaftlichen Vereine, theils auf Kosten der Centralstelle für die Landwirthschaft, in solche Weinbaugegenden sendete, wo ein verbesserter Weinbau stattfindet, wie z. B. im Rheingau in der baierischen Pfalz u. s. w. um daselbst nicht bloß Einsicht von den Weinbauverhältnissen zu nehmen, sondern auch bei den einzelnen Arbeiten selbst Hand anzulegen und dadurch in den Stand gesetzt zu werden, das Zweckmäßige später auf den heimathlichen Weinbau zu übertragen.

All dieses sind jedoch größtentheils nur Bestrebungen von Privatvereinen, die sich bei geringerer Theilnahme auch wieder auflösen können, und deren Wirken hinwieder auch schon dadurch mißglückt ist, daß die von denselben verbreiteten Reben an Orten und Lagen angepflanzt wurden, wohin sie durchaus nicht taugten und wodurch die Weinverbesserung in Mißkredit kam.

Solle deshalb das segensreich begonnene Werk einen nachhaltigen Fortgang haben, so ist es ein unumgängliches Erforderniß, daß eine Anstalt, d. h. eine Weinbauschule, gegründet wird, in der nicht nur die Eigenschaften der für uns tauglichen verschiedenen Rebsorten, ihre Anpflanzung in den dafür passenden Boden, sowie ihre Erziehung und sonstige Behandlung, sondern auch eine angemessene Weinbereitung auf rationelle Weise gelehrt wird, und dadurch diejenigen Grundsätze, auf welche sich eine zweckmäßige Weinbereitung gründen muß, immer mehr zum Gemeingut aller Weinbergbesitzer gemacht werden.

Die Errichtung einer solchen Weinbauschule ist schon vor einigen Jahren von dem Verfasser in Anregung gebracht und auch von verschiedenen landwirthschaftlichen Vereinen unterstützt, sowie von der Kammer der Abgeordneten der Regierung zur besondern Berücksichtigung empfohlen worden, in deren Folge nunmehr eine solche Anstalt zu Weinsberg errichtet ist.

Die Aufgabe einer nach einem festen Plane errichteten und nach rationellen Grundsätzen handelnden Weinbauschule besteht aber nicht bloß darin, daß sie den aufgenommenen Zöglingen angemessenen Unterricht ertheilt, sondern sie hat auch ihre Grundsätze mit Worten und durch Schrift in allen Weinbaugegenden zu verbreiten und die Weinbergbesitzer aufzumuntern, ihren Weinbergbetrieb darnach einzurichten, zu welchem Behuf nach Klima, Lage und Boden zunächst auszumitteln wäre, welche Traubengattungen für jede einzelne Gegend hauptsächlich passen und für deren Verbreitung sofort vorzüglich Sorge getragen werden sollte, wobei natürlich auf die bestehenden Anpflanzungen geeignete Rücksicht genommen und zu diesem Behuf Gegenden, welche bisher hauptsächlich weiße Weine erzeugten (Kocher- und Tauberthal), keine blaue, und für solche, welche bisher vorzugsweise rothe Weine produzirten (mittleres Neckar- und Enzthal), keine weiße Traubengattungen zur Anpflanzung empfohlen, vielmehr darauf gedrungen werden sollte, daß überall ein constanter, charakterfester Wein erzeugt wird, der nicht nur auf eine angemessene Weinconsumtion einen günstigen Einfluß ausüben würde, sondern auch zuverläßig im In- und Auslande eine gesuchte Waare wäre.

Hoffen wir daher, daß sich durch dieselbe das Gute bald Bahn brechen und daß auch die gegenwärtige geschichtliche Darstellung dazu beitragen werde, die Ueberzeugung von der Nothwendigkeit solcher Anstalten und einer durchgreifenden und nachhaltigen Verbesserung der schwäbischen Weine immer allgemeiner zu verbreiten.

FSC
www.fsc.org

Druck:
Customized Business Services GmbH
im Auftrag der KNV-Gruppe
Ferdinand-Jühlke-Str. 7
99095 Erfurt